UNE SORTE DE BLEU

Alain Gerber est né en 1943 à Belfort — qui est le cadre de ses romans. Après des études de philosophie et un doctorat en psychologie (thèse sur le cinéma), il se consacre au journalisme où ses compétences, tant en matière de jazz que de gastronomie, s'affirment brillamment.

En 1940, Théo a douze ans et il vient de passer, tant bien que mal, son certificat d'études. Demain, il ira gagner sa vie...
C'est par là que s'achevait *Le Faubourg des Coups-de-Trique*; c'est ici que commence *Une sorte de bleu*, non pas suite mais étape nouvelle, de même que l'adolescence, dans la vie, inaugure toujours une histoire neuve par rapport à l'enfance.
Nous n'avons pas quitté Belfort et son faubourg. Mais la guerre et l'occupation les ont amputés de leurs fièvres collectives. Beaucoup sont absents. Ceux qui restent se replient sur les misères du quotidien. Cette période entre parenthèses est, pour Théo, le temps des rencontres : le petit Léon, par exemple, et son ami, le prodigieux Larbi, vieil Arabe des djebels récupéré par l'armée en 1914 et qui a échoué à Belfort après avoir trimbalé, sur les routes de Lorraine et d'Alsace, un flamboyant spectacle théâtral : *Le Fils du désert*...
Désormais, Théo travaille chez un serrurier. Son père est mort, sa sœur Agathe, devenue institutrice, vit sa vie bien à elle, et ce qui reste de la famille a dû se résoudre à emménager dans un appartement plus petit. La vie serait donc grise s'il n'y avait Léon et Larbi. S'il n'y avait, aussi, un récit de Jack London que lui prête Agathe. Tout d'abord, ces petits signes noirs le rebutent. Puis, brusquement, c'est la découverte du pouvoir envoûtant des mots et des histoires. Pour Théo, ainsi, le premier apprentissage du réel passe par le langage : il dévore livre sur livre, se met à écrire. Le second passera par l'Histoire : il rejoindra la Résistance, auprès de Gentil revenu au pays, découvrira la violence, les combats que l'on croit perdus, la mort... Au bout de tout cela naît un homme...

ALAIN GERBER

LE FAUBOURG DES COUPS-DE-TRIQUE

* *

Une sorte de bleu

ROMAN

ROBERT LAFFONT

Pour Marie José

Or, voici ce qui s'était passé :

En 1928, Théo naquit dans une ville que vous connaissez peut-être, car elle s'appelle Belfort et il y pleut souvent d'une façon longue et lente, et puis il y a un grand lion de pierre que les touristes vont chercher sur les places alors qu'il se trouve contre le château, ça nous amuse beaucoup.

Il vécut rue des Prés — on dit maintenant rue de Toulouse — dans ce quartier du faubourg des Coups-de-Trique, où les nôtres habitent et où ils se battaient en ce temps-là, les samedis, après avoir posé leur vélo contre la devanture du Chpaniaque.

Il vécut parmi les siens, qui étaient Marthe et Roméo (sa mère et son père), Papy et Mémère (les parents de Marthe), et encore Agathe, la sœur aînée de Théo, future maîtresse d'école et cela, ça n'était pas commun chez nous.

Papy et Mémère étaient des Alsaciens de Thann, lui charron, elle couturière à domicile. Après la guerre de 1870 et l'occupation des casques à pointe, ils n'avaient pas supporté la morgue de ceux-ci. D'une tristesse et d'une colère qui leur étaient venues, ils décidèrent de quitter leur pays natal, se rendirent à Sewen avec quelques affaires et traversèrent nuitamment la montagne, affrontant mille morts et le cœur plus gros que jamais. Ils se retrouvèrent à Giromagny et s'y établirent, Elysée Schultz devenant conducteur du corbillard, Ida (il l'appelait « son petit ») faisant l'ouvrière à la filature, ou au tissage, je ne sais plus. Ils eurent un amour calme, modeste, et très grand au fond de leur cœur. Alors naquirent Maman, puis l'oncle Maximilien, qui était d'abord un chenapan, voulant aller faire l'âne avec les tigres dans un cirque, puis devenant un commis très apprécié, et presque le fils de la maison, dans l'épicerie « L'Avenir Régional » de M. et Mme Petitdemange, à Montbéliard. Ensuite, il fut entiché de l'ordre et du drapeau et de la nation française et du fait d'être un vrai Français, et non pas à moitié rastaquouère ou levantin; il passa la guerre de 14 enfermé dans un camp prussien; il épousa Mathilde, qui mourut, et fit des affaires florissantes étant représentant en vins, liqueurs et spiritueux. Il avait une auto : une fois, on put monter dedans.

Roméo avait eu aussi une famille, mais ceux-là étaient des gens tout à fait spéciaux. Ils s'étaient installés dans les hauts de Belfahy, parmi la solitude et la froidure, enfermés trois mois de l'année dans l'hiver comme dans une oubliette de l'ancien temps. De sorte que le grand-père Joseph devint un peu fou. Il se mit dans le crâne que sa femme s'était payé du bon temps avec un colporteur qui passait par là, attendant je ne sais combien d'années qu'elle lui certifie le contraire, ce qu'elle ne faisait pas, ignorant qu'il y eût à nier une chose qui n'avait pas eu lieu et n'aurait de toute façon pas eu la moindre chance de se produire, car son amour pour cet extravagant Joseph était une chose entière et très parfaite. Roméo grandit entre une mère douce et malheureuse et ce père loquace et affable autant qu'un mur — celle-là espérant encore un sourire, un baiser de la brute, celui-ci attendant toujours son désaveu.

Quand il fut grand, sa mère l'incita à quitter cet enfer. Il descendit de la montagne avec un réparateur de vaisselle ambulant, homme violent et désinvolte qui lui apprit la fin d'une jolie chanson et les secrets de son métier, avant d'être emporté par les gendarmes, ayant naguère scié le cou de sa femme. Alors Roméo revint à la ferme et voici que dans l'intervalle, sa mère était morte là-haut, sans avoir donné à l'autre abruti le démenti qu'il voulait. Roméo se mit à penser que son départ était cause de cette mort. Cette idée fut le caillou noir qui pesa dans son cœur, tout le temps de son existence, et fit qu'il devint un homme petit, frileux, fragile, flétri, vaincu, débordant d'amour mais croyant que cet amour ne valait pas un clou. Son histoire dit que c'était un vieux polichinelle au cœur las, ne sachant comment s'excuser de son insignifiance, et qui souvent allait s'enfermer dans les cabinets du palier. Mémère ne l'appelait jamais autrement que « mon pauvre Roméo ».

Dans une sombre échoppe, rue Quand-Même, il répara des assiettes tant que les gens donnèrent leurs assiettes à réparer. Mais ce fut de moins en moins souvent. Sur la place du marché couvert, le dimanche, un homme en brisait des piles entières avec beaucoup d'allant et de satisfaction. Par la suite, d'autres choses encore arrivèrent et Roméo finit par se pendre à l'espagnolette d'une fenêtre, ayant envoyé Théo chercher des friandises à la boulangerie Schrutt.

Pour Théo, son père était un dieu. Pour Gentil, qui savait le fond des choses, c'était le roi des dieux et tous les autres dieux, comparés à lui, n'étaient qu'une bande de chiffonniers.

Gentil avait l'âge de Roméo, mais il était l'ami de Théo. Des amis, l'enfant en avait d'autres. Par exemple Kramsky, le coupeur de bois. Kramsky était le meilleur client du cinéma L'Eldorado, commentant les films à voix haute, et il avait souvent dans l'idée de tomber amoureux d'une femme ou d'une autre. Il y avait aussi Jean-Marie Désormais, dit le Passe-Lacet, ou bien l'Eunuque, un très gros homme riche qui ressemblait à un bébé, possédait une Hispano-Suiza et des valets; pendant la grève sur le tas, en 36, il alla en grande pompe porter des tas de victuailles aux ouvriers de l'Alsthom (qui d'ailleurs les dédaignèrent pour des pot-au-feu qu'ils s'étaient fabriqués eux-mêmes au son des accordéons). Théo l'aida à se débarrasser d'un vilain secret qui le rendait malade, puis ils ne se virent presque plus. Mais celui que Théo préférait, de toute façon, c'était de loin Gentil.

Il faudrait un livre pour parler de Gentil, c'est pourquoi un livre a été écrit, mais l'auteur était trop jeune pour connaître cette époque et il n'a pas toujours su montrer les choses comme elles s'étaient réellement passées. En plus de ça, il met des marronniers avenue d'Alsace : montrez-m'en seulement la queue d'un, et je me fais archevêque ! Bref, pour vous donner une idée de ce Gentil, c'était une figure pas ordinaire du faubourg. Un grand flandrin, ancien soldat de la Coloniale, qui jouait de la clarinette comme pas un. Ça se passait au Luxhof, dans les années 30, avant que la guerre ne mette fin à tout ça pour un bon bout de temps. Gentil a été mobilisé, comme la plupart des membres de l'orchestre. Théo est allé l'accompagner au train et Gentil lui a confié son instrument. Il faut dire qu'il avait commencé à enseigner la clarinette à Théo, en même temps qu'un tas de choses qui sont principalement : la justice et l'injustice, les rêves et les paysages, la fraternité et la liberté, le goût de mieux aimer donner qué recevoir, tous les différents soleils qui tournent et caressent, entre les pluies de Belfort, et puis encore ceci : que mourir est inutile, mais c'est obligatoire. Voilà comment était Gentil et il n'était pour ainsi dire jamais d'accord avec personne — non par esprit de contradiction, comme tant de personnes frivoles, mais parce qu'il savait ce que nous souhaitions vraiment, alors que nous-mêmes ne le savions pas et répétions bêtement des idées que les riches nous ont mises dans le crâne, pour mieux nous commander. Gentil était une sorte de maître d'école, et Théo, qui n'apprenait pas en classe, apprit de Gentil plus de choses qu'il n'en faut pour devenir écrivain de romans, c'est-à-dire le strict nécessaire quand on veut être un homme.

Maintenant, vous en savez autant que moi.

THÉO

histoire de la colère

TANT de gens vont partir, à présent. Nous allons bientôt être seuls. On passe devant l'enfer, il y a du feu, on entre. Il faut bien finir ce qu'on a commencé. On commence, on finit, il n'y a pas de milieu.

La nature, elle recommence : les jonquilles, les feuilles, les herbes. Ça va, ça vient. Ça revient l'année prochaine. C'est des choses, mais ça revient. Nous, on n'est pas aussi bien vus. On dit adieu, c'est pour toujours. Ceux qui restent, il n'en reste pas grand-chose, parce qu'ils ne nous ont plus. Ils se consolent, qu'on appelle. Ça veut dire qu'ils attendent leur tour sans faire trop de bruit, bien tranquilles. Les vieilles années de notre vie, elles sont allongées dans les cimetières du monde. Le sommeil n'aura plus qu'à poser la main sur elles, doucement. Demain.

C'est peut-être ça qui vous fait mourir, c'est la faim de la vie. Si tu as faim, mange ta main. A la longue, on se bouffe tout entier. La souffrance, c'est en prime, c'est donné gratis, vous n'avez même pas à demander : ouvrez votre carnet, c'est dedans.

Un enfant appelé Théo, voici son histoire à nouveau, il est l'un d'entre nous. Il marche dans ces rues, il porte avec nous le vaste ciel, tantôt lourd, tantôt léger. Il marche et il s'arrête, il ne fait pas toujours les mêmes choses. Il mange le dos à la fenêtre, sans un regard pour les étoiles.

Voici encore son histoire et la nôtre. Comment il vivait en ce temps-là, nous autres autour de lui, et lui-même faisant partie de notre entour. C'est Théo qu'on lui dit. Son père était celui qui s'est pendu après sa fenêtre, l'hiver dernier. Un homme comme on en voit chez nous. Cependant, le cœur lui battait plus dur qu'à un autre, à cause d'une peur qu'il avait tout le temps. C'est peut-être la raison. Ça ne nous regarde pas, de toute manière, ça n'est pas nos oignons. La vie de chacun, c'est à lui; le petit bout qu'on lui a donné, il en fait ce qu'il veut.

Le ciel est mauve, le ciel est beige, les jours s'en vont. Théo travaille et ne gagne pas de sous. Il apprend serrurier chez Breschbuhl, rue de la Marseillaise. On le dit : il n'y a pas de mauvais métiers, il n'y a que de mauvaises gens. Elysée Schultz, qui fut charron dans l'ancien temps, donne à son petit-fils des conseils pour manier les outils. Ça n'est pas les mêmes outils pour les deux métiers, mais c'est toujours la main de l'homme qui se referme sur les choses et qui sent contre elle le parler des choses. D'abord, on n'entend pas, parce qu'on ne sait pas, puis la peau durcit et n'a plus besoin de serrer l'outil comme avant : alors l'outil respire et se met à raconter une certaine histoire. Un beau matin, on comprend ce qu'il veut dire. Tous les outils sont un peu des instruments de musique.

Sur l'armoire à glace de la chambre est l'étui de la clarinette que Gentil a confiée à Théo, s'en allant pour la guerre. On ouvre l'étui, on regarde en dedans, on ne souffle pas dans la clarinette, puisque le père est mort. Quand une personne meurt, la musique meurt avec. Puis elle revient, un jour ou l'autre les choses reviennent toujours.

On ne fait pas de feu dans les chambres. On s'endort d'un seul coup. Dès que vous êtes étendu sur le lit, vous avez l'impression de tomber en arrière,

       tomber...

        tomber...

C'est comme si votre tête n'arrivait pas à toucher l'oreiller. Puis vous sentez brusquement l'oreiller, alors vous ouvrez les yeux et c'est le moment de se lever, il n'y a pas besoin de réveil.

Je parle de Théo. Il mettait ses vêtements d'apprenti. Il enfilait ses galoches. Il allumait la cuisinière, buvait sa chicorée debout en regardant le reflet de l'ampoule sur la vitre embuée. Il alignait les bols sur la table pour sa mère et les autres, il sortait dans le mouillé. Il traversait le fond de la nuit, cette lie ténébreuse, froide et gluante, la vidange de l'hiver. Le bruit de ses pas marchait devant lui.

Je parle de lui encore lorsqu'il s'écarte des maisons, pour ne pas recevoir les gouttières sur sa casquette. Il suit la bordure du trottoir luisant, la tête rentrée dans les épaules, les mains au fond des poches, le visage crispé à cause du froid. Les rues défilent sur sa gauche : rue Engel, rue Faidherbe, rue de la Croix-du-Tilleul, rue Dubail-Roy, rue de l'Etoile, rue du Haut-Rhin, rue Albert-Thomas (anciennement rue des Bains). Tout de suite après, il va tourner dans la rue de la Marseillaise. Il ne pleut pas vraiment. C'est le ciel qui égoutte. Théo est dépassé par des hommes à vélo, courbés sur le guidon pour ne pas recevoir le vent humide dans les yeux. L'immense drapeau à croix gammée est accroché sur la façade du château.

Théo arrivait le premier pour lever le rideau, balayer le trottoir et l'atelier. On balaie le matin avant de commencer le travail, puis le soir quand on s'en va; on n'est pas des romanichels.

M. Breschbuhl a son logement en face de l'atelier. Quand Théo passe le balai, il sait qu'on le guette derrière le rideau, voir s'il fait tout bien comme il faut. Ce n'est pas que le patron n'a pas confiance, mais il n'y a pas trente-six façons de mener un apprenti.

— Le gosse est là, dit M. Breschbuhl.

Sa femme hausse les épaules, renifle :

— Il n'est jamais trop pressé, celui-là !

Pourtant, Théo est toujours là avant l'heure. Mais Mme Breschbuhl est la patronne, elle ne veut pas avoir l'air. Les petits apprentis, on connaît ça, allez ! Vous leur donnez le petit doigt, ils en veulent long comme ça.

M. Breschbuhl hoche la tête. Il ne défend pas Théo, mais il sait à quoi s'en tenir. Il suffit d'un coup d'œil à la pendule.

— C'est bien tous les mêmes ! fait la patronne.

M. Breschbuhl hoche la tête. A travers le rideau, il observe le gamin qui, bien consciencieusement, tape le balai contre le bas du mur avant d'aller le mettre dans le placard. Son ombre sautille près de lui, sur le trottoir lustré.

— Il a encore dû pleuvoir toute cette nuit... soupire M. Breschbuhl.

La patronne hausse les épaules.

Théo s'affaire dans l'atelier. Il recommence sans arrêt les rangements qu'il a déjà faits et refaits la veille au soir, afin qu'ils soient de mieux

15

en mieux. Il ferme un œil pour installer les outils bien droits l'un à côté de l'autre. Il n'est pas obligé, mais il le fait. Il n'aura pas de compliments pour ça : il le fait quand même. Il passe sa manche sur l'établi. Il se baisse, pour si des fois une saleté quelconque traînait par terre.

M. Breschbuhl s'arrange pour être là avant l'ouvrier. C'est lui le patron : il ne veut pas qu'il soit dit. Mais l'ouvrier a sa dignité lui aussi. Il calcule son coup de façon à pénétrer dans l'atelier au moment où le patron est seulement en train de refermer derrière lui la porte du logement. Si M. Breschbuhl triche et sort trois minutes en avance, on dirait que l'ouvrier le sent : il apparaît au coin de la rue au moment précis où le patron met le nez dehors. Ils font semblant de ne pas se voir et c'est à qui arrivera le premier.

L'ouvrier fait des gestes à Théo, il lui crie : « T'en fais pas, Toto, j'arrive ! », comme si Théo était embarrassé de quelque chose, et il se met à courir, pendant que M. Breschbuhl traverse la rue ventre à terre, hurlant à son apprenti qui a pourtant les mains vides : « Pose pas ça là, petit malheureux ! Pose pas ça là ! » Ils manquent de se tamponner sur le seuil de l'atelier.

— Ah ! bonjour patron ! J'espère que je ne suis pas en retard, au moins ? fait l'ouvrier.

— Tiens ! salut, Robert ! dit le patron qui cache mal son dépit. Ça va chez toi ?

Il ajoute sans regarder personne :

— J'ai dû retourner prendre mon paquet de gris.

— On vous aurait attendu, vous savez ! rigole l'ouvrier.

Ils sont aussi sournois l'un que l'autre.

Après ça, on se met au boulot et on n'en parle plus. Naguère, le dénommé Legrand complétait la petite équipe. Un joyeux drille. Un homme qui aurait fait fortune dans la cambriole : rien qu'à regarder dans le trou des serrures, elles s'ouvraient toutes seules devant lui. Il s'est fait tuer près de Dunkerque. Lorsqu'on parle de lui, Robert dit :

— C'est même pas les Chleuhs qui l'ont descendu, c'est ces pourris d'Angliches !

M. Breschbuhl hoche la tête. Les uns ou les autres — il est comme tout le monde, il n'y était pas, il n'en sait rien. Et puis qu'est-ce que ça change ? De toute façon, il n'y aurait plus assez de travail pour deux ouvriers, à présent.

— Faut pas leur faire confiance, aux Rosbifs, marmonne Robert penché sur son ouvrage. Je l'ai toujours dit.

L'époque novembre 40, on ne savait plus trop si c'était la guerre ou non. Les uns disaient qu'elle était finie. Pour les autres, elle venait tout juste de commencer. Certains affirmaient qu'on l'avait perdue. D'autres personnes insinuaient qu'il fallait voir, que tout n'était pas dit. Bref, les avis étaient très partagés. Chacun disait que ceux qui ne pensaient pas comme lui étaient des traîtres. Ou bien des mabouls. En fait, la plupart des gens ne disaient ni une chose ni l'autre. Ils ne savaient pas ce qu'il fallait penser. Ils attendaient. Ils n'étaient pas sûrs non plus qu'il y avait quoi que ce soit à attendre, excepté des emmerdements.

Les Boches étaient là avec leurs sacrées pancartes. Ils avaient fini de s'empiffrer. Les boutiques étaient vides. Pour eux, en tout cas, la guerre continuait. Ils disaient tout le temps que la guerre était un grand malheur et ils n'arrêtaient pas de la faire dans tous les coins. Robert avait vite compris que Hitler n'était pas n'importe qui. Il avait son idée sur la question. D'après lui, juste avant de mourir, le roi de Rome avait eu un fils avec une artiste de l'opéra de Vienne. Rien n'était plus secret que cette affaire-là : l'enfant en question ne savait même pas qui était son propre père. Toujours est-il qu'il avait eu un fils à son tour. Et qui était ce fils, à votre avis ? Adolf Hitler, bien sûr ! En quelque sorte, Hitler était donc un descendant de Napoléon. C'est pour cela qu'il avait la mèche et gagnait toutes les batailles. A son insu, Hitler était français — détail d'une portée considérable qui n'avait pu échapper à Robert. Robert avait comparé les dates, il s'était tout de suite douté de quelque chose. D'ailleurs, vous remarquerez qu'Adolf est le même prénom dans les deux langues, ce qui est déjà un signe. Ensuite, je vous le demande, qui avait décidé de nous rendre les cendres du roi de Rome ? Elle ne lui était quand même pas tombée du ciel, cette idée, à Hitler ! C'est la voix du sang qui avait parlé... Pareil pour sa haine des Angliches. Sainte-Hélène, ça vous dit quelque chose ?

Robert restait songeur. Il regardait un long moment dans le vide en se mordillant la moustache.

Papy avait dans l'idée que les Boches voulaient tuer le monde entier. « Ils ne seront pas contents autrement ! » grommelait-il. Selon lui, les Boches ne pouvaient pas s'empêcher d'envier ce que les autres avaient. C'était à cause qu'ils étaient tellement méchants. Ils entraient dans les maisons, emportaient les pendules et coupaient les mains aux jeunes filles.

Robert ne voulait pas entendre parler de ça :

— En tout cas, disait-il, ils feraient bien de couper la langue à certains !

Théo se taisait. Il aimait bien Robert, il ne voulait pas se fâcher avec lui. Au demeurant, c'était grâce à Robert qu'on l'avait pris chez Breschbuhl. Sa femme travaillait au D.M.C. avec Maman.

Par exemple, il racontait qu'en réalité, c'était Louis XVI qui avait inventé la guillotine, à cause de ses connaissances en serrurerie. En revanche, ce n'était pas lui qui était grimpé sur l'échafaud. Il s'était sauvé la veille en ouvrant la serrure de sa prison avec le fermoir de sa médaille de roi : le dénommé Legrand lui-même n'aurait pas fait mieux.

— Alors, qui c'est, selon vous, celui qu'ils ont coupé la tête ? ricanait la patronne.

Robert Lamiral fermait les yeux à demi, soupirait un grand coup :

— Si je vous le disais, madame Breschbuhl ! Si je vous le disais... !

La patronne haussait les épaules encore plus farouchement que d'habitude et repartait dans sa cuisine en bougonnant.

— Ah ! bonté, tu nous en racontes ! faisait le patron, amusé.

L'ouvrier lui tournait le dos et se remettait à l'ouvrage :

— Regardez les images dans les livres, disait-il gravement. Regardez bien les images : vous finirez par comprendre.

— Pour moi, disait le patron, l'air de ne pas y toucher, c'est l'arrière-grand-mère à Hitler qu'ils ont raccourcie. On la reconnaîtrait entre mille ! Avec la perruque, bien sûr, ils pouvaient pas bien se rendre compte, les sans-culottes — d'autant qu'ils étaient tout le temps saouls comme des bourriques. Mais j'en mettrais ma main au feu ! Et si tu veux tout savoir, Théo, eh ben, c'est encore les Rosbifs qui ont fait le coup !...

Il riait à en tomber par terre. Ulcéré, Robert n'ouvrait plus la bouche de tout l'après-midi.

— Le patron, disait-il parfois, l'air préoccupé, lorsqu'il était seul avec Théo, je me demande s'il est aussi malin qu'il croit...

Le soleil était partout et nulle part dans le ciel, on l'avait vaporisé à travers la brume, le jour où ils firent un cortège pour mener le père jusqu'à Brasse.

Avec leur plumet noir sur la tête, les chevaux traînent le corbillard le long du faubourg. On est derrière, on est serrés les uns contre les autres. Des inconnus arrêtent leur vélo et tirent leur chapeau, il y a des dames qui se signent devant les magasins. Tout le monde paraît avoir peur.

Théo, lui, Théo, n'avait pas peur. Il était bien trop en colère. Il serrait les dents en fixant les couronnes violettes et les bouquets. Il n'avait pas envie de pleurer. Il avait envie de casser la figure à quelqu'un. Il en voulait à tous ceux qui étaient là. Il en voulait même à sa mère, à sa sœur, à Mémère et Papy. Il s'en voulait à lui-même parce qu'il n'avait pas su empêcher le père de mourir.

Un troupeau de vaches déboucha de la rue de Châteaudun juste sous le nez de l'enterrement. Ce sont des choses qui arrivent : dans cette rue, il y a une ferme, en face de l'école. De temps en temps, on sort des bêtes pour les conduire à l'abattoir. Elles traversent comme ça toute la ville, encadrées par des loustics perpétuellement furieux, maniant des triques à la volée et courant partout dans leurs culottes raidies de purin sec. Ils crient comme des putois, ont des mégots éteints au coin du bec, des vilains yeux, sous la casquette rabat-

20

tue. Ils s'engueulent avec les croque-morts, on fait semblant de ne rien entendre.

Ils disent :

— Tu peux pas la garer, eh! croupion, ta charogne?

— Va plutôt enculer tes vaches, branle-la-gueule!

— Il est pressé d'arriver, peut-être, l'ossement?

— T'en fais pas, ce sera bientôt ton tour! Toujours à ton service, mon gars!

Il a fallu marcher derrière les vaches jusqu'à la rue de l'Egalité. Elles allaient d'abord et puis Papa venait dans son carrosse. L'une d'elles est montée sur le trottoir et a mélancoliquement tourné la tête pour regarder l'enterrement. Elle a fait un pas dans notre direction, comme si elle voulait venir avec nous.

Au fond de la rue de l'Egalité, on voyait un mur et c'est là qu'on allait. On allait poser le père dans cet endroit où l'hiver dure davantage que dans les autres parties de la ville. On allait le mettre là et puis revenir à la maison par-derrière. Ceux qui ont un mort ne vont certainement pas se pavaner en plein faubourg. Ils se cachent dans les petites rues. Ils ont honte car ils n'ont pas su empêcher la mort.

Quand on descend le cercueil dans la terre, Théo n'est pas dupe. Le père s'est pendu, le fait est, mais il sait bien que ce sont d'autres qui l'ont fait mourir. Ce sont tous ceux qui ne l'aimaient pas assez. Il y en a beaucoup et Théo est un de ceux-là. Tout le monde est un de ceux-là, sauf Gentil. Mais Gentil est allé à la guerre. Alors le père n'a plus eu personne et il a été forcé de se pendre.

Il les regarde, Théo, tous les coupables. Ceux qu'il connaît bien et ceux qu'il n'a jamais vus. Sa mère et sa sœur. Papy, Mémère, l'oncle Maximilien. La sœur à Gentil, la mère Korn, Mme Blaise, toutes les autres bonnes femmes du faubourg et ces femmes d'enterrement, on ne sait même pas d'où elles sortent, elles surgissent entre les tombes, elles vous poussent pour sangloter au premier rang, elles marmottent, elles lancent de la terre dans le trou. Et puis qui encore ? Qui déambulant au milieu de notre douleur et nous dévisageant avec avidité ? Les voisins, bien entendu. M. Blèze, notre propriétaire. Un vieux tableau (on dit que c'est la chef de bureau chez Bérolle, elle ne manque pas de toupet !). Mlle Loncle et le père Mouret. Un frère du Chpaniaque, qui n'avait pas pu quitter son zinc. Tous ceux qui n'étaient pas à la guerre. La femme à Clément ne s'était pas dérangée, mais c'était aussi bien.

Le ciel est descendu un peu plus bas. On s'est aggluliné autour de cette fosse.

Théo les voyait tous. Il se voyait aussi. Il se voyait comme il était dedans : puant, pourri, rongé de moisissures. Lui, Théo, qui s'était défilé au moment où son père s'accrochait le cou à sa fenêtre, et bonsoir. On pouvait lui chuchoter des bonnes paroles, il savait à quoi s'en tenir, il n'écoutait même pas.

Puis ils ont encore serré des mains, supporté les odeurs de ceux qui vous agrippent tout à coup et se collent à vous, imaginant qu'ils vous soulagent. Théo brûlait de les gifler à pleins bras. Les croque-morts, il n'arrêtait pas de les fusiller avec ses yeux. Ceux-là ne faisaient même pas semblant : ils allumaient des cigarettes dans un coin. Les femmes du faubourg s'en allaient en troupeau par la grande allée, murmurant toutes ensemble et se tordant les talons sur le gravier.

Théo les haïssait pareillement. Il haïssait la terre entière. Ensuite, ils sont rentrés.

Maman est montée dans la traction de l'oncle avec ses parents et la sœur à Gentil. Théo est revenu à pied avec Agathe. Ils sont sortis du cimetière par la petite porte de la rue de la Croix-du-Tilleul, à côté de l'abreuvoir où on va remplir les pots pour que les fleurs durent plus longtemps. Mlle Loncle attendait au bord du trottoir. Avec Agathe, elles ont pleuré tout le long du chemin. Tout de suite, Théo avait dégagé son bras et s'était mis en avant comme s'il ne les connaissait pas. Tout était fini. Le meurtre était consommé. La terre avait connu la plus grande honte de son histoire et ne s'arrêtait pas de tourner. C'est toujours pareil : quand vous avez besoin de la fin du monde, elle n'est jamais là.

A la place du soleil, il y avait dans la brume une sorte de bleu. Avec ses yeux, Théo cherchait à se noyer dans cette couleur; ça deviendrait gris ardoise avant qu'ils n'atteignent l'endroit où la rue rejoint le haut du faubourg, presque en face du Luxhof. L'enfant allongeait le pas. Il n'avait plus qu'une idée en tête. C'était d'ouvrir la boîte et de poser ses doigts sur la clarinette à Gentil.

Ils changeaient de maison le mois d'après. Ils déménagèrent sous une vilaine neige pleine d'eau. Elle s'écrasait sur vous par petits paquets mous, visqueux, glacés. Certains vous glissaient lentement dans le cou : des limaces.

On avait attendu le jeudi pour que Théo puisse aider sans manquer l'école. Aider consistait à porter jusqu'à la rue de l'Yser les choses les plus fragiles, protégées par du papier journal.

Maman avait voulu que Mémère et Papy restent

dans la cuisine tant que les hommes de Lempereur et Duparc n'auraient pas fini de charger le camion. Elle craignait qu'ils n'aillent attraper froid. Pour le dernier jour, bien sûr, on n'avait pas fait de feu : ces messieurs devaient emporter aussi la cuisinière et le fourneau du couloir. Mais quand même, ça n'était pas aussi glacial que rue de l'Yser, où il n'y avait plus personne depuis quinze jours. Alors Mémère et Papy étaient assis dans la cuisine avec leurs manteaux sur le dos. Papy avait son *Messager boiteux* à la main; leurs petites affaires étaient par terre devant eux, dans des paquets (Théo s'était chargé du coffre à outils). Au début, ils étaient accoudés à la table. Ils regardaient sans dire un mot les hommes qui enlevaient le buffet, la caisse à bois, le garde-manger. Puis les hommes avaient ôté la table pour la porter dans le camion.

— C'est drôle, dit Mémère, ça a l'air plus petit comme ça; j'aurais cru le contraire.

Papy ne répondit rien. Ils étaient assis sur les chaises avec le vide de la table entre eux deux. Ils songeaient à d'autres moments de leur vie, à d'autres déménagements. Deux déménagements égalent un incendie, voilà ce qu'on nous a toujours appris. Seulement, ce ne sont pas les choses qui brûlent, c'est vous. D'un lieu à l'autre, leur vie s'était consumée. Partir, toujours partir, quitter sa peau, avoir froid.

Puis on a décroché la suspension et ils étaient dans l'ombre. Puis on leur a gentiment demandé de se lever, pour prendre les chaises. C'est tout ce qu'il restait dans l'appartement. Avec le vieux lino du couloir, tout craquelé, tout ébréché; on l'avait roulé et le rouleau était debout près de la porte d'entrée.

— Tiens, Mémé, mettez-vous là, hein? Et le

Pépé aussi... Là, voilà! On va descendre les chaises au camion, hein? Voilà!

Voilà? Voilà quoi?

Les hommes ont emporté le lino. On a entendu la voix de Maman dans l'escalier :

— Il n'y a plus rien?

Dans la cuisine, Mémère et Papy avaient ramassé leurs paquets. Ils se tenaient tout timides sur le seuil. Papy a demandé à Maman :

— C'est maintenant qu'on y va, Marthe?

Il avait une voix de petit garçon, il avait la voix d'un vieux de cent cinquante ans. Sa mâchoire pendouillait, entraînant toute la tête en avant. Il levait sur sa fille des yeux hébétés, remplis d'angoisse.

Maman leur a souri un peu.

Ils se sont avancés dans le couloir à tout petits pas, Mémère et Papy, regardant craintivement autour d'eux comme s'ils s'attendaient à ce qu'une bête féroce leur saute après. Lorsque les yeux de Mémère se posèrent sur le plafond, elle courba instinctivement l'échine. Tous les deux se ratatinèrent à chaque pas. Plus ils approchaient de la porte d'entrée, plus ils se collaient l'un à l'autre. Ils n'arrêtaient pas de se cogner les genoux dans leurs paquets.

Ils avaient aimé vivre ici, ils ne se sont pas retournés. Sur le palier, on voyait nettement la marque du paillasson que les déménageurs avaient pris, s'en servant pour faire glisser les armoires sur les marches. Et Mémère a dit :

— On n'a rien oublié, Marthe, au moins?

Maman a répondu, en jetant un coup d'œil par la fenêtre du palier :

— Ne t'en fais pas. Je vais tout vérifier une dernière fois.

— Tu devrais aller voir si je n'ai pas laissé mon

Messager sur la table de la cuisine, a dit encore Papy.

Puis il a froncé le sourcil. Il s'est rendu compte qu'il avait dit une bêtise. Il s'est raclé la gorge. Il a rougi. Malgré les paquets, il a pris la main de Mémère pour l'aider à descendre l'escalier.

Agathe a quitté Vesoul pour toujours. Elle a eu de la chance, ils lui ont donné un poste à Bavilliers. Bavilliers touche Belfort, si bien qu'elle était tout près de nous. Elle habitait à son école, parce que c'était plus pratique et qu'il n'y avait pas tellement de place rue de l'Yser, de toute façon. Mais elle venait souper à la maison le mercredi soir; elle passait la plus grande partie du dimanche avec nous. Quand on avait fini la tarte, on repliait la nappe à un bout de la table et elle s'installait là avec sa pile de cahiers glissés les uns à l'intérieur des autres. Théo jouait aux cartes avec les grands-parents à l'autre bout de la table. Il ne pouvait s'empêcher de lorgner du côté de sa sœur, mais jamais il n'aurait osé lui demander franchement de voir les cahiers et ce qu'elle marquait dessus. Personne n'aurait osé, même pas Maman qui en mourait d'envie tout autant que Théo. Mémère et Papy, eux, ça ne leur serait même pas venu à l'idée qu'ils pourraient avoir le droit de regarder. D'ailleurs, ils étaient devenus indifférents à un tas de choses. La mort de Papa, le déménagement, tout ça les avaient terriblement ébranlés. Ils baissaient, ils rapetissaient sans cesse. Ils devenaient lents et minuscules, minuscules et légers dans le temps qui s'en va.

Octobre, novembre, ils ne sortaient presque plus. Surtout Mémère. En quelques mois, ils avaient rattrapé tout leur retard de vieillesse;

maintenant, ils étaient en avance sur leur âge. Mémère se trompait dans les recettes qu'elle avait préparées toute sa vie. Elle oubliait le sel, ou bien elle en mettait deux fois. Elle laissait brûler des choses dans le four. Alors elle se fâchait contre Maman, puis elle pleurait et Papy murmurait :

— Faut pas pleurer, Ida, faut pas pleurer...

Elysée Schultz n'allait plus voir ses chevaux, sur la place du marché couvert. En regardant par la fenêtre de la cuisine, rue de l'Yser, on ne voyait pas une place et des chevaux; on voyait un mur et la fenêtre d'une autre cuisine. C'était notre nouvelle vie. La vie d'après Papa. Une vie que ce n'était plus vraiment la peine. Et cette odeur, qui venait de l'ancienne locataire et des chats qu'elle avait eus ! On avait beau ouvrir grandes les fenêtres, par des températures de moins quelque chose, elle ne voulait pas s'en aller. C'était une odeur immobile et épaisse, à la fois grasse et acide, qui évoquait la malpropreté, la maladie, l'urine, les abcès et la nourriture des hospices. Elle donnait tout le temps envie de se laver. Elle empêchait qu'on se sente même un tout petit peu chez soi. Déménager d'odeur, c'est ce qu'il y a de plus démoralisant.

Papy n'arrivait plus à ouvrir les trois derniers doigts de sa main gauche. Il regardait ces doigts des heures entières. Il regardait Ida quand elle avait le dos tourné, les yeux remplis d'une tendresse immense, et d'une pitié, et d'une douleur. Il regardait ce qui restait de sa vie, il n'était déjà plus dedans.

Pourtant, il ne perdit pas complètement pied. Il put se raccrocher à quelque chose : ce fut quand Théo alla travailler chez Breschbuhl. Le gamin posait des questions sur le travail et Papy tâchait de lui répondre. Il disait à Théo d'apporter le coffre, celui qu'il avait déjà à Thann étant jeune marié, charron de son état. Il avait sculpté le couvercle sous la lampe, Ida Schultz faisant tranquillement sa couture à côté de lui. En touchant les outils, ses mains retrouvaient un peu de souplesse et de force, même celle qui était malade.

— Voici la plane, voici les gouges, voici la châsse...

Il ne se lassait pas de les nommer.

— Voici le bec-d'âne, Théo. On dit aussi bédane, on dit ce qu'on veut. Prends-le un peu. Fais-moi voir. Là, tu vois ? Ça, c'est un bec-d'âne, mon petit.

Théo se rappelait son père. Lui aussi, le pauvre Roméo, il montrait ses outils et il voulait que Théo les tienne. Il aimait ça. Il avait du plaisir à voir faire son enfant. Il aurait pu passer la nuit à expliquer son métier à Théo. S'il ne le faisait pas, c'est qu'il n'osait pas.

Ce métier, c'était un métier ingrat, qui n'avait pas rendu son amour au pauvre Roméo. C'était un métier qui avait vieilli trop vite et qui était mort tandis que le père à Théo avait encore besoin de lui. Alors le père à Théo était mort aussi. Tous les outils du monde racontaient cette histoire à Théo. Son visage se figeait. Il sentait à nouveau grandir en lui la colère.

Il n'y avait pas assez de colère contre la mort, voilà ! Chacun reste dans un coin du monde, éperdu, et nous ne faisons rien. La mort a beau jeu !

Il y a encore du temps avant le couvre-feu, alors Théo raccompagne sa sœur à Bavilliers. Elle est venue à vélo, mais Théo tient le guidon et fait rouler le vélo à côté d'eux. Les cahiers sont dans la sacoche, glissés les uns dans les autres; seule-

28

ment cette fois, c'est celui qui était tout en dessous qui se retrouve le premier. Ils passent par la rue Voltaire, la rue de Mulhouse, le quai militaire : c'est le même chemin que la fois où on a emmené Agathe prendre le train pour l'Ecole normale, et ça n'a pas du tout changé, vous n'avez pas encore besoin de vos souvenirs pour vous y reconnaître.

Ils n'ont pas parlé avant d'être sur le pont Michelet. Gris. Du gris partout. Même l'herbe du talus, à gauche de la route et de l'autre côté des voies, même cette herbe était grise. Tout au long du quai, les Boches avaient posté des sentinelles qui faisaient de l'œil à Agathe. Théo serrait les dents.

Le minaret de la gare était noyé dans une buée violette, flottant par-dessus la fumée des trains. Des éclairages blêmes, de pauvres lanternes, faisaient luire des segments de rails, entre les quais déserts. Derrière la buée, le noir de la nuit attendait son tour. Si le regard se portait de l'autre côté, vers le Nord, vers le Ballon, il ne distinguait plus, au-dessus des toits, que le bas de Saint-Joseph. L'église ressemblait à ce qu'elle avait été pendant toutes ces années où elle ne possédait pas de clocher. Le soir, en hiver, c'est un moment de peine et de fausseté. Les choses se déguisent; elles se transforment. Il y en a qui s'enfoncent dans la terre, qui s'accroupissent dans l'ombre. Il y en a qui se lèvent comme si elles allaient s'arracher du sol et se mettre à voguer sur la ville. Il y en a qui bougent, elles se posent un peu de biais, elles ont l'air de vous regarder de travers. Le froid du dedans vient avant le froid de la nuit. La nuit vous déteste en silence.

Théo aime beaucoup Agathe. Il est fier qu'elle soit institutrice et corrige les cahiers. Il espère qu'elle est très sévère, que ses élèves la redoutent et qu'ils l'admirent. Il rêve qu'il est dans un coin de la classe et qu'il voit tout, et qu'on a aussi du respect pour lui, parce qu'il est le frère.

Après le bistrot de la rue des Rosiers, ils attaquent la montée du faubourg de Lyon.

— Comment les trouves-tu, Mémère et Papy? demande Agathe.

— Hein? fait Théo.

Ils se taisent un long moment. Ils arrivent près du lycée de garçons.

— Ce n'est pas..., commence Théo, regardant droit devant lui.

Sa sœur lui jette un coup d'œil rapide et détourne la tête aussitôt.

Ils longent maintenant l'espèce de bout de square, avant la caserne des Mobiles.

— Qu'est-ce qui nous attend, Théo? Qu'est-ce qui nous attend, dis?

La nuit vient à leur rencontre dans la descente, une fois qu'ils sont en vue du cimetière israélite. Elle les enveloppe, elle engourdit les bruits de la terre. Elle pousse sur les bords les oiseaux qui appellent. Bavilliers est dans un trou noir et glacé.

— Théo, dis-moi, est-ce que je fais tout ce que je dois? Qu'est-ce que je peux faire?

— Tu as ton école... dit Théo.

— Jamais je n'aurais dû y aller, à Vesoul. J'aurais dû rester là. C'est ma faute. Ils avaient besoin de moi. Papa, j'aurais dû rester près de lui.

Elle se mord la lèvre du haut, elle plisse les paupières. Ils entrent dans Bavilliers, il n'y avait pas un chat dehors.

— C'est pas ta faute, murmure Théo d'une voix rauque.

Elle scrute intensément son visage. Elle secoue la tête, accablée.

— Il voulait que tu sois institutrice, dit Théo à contrecœur.

Il a terriblement envie d'être seul, à présent. D'être ailleurs. Le froid le mord entre les épaules. Agathe fouille dans son sac. Trop tard. Impuissant, Théo sent ses muscles se crisper, ses mâchoires se presser l'une contre l'autre. Il fixe un point droit devant lui, il est terrorisé.

Agathe pleure très doucement. Théo fait comme s'il ne se rendait compte de rien.

Et puis, sans qu'il l'ait voulu, sa voix, presque méconnaissable :

— Il m'a dit... il m'a dit que tu t'étais bien débrouillée... Il m'a dit qu'il ne fallait pas regretter ce qu'on fait.

Sa voix parlait durement. Méchamment. La colère était revenue. Elle tirait sur sa peau depuis l'intérieur de son ventre, elle n'avait fait qu'une bouchée de sa peur. Il serrait fort les poignées du guidon. C'était une vraie colère d'homme. Quand elle était là, il ne pouvait plus aimer personne. Il se détestait trop lui-même.

Agathe s'arrête, écarquille ses yeux noyés de larmes :

— Quand est-ce qu'il t'a dit ça, Théo ? Tu ne m'en avais jamais parlé !

Le garçon se retourne hargneusement vers sa sœur et aboie :

— T'avais qu'à être là, si tu voulais le savoir !

Sur le chemin du retour, il court le plus vite qu'il peut. Même lorsqu'il n'a plus de force dans les jambes, il continue de courir. Il espère seulement que son cœur va éclater.

KRAMSKY

histoire d'une évasion

Il faisait silence. Il écoutait parfois. Le visage tourné vers la montagne, comme si les murs n'existaient plus. Attentif, à l'heure où les ombres hésitent à quelques pas du sol, alourdies d'odeurs mélancoliques plus vieilles que notre naissance. Parfois, il suspendait son geste pour écouter; le silence vibrait d'une certaine façon qu'il avait appris à connaître. L'âme de Théo s'aventurait dans ce vestibule habité de fantômes. Il n'avait même pas besoin de fermer les yeux. L'espoir et la peur suffisaient à l'aveugler. On entendait alors la voix muette qui parle le silence sans perdre haleine et nomme les choses par leur nom secret, afin qu'elles comparaissent. En premier lieu, ce n'était rien qu'un frôlement. Il retenait son souffle pour ne pas effaroucher cette présence. Voici que très lentement l'ombre bascule et glisse. Elle coule, elle s'allonge sur les portiques de la Rose-raie. En hiver elle est bleue. Si elle est rousse, les beaux jours sont revenus. Mais la terre n'y croit pas encore. Les gens sont occupés à autre chose. Théo écoute, recroquevillé tout au fond de sa peau, retiré dans la partie obscure et murmu-rante de sa mémoire. Le monde est si petit. La mémoire est si longue. Quelque autre saison, en

32

quelque autre vie, nous n'aurons plus souvenir de rien.

La présence, maintenant, enveloppe Théo. Il a très chaud et très froid en même temps. Les fantômes s'assemblent autour de lui. Ils ont une marche douce dans le souvenir des rues. Théo n'a plus du tout peur. Il se sent bien. Il entend la musique.

Un homme s'arrête de jouer pour aller à la guerre, mais sa musique continue. La clarinette repose au fond de la boîte en plusieurs morceaux. Au Luxhof, Artichaut n'est plus. La mort est passée parmi nous. Et pourtant, la musique chante dans la tête à Théo. Il suffit qu'il écoute. Il suffit qu'il s'engage dans le vestibule du silence. Un petit air de clarinette, une chanson d'autrefois... Théo revoit son ami, lorsqu'ils allaient ensemble sur les pentes, entre l'étang des Forges et la Miotte. Gentil disait : « Laisse souffler la musique ! Obéis-lui, ne fais pas le malin ! » Et Théo essayait, il essayait si fort pour que Gentil puisse être fier de lui, ce même Gentil qui n'écrivait plus de cartes postales à Mémoire, qui ne savait pas que le pauvre Roméo dormait à Brasse. Lui-même, peut-être, s'était endormi sous la mer, à rêver de pays.

Des soldats revenaient, mais pas Gentil.

Kramsky, resté à Belfort pendant toute la durée de la guerre, reparut un des premiers.

Un soir, Théo aperçoit un crâne rasé qui tourne le coin de la rue de Madagascar. Un crâne mauve au-dessus d'un gilet de cuir rapiécé de drap noir : il n'y avait pas à s'y tromper, ça ne pouvait être que notre Bourreau !

Théo se trouvait de l'autre côté du faubourg, rentrant de chez Breschbuhl. Il traverse en vitesse et court après le crâne en criant :

— Eh! Kramsky! Eh! monsieur Kram!

Il rit en même temps qu'il parle, tellement c'est bon de revoir ce vieux Kram, le coupeur de bois, l'amoureux transi d'un tas de bonnes femmes impossibles, toujours trop jeunes ou trop vieilles, trop belles ou trop moches, trop prises ou trop libres pour lui, ce fameux Kramsky qui s'assied au premier rang de l'Eldo (s'il pouvait, il se ferait installer une chaise sur la scène, juste au ras de l'écran) et commente le film d'une voix toni-truante, à la plus vive satisfaction du populaire. Avant guerre, il était le meilleur copain de Théo, tout de suite après Gentil.

— Eh! Kramsky, attendez-moi!

Mais, au lieu de cela, voici le crâne qui rentre la tête dans les épaules et se met à allonger le pas, si bien que Théo est obligé de galoper pour le rejoindre. Arrivé derrière lui, il entend la voix de Kramsky lui souffler, en essayant de prendre une espèce d'accent espingouin comme ils n'en ont même pas dans les plus mauvais *Zorro* :

— Non non! Zé né souis pas Gramsgui, bonté divine!

Une blague pareille, il faut être ce vieux Kram pour vous inventer ça! Théo rit tellement qu'il doit s'agripper à un grillage. Par-dessus son épaule, dissimulant le bas de son visage avec sa main, le crâne coule dans sa direction un regard qui ferait honneur aux traîtres suintants qu'on poursuit à travers les souks de Tanger, dans les histoires de Bédouins. Le coupeur de bois (son nom de Bourreau, c'est à cause de la hache et du billot) s'est perché sur le nez un de ces petits binocles de l'ancien temps à verres bleus qui lui fait une vraie figure de carnaval. Ça, c'est le bou-quet! Théo n'arrive plus à reprendre haleine. Le crâne en profite pour se carapater sur la pointe des pieds, les genoux écartés, le menton dans le cou. On dirait une sauterelle déguisée. Il s'enfile sans crier garc dans la rue de Port-Arthur, mais Théo le rattrape aisément et vient se placer à son côté comme si de rien n'était, contenant son hilarité pour donner la réplique au vieux Kram :

— Vous avez ouné sacrée bellé pairé dé lounettes, dités-moi, sinior Gramzgui ?

— Che ne zouis bas... chuchote désespérément le Bourreau qui, de Mexicain, a soudain viré Allemand.

En même temps, il jette des regards effarés tout autour de lui, faisant discrètement avec sa main, collée près de sa cuisse, le geste de chasser les mouches, afin que Théo comprenne qu'il doit s'en aller.

— Oui, j'ai dû me tromper, pouffe Théo sans prendre le moins du monde sa mimique au sérieux. C'est vos lorgnons qui m'ont fait penser à quelqu'un d'autre !

Il se tient les côtes. Des larmes lui jaillissent des yeux.

Mais plus il se tord et plus la mine de Kramsky s'allonge. Le Bourreau semble pris de panique. Ses yeux furètent de tous côtés. Finalement, il pose un regard suppliant sur Théo et gémit d'une voix à peine audible, mais qui cette fois est bien la sienne :

— Va-t'en ! Va-t'en !

Le rire de Théo est coupé net. Il examine avec perplexité le visage épouvanté de son ami.

— Je me suis évadé ! murmure encore Kramsky.

— Evadé ? fait Théo.

Et le vieux Kram, oubliant d'un seul coup toute prudence, de brailler plein la rue :

— Ouais, Mistigri, évadé ! Je leur ai dit bonsoir, aux têtes carrées !

Ça résonne si fort qu'il saute en l'air, se plaque les deux mains sur la bouche et se fait le plus petit qu'il peut, là debout au milieu du trottoir. Heureusement que le trottoir est en pierre parce que, autrement, Théo le verrait bien s'enfoncer la tête dedans comme les autruches.

Kramsky reste un bon moment comme ça, les yeux fermés, le dos rond, les jambes pliées, posé par terre sur la pointe des orteils. Dans cette attitude, il est à peine plus grand que Théo, derrière lequel il se dissimule autant qu'il peut.

Et puis, comme l'armée boche ne se décide pas à rappliquer pour lui mettre la main au paletot, il rouvre ses yeux et se redresse lentement. Il rajuste ses lunettes.

— On l'a échappé belle ! soupire-t-il.

Théo se mord les joues pour ne pas éclater de rire à nouveau.

— Tu sais pas ? chuchote Kramsky. Moi, je prends par ici ; toi tu repasses par le faubourg et tu fais le grand tour. On ne se connaît pas. On se retrouve chez moi. Tu frappes comme ça : toc-toc-toc bam bam. Trois coups courts, deux coups longs. Répète.

— Toc-toc-toc bam bam, fait Théo sur le point d'exploser.

Le Bourreau dessine encore dans l'air un vague signe, roule des yeux de conspirateur puis file en rasant les murs.

Un quart d'heure plus tard, enfin, assis sur le billot de Kramsky au fin fond de la cave à Kramsky, Théo apprenait ce qui s'était passé.

Quand la place avait capitulé, le vieux Kram avait été fait prisonnier par les Boches, qui étaient bien les premiers Boches qu'il voyait de toute la guerre, sinon de toute son existence. On lui avait pris son fusil, auquel il tenait pourtant beaucoup, et cela lui avait fait de la peine. Il aurait préféré se séparer de son casque, qui lui était un peu grand, ou même de son masque à gaz, qui dégageait une odeur impossible (au point, disait Kramsky, qu'on était bien plus sûr de mourir suffoqué avec que sans). Il avait vaguement songé à proposer un échange, mais le feldwebel était un grand cornichon qui ne comprenait pas un mot de français. Alors Kramsky était allé s'asseoir à l'écart et avait observé un silence réprobateur. Ça n'avait pas empêché le feldwebel de le désigner pour tout un tas de corvées — *Glatzkopf!* qu'il l'appelait tout le temps.

Glatzkopf portait des caisses, déplaçait inutilement des objets d'un endroit à un autre, partait à la recherche de ceci ou cela, dont nul n'avait besoin. C'était Glatzkopf à toutes les sauces. Glatzkopf t'emmerde, vieux con! Parfaitement! En attendant, il cavalait...

Il dut même faire la soupe pour les autres. On le conduisit à la cuisine et on l'installa devant un tas de saloperies à éplucher. Il y en avait au moins jusqu'au plafond! Pour l'aider, on n'avait rien trouvé de mieux qu'un manchot. Enfin, ça n'était pas vraiment un manchot, mais c'était exactement la même chose puisqu'il avait un panari comme un concombre qui l'empêchait de se servir de sa main. Essayez donc d'éplucher d'une main, tiens, vous m'en direz des nouvelles! Et l'autre tête de cul qui se fendait la pipe : « Ach! ach! ya! ya! » Yaya... Je t'en foutrais!

Donc, il était 7 heures du matin et il y avait je ne sais combien de mètres cubes de saloperies à éplucher, avec le concours d'un empoté comme vous n'avez pas idée. Ah! il fallait le voir, celui-là, coincer un légume entre ses genoux et essayer de le plumer avec sa main valide — la gauche, bien entendu, ça n'aurait pas pu être autrement. Pour une comédie, c'était une belle comédie! Vous auriez pu faire cinq fois le tour de la caserne en vous traînant sur les fesses, tout ce qu'il aurait réussi à éplucher pendant ce temps-là, ç'aurait été son pantalon! Ah! on était bien monté, je vous jure! Et lui, Kramsky, quoiqu'il eût tombé la veste, on ne pouvait pas dire non plus qu'il faisait un éplucheur de première. Ces saloperies de légumes n'arrêtaient pas de lui sauter des mains et il passait des heures à plat ventre à les chercher dans les coins sombres. On lui aurait donné une hache et un billot, là, peut-être, il s'en serait mieux tiré.

En plus de ça, le panari était un crasseux, les joues encroûtées : un vrai derrière de vache. Il puait le bouc à en tomber par terre et, pour mettre le ravissement à son comble, se serait cru déshonoré de vous lâcher deux mots. La gueule tout le temps. Pas moyen de lui en faire décrocher une. C'est bien simple; vous auriez pu penser qu'il ne savait même pas son nom...

Vers 10 heures, heureusement, alors que Kramsky rampait sur les traces d'une saloperie de patate ronde plus fuyante qu'une anguille, une sentinelle boche s'en vint bruyamment quérir ce joyeux compagnon et lui fit traverser la cour à coups de pompes dans le train.

Il y eut encore pas mal de tintouin dans un endroit que Kram ne pouvait pas voir, la cuisine étant plutôt mal placée (il fallait descendre cinq marches pour y accéder, la lumière entrait par des soupiraux). Ça s'égosillait en boche, ça détalait à fendre les pavés. On entendait aussi comme un brouhaha de voix françaises qui refluait vers un secteur précis, accompagné de piétinements sourds. Enfin, il y eut des claquements de panneaux qu'on rabat violemment, des crissements de ferraille, puis des bruits de moteurs mis en marche.

Kramsky s'immobilisa soudain. Une intuition lui traversa l'esprit. « Mais ma parole, se dit-il, c'est qu'ils sont en train d'emmener tout le monde. Et moi alors ? Ils m'ont oublié, les vaches ! »

Il lâcha son couteau et se précipita dehors ventre à terre. Il courut comme un fou, mais le convoi s'était déjà ébranlé. Les premiers camions avaient franchi la grande porte. Et qui ne trônait pas à l'arrière du camion de queue, hilare, contemplant avec une intense et béate jubilation les efforts désespérés de Kramsky ? Cette grande bourrique de feldwebel ! Vous croyez qu'il aurait fait arrêter son véhicule pour récupérer le prisonnier ? Bernique ! Tout ce qu'il faisait était de hurler de rire, de désigner du doigt le vieux Kram suffoquant à vingt mètres du camion et de se taper grassement les cuisses.

— Los ! Los ! braillait-il d'une voix entrecoupée. Nu ! Nu ! Nu ! Nu ! Froschlein ! Nu !

Il en oubliait de se tenir et ne se rendait même pas compte qu'à chaque cahot, il manquait d'être vidé du camion la tête la première.

Congestionné de rire, les larmes aux yeux, il reprenait :

— Fertig, Kamerad, fertig ! Kein Platz mehr ! Gar kein ! Besetzt ! Ach ! Armer Glatzkopf, armer Froschlein, ganz besetzt !

Le pire, c'est que dans le camion, les copains rigolaient aussi. Kramsky les entendait, à travers le bourdonnement du sang à ses oreilles. Il les aurait bouffés !

Un moment, à cause du profond cassis qu'il y a près du poste de garde, et qui oblige les véhicules à se mettre au pas, il crut bien qu'il allait rattraper le camion. Il allongeait le bras pour se cramponner, provoquant chez le feldwebel une crise encore plus violente que les précédentes, quand le chauffeur, qui venait de dégager ses roues arrière du cassis, donna un grand coup d'accélérateur pour coller au reste du convoi.

Non seulement Kramsky faillit s'étaler, mais il perdit d'un seul coup une dizaine de mètres qui, en quelques secondes, se transformèrent en une quinzaine, puis en une vingtaine.

Il avait la poitrine et la tête en feu. Il courut encore un peu sur la route, sachant très bien que c'était inutile. Là-bas, le feldwebel lui faisait des grimaces. Les pouces enfoncés dans les oreilles, il agitait les doigts de chaque côté de sa casquette. Puis, les coudes au corps, le masque douloureux, il imitait Kramsky en train de courir. Finalement, le camion fut très loin; alors le feldwebel fit encore un très vilain geste avec le bras, puis tourna le dos. Le camion disparut.

Le vieux Kram se retrouva tout seul comme un benêt au milieu de la route. Il avait le cœur gros. La tête basse, les jambes flageolantes, la poitrine comme lardée de coups de poignard, il reprit le chemin du camp. Mais les Boches du poste de garde ne voulurent pas le laisser rentrer. Ils firent de grands gestes avec leurs fusils pour lui signifier d'aller se faire pendre ailleurs.

Il eut beau montrer le drap kaki de son pantalon, expliquer en petit nègre qu'il était un prisonnier français indispensable pour la pluche d'un plein tombereau de saloperies, ils ne voulurent rien savoir.

— Raus! Raus! criaient-ils.

Au bout d'un moment, comme il insistait, l'un d'eux, à la grande joie de ses camarades, ramassa une pierre et fit mine de la lui lancer comme à un roquet.

Alors Kramsky s'était éloigné, la mort dans l'âme, abandonné de tous, rejeté de partout.

Il avait marché dans un timide été. Il avait vu des cerises sur les arbres. Le ciel ressemblait à du lait bleu, il n'était pourtant pas loin de midi. Le vieux Kram était arrivé au milieu des maisons. Sur certains morceaux de trottoir, la pluie de la nuit n'avait pas fini de sécher. Du bas des murs montaient des odeurs qu'il avait un peu oubliées durant la guerre, et qu'il reconnaissait à présent. Le moment approchait de fendre le bois pour l'hiver.

Telle avait été l'évasion de Kramsky. Aucun Boche ne chercha jamais à le reprendre, autant vous le dire tout de suite. Mais au fond de son cœur, il en eut secrètement du dépit.

Là, dans cette cave obscure, Théo comprit que son ami aurait un peu aimé que les Boches tiennent à lui, essaient de le garder ou de le faire revenir. On n'a pas tant d'occasions d'être cher à quelqu'un, même s'il faut pour cela éplucher des tas de saloperies plus hauts que le Salbert et se faire nommer Glatzkopf par un ostrogoth.

Bref, ils en étaient venus à parler du pauvre Roméo. Il était bon mais la bonté ne suffit pas. Rien de ce que vous avez ne suffit. Ce sont les autres qui doivent apporter le complément. Car le peu que vous avez n'est pas assez pour vous, mais il suffit parfois à quelqu'un.

— Moi, tu sais, dit Kramsky, je le respectais, c't'homme-là. Je ne respecterais pas tout le monde, mais c't'homme-là, oui, je le respectais.

— Vous auriez dû y dire...

— Ah! ces choses-là, que veux-tu, on ne peut pas!... Je ne sais pas, moi, ça ne se fait pas; ça ne veut pas sortir... Quand tu dis à quelqu'un que tu le respectes, c'est toujours une personne que tu t'en fous. Les autres, tu n'oses pas, ça aurait l'air pas vrai...

Lui aussi, Kramsky, il avait eu un père autrefois, un grand moustachu dans de sombres forêts. Les loups lui mangeaient sur la main, loin de chez nous.

L'oncle Maximilien fut démobilisé peu de temps après. Il avait déjà eu plusieurs fois l'occasion de revenir à Belfort depuis le début de la guerre : dans son bureau de Dijon, il obtenait les permissions comme il voulait.

De temps en temps, il passait rue de l'Yser. Selon sa bonne habitude, il se resservait de tout sans s'apercevoir qu'il prenait sur notre part et, lorsqu'il était de bon poil, condescendait à nous expliquer les plans secrets de l'état-major, quoique nous ne lui ayons rien demandé.

On le laissait marcher. De ce côté-là, au moins, les choses n'avaient pas beaucoup changé : lorsque Maximilien Schultz se trouvait avec nous, il causait toujours tout seul — bien convaincu, au demeurant, que nous faisions le plus grand cas de ses discours.

En attendant, il se trompait du tout au tout. En dépit de toutes ses promesses, nous fûmes bel et bien envahis par les Boches. Vous vous souvenez de cette histoire : on les attendait d'un côté, alors ils avaient trouvé plus pratique de passer par l'autre, si bien que le plus souvent, ils précédaient ceux qui étaient censés se sauver devant eux.

— Achtung! disait-on. Les Boches arrivent.

On courait aussi vite qu'on pouvait et on allait leur buter dans le dos. C'était un bordel noir. Il y a des types qui s'énervaient. Ils mettaient une cartouche dans leur fusil, ils tiraient en l'air pour se soulager un peu et un avion italien leur dégringolait sur la tête. A un tournant de la route, on mitraillait des Boches, ils tombaient comme des mouches que c'en était un vrai plaisir, et l'on s'apercevait alors qu'il s'agissait d'une compagnie de Polonais, nos alliés — mais qu'est-ce que des Polaques allaient foutre en Auvergne, aussi !

L'oncle Maximilien, lui, continuait à pérorer. Il ne comprenait que pouic. Tout ce qui l'intéressait, c'était de faire des phrases. Du moment qu'il pouvait dire « patrie » avec les yeux qui tournent, il était content. Il décollait de son siège, plaquait sa main sur son cœur et, les yeux au plafond, regardait défiler les victoires de la France, planté entre le buffet et la caisse à bois.

Au cours de l'été, les hommes de Belfort partis soldats s'arrangèrent pour quitter les endroits où la guerre les avait laissés et pour retourner chez eux. Ça n'était pas très facile pour ceux qui se trouvaient en zone libre, entraînés par la débandade. Belfort était dans la zone occupée : en principe, ils n'avaient plus le droit d'y remettre les pieds. Pour qu'ils puissent rentrer, il fallut que leurs anciens patrons aillent demander des ausweiss aux Allemands, expliquant qu'on avait besoin d'eux dans les usines et les bureaux. Ceux qui reçurent leur ausweiss arrivèrent à Belfort en septembre et en octobre; Gentil n'était pas avec eux.

Rue de l'Yser, on évitait de parler de lui. On conjurait le sort de cette manière-là, qui en vaut bien une autre. Pas une ne vaut un pet de coucou : le sort n'en fait qu'à sa tête. Nous savions ça. Nous avions payé pour le savoir, nous et beaucoup d'autres.

Et la clarinette restait dans son étui : cela signifiait qu'elle attendait Gentil, elle aussi. Et si elle l'attendait, c'est qu'il allait revenir. Quand la clarinette jouerait, Gentil serait là.

Parfois, Théo ouvrait l'étui. Il constatait que la clarinette n'avait pas envie de se taire, qu'elle était toujours pleine de musique enroulée dans ses flancs noirs, assoupie, n'attendant que les doigts de Gentil pour s'éveiller et se dérouler au-dehors, longue et fraîche, artichaut. Elle ressemblerait au vent d'avril, qui danse autour des robes.

Théo la regardait longtemps.

Un autre hiver allait commencer, le premier de l'Occupation. Théo partait tôt le matin, revenait tard le soir. Il aurait pu revenir manger à la maison à midi, ce n'était pas si loin. Mais il emportait sa gamelle. Les ouvriers mangent à la gamelle, c'est comme ça.

Mme Breschbuhl faisait réchauffer leurs bidons, celui de Robert et celui du gamin, sur un coin de son fourneau. Elle n'était pas si mauvaise femme, au fond. Assez souvent, elle leur disait de venir s'asseoir à la cuisine pour manger, tandis qu'elle et son mari s'attablaient devant la cuvette émaillée pleine de patates. Des pommes de terre en robe des champs avec un peu de munster, c'était leur plat. Pour les légumes, Mme Breschbuhl avait un frère à la campagne du côté de Morvillars, elle n'avait pas besoin de s'en faire.

Robert Lamiral savait les usages. Il complimentait ses hôtes sur ci et sur ça : un napperon, un bibelot de plâtre, des biches au bois dans un cadre. Il donnait en pâture quelques miettes de sa science historique; oh! rien qui puisse nous tourner les sangs ou nous causer trop de chagrin, simplement ce que presque tout le monde savait, sauf nous : que Jésus n'était pas catholique, mais juif; que Jeanne d'Arc était un garçon; que Napoléon avait fait ramener une des pyramides d'Egypte mais qu'on ne savait pas où il l'avait fourrée; que certains papes du Moyen Age avaient épousé des abbesses en secret et leur avaient donné de vigoureux enfants qui leur sortaient des jupes pendant les processions de la Fête-Dieu !

— Des papes, tout de même! protestait Mme Breschbuhl.

— C'étaient les mœurs de l'époque, que voulez-vous! faisait l'ouvrier d'un air modeste, afin de montrer qu'il n'était pour rien dans ces turpitudes et partageait entièrement l'indignation de la patronne.

Et, bizarrement, il concluait :

— Il ne faut pas croire tout ce qu'on vous raconte, vous savez!

Théo avait parfois beaucoup de mal à comprendre Robert. Robert n'était pas toujours le même homme. Même son visage pouvait se transformer du tout au tout.

Un jour, parce qu'il se sentait bien et qu'il y avait dans l'air quelque chose de gai, presque de printanier, Théo avait parlé de Gentil devant Robert. Et celui-ci s'était écrié, méconnaissable, tout hérissé, les yeux transformés en meurtrières :

— Gentil ? Tu ne veux quand même pas causer de ce bolchevik, la grande gueule de la manutention ?

Imaginez quelqu'un qui se promène tranquillement et qui rentre tout à coup dans un mur invisible : voilà exactement l'impression que Théo avait ressentie. En même temps, ses os étaient devenus comme des morceaux de glace dans son corps.

Jusqu'ici, il avait toujours cru qu'à part Cochise Zehnacker et les patrons, tout le monde dans le faubourg adorait Gentil. Et lui, Théo, savait que l'ancien marsouin était le meilleur homme de toute la terre, maintenant que son père était mort.

Pâle comme un linge, il fixait l'ouvrier d'un regard suppliant. Car ce n'était pas possible, cette abomination ne pouvait pas durer. D'un instant à l'autre, Robert allait éclater de rire et avouer :

— Allez ! t'en fais pas : je te fais marcher !

Mais non.

Au contraire, l'ouvrier repartait de plus belle :

— Un joli monsieur, ton Gentil, il n'y a pas à dire ! Un beau coco, oui ! J'aimerais savoir quelles idées il a bien pu t'enfoncer dans le crâne. Oh, nom de nom, la fine ordure !

Théo s'était mis à trembler.

— Eh ! Robert, tu divagues ! avait rigolé le patron pour détendre l'atmosphère. Tu le prends pour un Angliche, le fameux Gentil !

Mais cela n'avait fait qu'exaspérer Robert davantage. Il était complètement sorti de ses gonds. On devait l'entendre hurler jusque chez le Chpaniaque.

— C'est pire ! C'est bien pire ! C'est le plus pire de tout ! C'est le ver dans le fruit ! Il faudrait les fusiller tous, toute la clique ! Syndicalistes, communards, francs-maçons, faux Français, salopards, racaille ! (Il faisait mine de tenir les poignées d'une mitrailleuse.) Tacatacatacatacatacatacatac !

Alors Théo avait vu rouge. Lui aussi, il était devenu quelqu'un d'autre en même pas l'espace d'une seconde. Il avait saisi un marteau sur l'établi et s'était avancé vers Robert, hurlant aussi fort que le lui permettait sa gorge nouée :

— Vous le connaissez même pas, Gentil! Vous le connaissez même pas!

Il voulait lui écrabouiller la gueule avec son marteau.

Les yeux de Robert croisèrent son regard à ce moment-là. L'ouvrier s'immobilisa bouche bée. Il devint livide. On vit sa pomme d'Adam remonter dans sa gorge.

— Bon Dieu! souffla-t-il. Bon Dieu!

Puis Théo ne vit plus l'ouvrier, parce que ses yeux s'étaient remplis de larmes. Son tremblement devint si violent que le marteau lui échappa de la main et s'en alla sonner sur les dalles.

Lorsqu'il retrouva la vue, il s'aperçut que l'ouvrier n'était plus dans l'atelier. M. Breschbuhl se roulait une cigarette en soupirant. Il alluma la cigarette puis pressa fortement l'épaule de Théo avec sa grande main carrée :

— C'est ses idées, qu'est-ce que tu veux! marmonna-t-il d'un air gêné. On n'y peut rien; c'est ses idées! Il a toujours été comme ça. Ne t'en fais donc pas!

Théo reniflait. Ses yeux recommençaient à le piquer.

— Il n'est pas méchant, reprit le patron. Il s'échauffe, il se monte, c'est rien. Il faut pas prendre les choses à cœur comme ça, mon petit : tu ne feras pas de vieux os! La vie, tu sais, la vie, on en voit bien d'autres, allez! Il faut laisser dire! Fais comme moi : ça entre par une oreille, ça sort par l'autre!

Une fenêtre s'ouvrit de l'autre côté de la rue :

— Il va se baguenauder pendant le travail, maintenant, Robert? glapit la voix de la patronne.

— J'y ai demandé de me chercher un paquet de gris! répondit le patron sans se retourner.

Il était toujours penché sur Théo et lui adressait un clin d'œil.

— Tu pourrais quand même prendre tes précautions! Ça coûte, les heures d'ouvriers! râla encore Mme Breschbuhl.

On entendit la fenêtre se refermer brutalement.

— Tu vois? fit le patron avec un bon sourire. Je me bile pas. Elle s'égosille? Eh bien, je la laisse faire. Chante toujours, ma vieille! Moi (il fit aller sa main plusieurs fois au-dessus de son taupé marron), ça me passe là! Fais pareil, mon petit gars : t'en occupe pas, du Robert. Quand il reviendra, il sera encore plus embêté que toi.

Les jours suivants, Robert Lamiral fut tout sucre et tout miel avec Théo. Il ne prononçait pas le nom de Gentil. Il essayait d'expliquer à Théo, le plus posément possible, que la société a des ennemis. Elle nourrit des vipères en son sein. Des individus qui n'ont rien à perdre, du fait qu'ils sont la lie de l'humanité, et qui voudraient tout mettre à feu et à sang. Pourquoi ça? Parce que ce sont des envieux, des haineux, des aigris. Ils ne rêvent que de semer la pagaille. Ils n'ont ni le savoir ni les compétences. Ils n'ont même pas le courage qu'il faut pour s'élever par son travail. Et cependant, ils réclament les meilleures places. Ils trouveraient normal que les personnes méritantes partagent avec eux les trois sous qu'elles ont pu gratter pendant qu'eux se prélassaient à ne rien faire; et par-dessus le marché, ils voudraient tout commander!

— Tu ne vas quand même pas me dire que ce sont les feignants et les ratés qui doivent nous dicter ce qu'on a à faire! s'emportait l'ouvrier. Et qu'on n'a plus qu'à devenir les esclaves de ces gens-là ? Jamais, m'entends-tu bien ? Jamais ! Ça fait assez longtemps qu'ils manigancent, prêts à trahir père et mère. Mais maintenant, dommage pour eux, ça ne va plus durer ! On a voulu leur laisser la bride sur le cou : tu as vu ce que ça a donné ? Tu l'as vu comme moi ? Cette fois, c'est terminé. Pas de quartier !

Théo ne bronchait pas. Il faisait tout son possible pour être aimable avec Robert, éprouvant encore du remords à cause de l'histoire du marteau.

Un midi, ils mangeaient tous les deux dans l'atelier. Mme Breschbuhl ne les avait pas invités dans sa cuisine.

Robert dit :

— Tu sais, Théo, c'est pas les gens, c'est pas contre les gens que j'en ai. Je serais ami avec tout le monde, moi ! Mais c'est ces mauvaises idées qui viennent de l'étranger et qui essaient de s'infiltrer ici. Je ne peux pas me laisser faire. On ne peut pas me demander ça ! Bon Dieu, je ne vais pourtant pas baisser mon pantalon et attendre bien sagement !

Il se tordait les mains.

— Pourquoi faut-il qu'ils prennent ces idées-là, Théo, tu le sais, toi ? Ça n'est même pas des idées de chez nous. La France, c'est quand même notre pays : pourquoi est-ce qu'on ne se tient pas tous les coudes, entre Français ? On dirait qu'il y en a toujours qui veulent tout gâcher. Je ne les comprends pas. Non, franchement, je ne les comprends pas ! Ils sont comme tout le monde et puis, un jour, on dirait qu'ils perdent la boule. C'est comme une épidémie, un fléau. Et tu voudrais que je reste les bras ballants, à attendre que tout le pays soit rongé ?

Les larmes aux yeux, il dévisageait anxieusement Théo. Celui-ci ne trouvait rien à répondre. Il était témoin de cette énorme détresse, elle lui faisait de la peine, mais il n'arrivait pas à en comprendre la raison. En rougissant, il détournait le regard, puisqu'il ne pouvait rien pour apaiser une telle douleur. Dans l'encadrement de la porte, le petit morceau de ciel avait la couleur et l'opacité d'un galet. Et Gentil n'était toujours pas revenu.

LARBI

histoire de ce rivage-ci

Un jour il neige. Demain la pluie viendra. Nos pas s'effacent. Si je chante, aimerez-vous ma chanson? Voici un homme qui tombe le visage sur la route, d'autres poursuivent leur chemin. Belfort, Belfort est encore là. C'est un petit point sur la terre. Le monde est large et dur, il roule — mais Belfort est incrusté dedans. Et nous sommes là aussi, tous ceux qui n'ont pas lâché prise sont avec nous.

A présent, grâce à Théo, Agathe pouvait regarder en face la mort du père; ça ne lui faisait pas plaisir mais elle savait que c'était la vraie mort du père, et non pas un cauchemar. C'était quelque chose qui était devant elle et qu'elle pouvait regarder. Ce n'était pas une fumée, une chose évanescente qu'on a cachée dans un trou. Agathe savait aussi qu'elle était devenue une femme, une personne qui est là parce que quelqu'un va lui demander quelque chose, et le monde lui demande d'être là.

Elle comprenait ce qu'est être une institutrice : c'est apprendre aux gens qu'on les attend, ils ne sont pas venus pour rien. Tout est d'une certaine façon qui ne voudrait rien dire s'ils n'étaient pas là. Les pleins et les déliés, les règles de grammaire, c'est un creux qui est creusé pour vous dans le monde. Toutes ces choses ont besoin que vous veniez. Elles n'existent pas par elles-mêmes; vous seulement, vous existez.

Agathe avait glissé sur le verglas avec sa bicyclette, mais elle ne s'était pas fait mal. Avant, elle se serait griffé la jambe; maintenant, sa jambe était nette. Agathe était pleine et lisse comme une vraie femme, entourée de choses qu'elle pouvait regarder en face.

D'autres événements s'étaient déroulés. Je vous les raconterai peut-être, chaque chose en son temps. En janvier 41, la plupart n'avaient pas eu lieu, Gentil n'était pas rentré. Un certain mercredi, à midi, le serrurier Breschbuhl, patron de Théo, avait baissé le rideau de fer et donné congé pour l'après-midi aux deux zèbres qu'il employait dans son atelier. La raison, je l'ai sue, mais j'ai fini par l'oublier.

D'abord, Théo alla voir couler la Savoureuse derrière le lavoir, au bout de la rue Albert-Thomas.

Ses yeux sautèrent résolument par-dessus les terrains vagues où il avait couru naguère et se posèrent sur les cabanes en planches noircies qui signalent les jardins ouvriers, là où le Champ-de-Mars commence à former une petite côte.

Le jour viendrait où Théo aurait en location une de ces parcelles, avec les rames de haricots, les carrés de laitue, le coin aux fraises, les groseilliers. A son tour, il inventerait une façon originale de fabriquer des bordures. Ni des tuiles, ni des briques, ni des culs de bouteilles : il aurait son idée. Rien qu'à voir ces bordures, on saurait que c'est son jardin à lui. L'été, en maillot de corps, il pédalerait lentement pour se rendre jusque-là, la nuque roussie de beau soleil, et il rangerait son vélo contre la remise où l'on trouve, disposés à hauteur de ceinture, une planche terreuse avec dessus un vieux verre aux parois épaisses et décorées, une pelote de ficelle, un ouvre-boîte rouillé, un manche de bêche fendu en biseau, des sachets contenant les graines, une boîte de conserve pleine de clous, un morceau de brique grisâtre portant des éraflures blanches parce qu'il a servi de marteau, un chiffon à fleurs roses taillé dans un ancien corsage, la boucle d'une courroie, des miettes de pain aux arêtes verdies, un bout de carton arraché à l'emballage d'un paquet de cigarettes et couvert d'opérations au crayon-encre, des soucoupes empilées, des débris de pots de fleurs, une cuvette en fer à moitié remplie de boue séchée, fendillée comme la croûte des déserts où nous n'irons pas.

Il cracherait au fond de ses paumes avant de saisir la binette ou le râteau. Il planterait crânement les yeux dans le dernier soleil du jour embrasant l'épaule du Salbert, déversant sur Belfort le vieil or sans maléfices, sans rêveries funestes, l'or rouge et l'or vert, l'or poussiéreux de l'été. Puis il se mettrait au travail, baigné de chants d'oiseaux; les martinets tomberaient du ciel comme des pierres et glisseraient sur l'aile au ras de son dos. Quelqu'un l'attendrait dans une cuisine qui sent bon, d'où l'on peut voir la Miotte, ou le château, ou les montagnes, ou la rue.

Encore ignoré de lui, de l'autre côté de son regard, il y avait tout cela. Ce songe l'habitait à son insu, attendant son heure, ne se manifestant présentement que par un certain émoi léger qu'il ne s'expliquait pas. Mais quelque chose de plus vieux que Théo savait son avenir, ne disait rien mais savait. La vie était; elle avait son idée. La vie grande et passagère, qui se promène à travers les gens.

Une automitrailleuse boche descendait l'avenue du Champ-de-Mars, précédée d'un side-car; les soldats portaient de longs cirés noirs.

Théo marche les mains dans les poches. Les clochers de Saint-Joseph et de Sainte-Odile sonnent la demie. L'enfant a coincé la gamelle de son dîner sous son bras, entre son bleu de travail et le manteau que Mémère a taillé dans celui de Papa, celui qu'il portait l'hiver de sa mort. Il y a des haricots dans cette gamelle, avec un peu de sauce tomate et un petit morceau de saucisse; on n'est pas riche et c'est la guerre, il faut faire avec ce qu'on a. Aujourd'hui, Théo n'a pas faim, il a la tête ailleurs.

Depuis le trottoir, on ne voit pas les cimes du Ballon, qui sont blanches. Janvier se cache de nous, il nous aime de loin. Théo traverse la rue de la Croix-du-Tilleul. Débouchant sur le faubourg, il tourne le dos à la direction du Valdoie. A cette heure-ci, il est tout seul dans la rue. Ce vide de la cité murmure à son oreille.

A la gendarmerie, il s'engage dans la rue Clemenceau. Si vous aviez connu le pont du Stratégique à cette époque, il n'était pas moitié aussi large que maintenant. Théo le traverse et passe devant l'autre marché, les bains-douches, la chambre de commerce. Il va s'asseoir sur un banc de la place de la République, devant le palais de justice.

Théo ouvre son vêtement, regarde sans curiosité à l'intérieur de la gamelle et remet soigneusement le couvercle. Il n'y a pas de bise; l'air givré est immobile, le ciel blanc luit d'un éclat nostalgique qui vient d'une autre planète et ne descend pas jusqu'à nous.

En 36, avec Gentil, sa sœur Agathe et des milliers d'autres, Théo s'est rendu sur cette place pour applaudir la victoire du Front populaire et le discours de Miellet. Maintenant, à part quelques Boches en faction et les pigeons de Saint-Christophe, il n'y a que lui. Au milieu de la place s'élève le monument des Trois-Sièges, avec les statues de Legrand, de Lecourbe et de Denfert. On dit « les trois menteuses », parce que Legrand est petit, Lecourbe est tout droit et Denfert est en bronze. Le pauvre Roméo racontait ça et puis riait un peu. Il riait et il allait cacher sa peine dans les cabinets, sur le palier.

Théo voit que sa colère est toujours là. C'est bien; il ne voudrait surtout pas la perdre. Elle est le chaud et le froid de sa vie. Elle est pareille à la musique qui fait fermer les yeux, parce que c'est trop de douleur et d'amour en même temps. Ah! Théo, pourquoi tant de beauté dans les choses tristes? Tout était différent autrefois, tout était mieux : pourquoi le monde ne tourne-t-il pas plutôt dans l'autre sens?

Parmi nous, un homme déjà avait ainsi songé au bonheur passé, assis un jour d'hiver. Il s'appelait Elysée Schultz; la scène se passe à Giromagny, dans les années 1880. Cet Elysée Schultz allait avoir une fille qu'on baptiserait Marthe, parce que Marthe n'est pas plus mal qu'autre chose, si l'on veut en passer par là. Cette Marthe grandirait. Elle connaîtrait un homme doux, tout le monde ne peut pas en dire autant. N'ayant rien de mieux à faire ensemble, après s'être regardé les yeux, ils feraient un enfant et cet enfant le voici, regardez-le, c'est Théo. Il est assis comme son grand-père en sa jeunesse, songeant aux anciens jours. Nous venons au monde pour continuer les gestes de ceux qui s'en vont, afin que

Dieu, du haut du ciel, ne s'aperçoive pas que quelque chose a changé, et continue sa sieste. S'il jette un coup d'œil en bas, il voit que ça bouge, il est rassuré, il sourit et se rendort, l'orchestre ne joue que les chansons qu'il aime. L'important, quand on s'en va, c'est de faire doucement et de trouver quelqu'un qui vous remplace. Ça n'est pas toujours facile. Un jour Dieu se réveillera pour de bon et ça va barder.

Dans les rues de Belfort, Théo remplace des tas de gens : un grand-père qui ne veut plus sortir, un pauvre Roméo qui s'est dissimulé au centre de la terre quand les cabinets n'ont plus été sûrs, et puis Gentil, vadrouillant loin de nous, visitant peut-être les pays dont il rêvait, Ouagadougou, Mourmansk, Chicoutimi... Théo est à la place de Gentil, défilant sous les plaques de rues et retenant tous les noms dans sa tête. Il visite le Fourneau. Il enregistre : rue des Tanneurs, rue du Capitaine-Degombert, quai Léon-Schwob, rue du Général-Gaulard. Vous repassez la Savoureuse et c'est ce morne quartier des abattoirs, silencieux et mesquin.

Théo n'était jamais venu par ici. Mais Gentil lui avait décrit ce lieu aux teintes éteintes. C'est une terre d'exil. Les gens tristes viennent se noyer dans la rivière. On rencontre toujours des pêcheurs, à cause des déchets des abattoirs qui attirent le poisson.

Il y a justement là-bas un gamin comme Théo, une branche de noisetier en guise de canne à pêche. Il est absorbé dans la contemplation de son bouchon.

Notre apprenti va se poster à quelques pas derrière lui.

— Ça mord ? interroge le pêcheur d'une voix railleuse.

Il n'a même pas tourné la tête et Théo, qui ne pensait pas avoir été repéré, se trouve complètement pris au dépourvu.

Il reste bouche bée, tandis que les épaules du pêcheur sont agitées de soubresauts. Le gamin glousse sans se gêner, ravi de sa plaisanterie. Lorsqu'il regarde enfin Théo, il a une taie sur l'œil. Mais l'autre œil est assez vif pour deux. En fait, Théo n'a jamais vu autant de malice sur un visage. Ni autant de gaieté. Vous savez, c'est cette sorte de visage qui vous chauffe le cœur. Subitement, vous avez envie de faire des cabrioles et vous aimez tout le monde. C'est la sorte de visage pour vous dire que vous n'êtes pas tout seul, abandonné sur une orange qui tourne.

Des visages pareils, on n'en rencontre pas beaucoup sur la terre, c'est plus rare que le gros lot. Vous pouvez traverser la vie et l'univers, et n'avoir pas la chance d'en croiser un seul sur votre route, car ce privilège n'est pas donné à chacun. C'est un peu comme d'aimer une femme qui vous aime : ça n'arrive pas tout le temps; des fois, ça n'arrive pas du tout.

Déjà, Théo souriait jusqu'aux oreilles. La colère et les fantômes s'étaient sauvés voir ailleurs si j'y suis. En un clin d'œil, il était devenu pareil à un homme sans mémoire, un de ces hommes qui marchent dans les collines les bras ouverts pendant que la naissance du printemps est en train d'écarter la terre, de lever tout doucement le ventre des labours, de fendre la peau mûre des arbres.

Alors le silence vole en éclats. Une voix furibonde crépite plein l'air :

— Ah! te revoilà, petit saligaud! Je savais que je te retrouverais. Attends!

Théo n'a même pas le temps de se retourner.

Une masse grondante le frôle, traverse les airs, et atterrit sous le nez du pêcheur. A y bien regarder, il s'agit d'un homme en canadienne, avec quelques cheveux gras pendant après son crâne et de grosses touffes de poils verts qui lui partent du nez : on voit tout de suite que c'est un vieux salopard. Il fume de la tête. Toujours rugissant, il arrache la gaule, la brise sur son genou, lance le bout avec la ligne au milieu de la rivière et brandit l'autre au-dessus du précieux visage.

— Tu me le donnes, dis ? Tu vas me le donner, maintenent, ou je te bousille la gueule ?

Le gamin lève le bras pour se protéger, mais il ne recule pas d'un pouce. Il regarde le type droit dans les yeux et lui fait comme ça :

— Eh ! soyez poli si vous n'êtes pas joli !

En plus, il rigole.

L'autre est bleu de rage. Il abat son gourdin sur le bras replié, poussant un cri plaintif comme si c'était lui qui allait recevoir le coup.

Théo entend le vilain bruit que ça fait et le couinement du garçon. Avant de savoir ce qui lui arrive, il se retrouve agrippé à la canadienne du type, en train de lui bourrer les tibias de coups de pied.

De son côté, le pêcheur s'est emparé du bâton et, par violentes saccades, tire dessus tant que ça peut pour obliger le salopard à lâcher prise. On voit bien qu'il a mal à son bras, mais il ne peut s'empêcher de faire le mariole :

— Allez, donne, Médor ! dit-il. Donne, mon chien !

En entendant ça, le type devient fou furieux. Il les agonit d'injures effroyables. Puis on ne comprend plus ce qu'il raconte : ça s'est transformé en une sorte de brame douloureux. Il se tortille. Il sautille d'une jambe sur l'autre comme s'il était nu-pieds sur des braises. C'est à cause du ravage provoqué par les galoches de Théo. Il y va de bon cœur, notre ami. Il veut démolir le type : a-t-on idée d'un pareil malhonnête !

— Kss, kss ! Allez, Médor !

Avec ses vannes, le gamin ne lui laisse pas une seconde de répit non plus. Le type n'arrive pas à reprendre son gourdin parce qu'il est tout le temps en train de se secouer pour décrocher Théo de son dos. En plus de ça, il ne peut utiliser qu'un seul de ses bras pour tirer : avec l'autre, il essaie d'envoyer des coups de poing en arrière. Pendant un bon moment, il ne fait rien d'autre que de se démantibuler l'épaule, mais finalement, un méchant paquet de viande et d'os vient s'écraser sur la mâchoire à Théo. Il en voit trente-six chandelles, le pauvre, il glisse en tas sur la berge...

Aussitôt, le vieux salopard en profite pour saisir le bâton à deux mains. Il s'arc-boute, les yeux lui sautent de la tête. Il sent qu'il tient le bon bout alors il ne gueule plus, il ne fait plus rien que souffler comme une machine à vapeur.

— Vous le voulez tant que ça, ce vieux bout de bois ? demande le pêcheur. Eh bien, tenez, il est à vous !

Il ouvre les mains, le type est aspiré en arrière par sa propre force. Il bute contre Théo encore étendu par terre — et plouf ! voilà le vieux saligaud le cul dans la Savoureuse, ça lui rafraîchira les idées.

Le gamin aide Théo à se relever.

— Allez, dit-il, on met les bouts !

Après qu'ils se sont élancés tous les deux en direction des abattoirs, il se retourne pour crier au type, les mains en porte-voix :

— Eh ! m'sieur : ramenez-moi ma ligne, tant que vous y êtes !

Ils ont couru longtemps. Même si le type avait eu l'idée de les poursuivre, il aurait tout de suite lâché. Le pêcheur, qui menait le train, n'arrêtait pas de tourner à droite, à gauche, de changer de trottoir, de revenir sur celui d'avant. Une fois, ils sont même passés au travers d'un jardin et un molosse est venu leur aboyer aux fesses. Mais le pêcheur a aboyé plus fort que lui, une vraie sérénade de roquet, et le cabot en est resté comme deux ronds de flan, la tête penchée sur le côté, la langue tirée jusqu'à par terre. Après ce coup-là, Théo riait tellement que pour continuer sa course, il était obligé de se tenir le ventre à deux mains.

Pour une cavalcade, c'était une sacrée cavalcade. Du coin de l'œil, malgré tout, il a pu lire un nom sur une plaque : Scheurer-Kestner. Celle-là, il n'en avait jamais entendu parler. Ils ont repassé la rivière par le pont de la rue Denfert-Rochereau.

Une fois qu'ils ont été dans le Fourneau, le pêcheur s'est arrêté de courir. Il s'est retourné, radieux, vers Théo, et il lui a dit :

— Moi, je m'appelle Léon.

— Théo, a répondu Théo.

— Ça se ressemble un peu, hein ? T'es un marrant, Théo !

— Pas tant que toi, Léon ! a dit Théo.

— Tu parles, Charles ! a dit Léon.

Un peu plus loin, ils sont entrés dans une maison. C'était une maison qui tenait à peine debout.

D'abord, on passait dans un couloir dont les murs présentaient à mi-hauteur un renflement anormal, comme si, de l'autre côté, quelque chose de malfaisant et de muet poussait avec son groin pour renifler votre odeur. Ces murs auraient aussi bien pu porter dans leurs flancs la semence du démon, mijotant dans le plâtre en putréfaction.

Le plancher était mou, spongieux, incertain; il ne tenait pas en place sous vos pieds. Au plafond s'étalaient des cloques, des croûtes, des moisissures, des crevasses juteuses. Elles devaient se mettre à ramper dès que vous détourniez les yeux, sûr et certain. C'était du vivant et du mauvais. On avait l'impression que toute la maison respirait sourdement, tel un assassin qui dort.

A l'autre bout du couloir, il y avait une petite porte, autrefois vitrée, mais dont les carreaux avaient sauté, à l'exception d'une fine langue de verre d'un jaune opaque et sulfureux. Et comme ceux de la porte d'entrée avaient connu le même sort, un vent glacé s'engouffrait dans le couloir et y soufflait en rafales, mugissant des plaintes et des menaces à vos oreilles. Il rabattait férocement contre le mur le panneau à moitié décroché sur lequel avaient été clouées les boîtes aux lettres. La poussière qui recouvrait les parois ternies de ces boîtes formait une carapace vitreuse à travers laquelle on pouvait encore deviner certaines lettres de noms gribouillés à la craie. Vous compreniez qu'un jour de cuite et de fiesta, certains locataires, perdant toute mesure, avaient envisagé la possibilité parfaitement burlesque qu'en dehors d'eux-mêmes, un seul être au monde pût s'aviser, sinon s'inquiéter, de leur existence; et ils avaient couru acheter ces boîtes chez Walser...

A un moment donné, on longeait l'escalier menant à l'étage. L'escalier ricanait sur votre passage. Il agitait sa carcasse. On aurait dit qu'il vous défiait de lui monter dessus.

Théo, par chance, n'eut pas à affronter cette épreuve. Léon le fit passer par la porte du fond. Elle donnait sur une courette cernée de murs couverts d'une mousse pelée et maculés de traces brillantes telles qu'auraient pu en laisser des escargots d'une taille gigantesque.

Aucune fenêtre n'ouvrait sur cette cour. Seulement quelques meurtrières dont l'une était masquée par un bout de planche. Le bas des murs et les dalles du sol étaient comme rouillées. En regardant bien, on s'apercevait que ces dalles s'inclinaient légèrement vers un trou creusé au centre pour que les eaux s'écoulent. Des fils à linge zézéyaient au-dessus de votre tête. Mais il n'y avait pas de linge. Il n'y avait rien dans cette cour, à part une cuvette de cabinets d'un blanc écœurant, fendue en deux. Et puis Théo, pas si rassuré que ça, qui se dissimulait derrière Léon et jetait autour de lui des regards par en dessous.

Le gamin se dirigea vers un petit escalier de trois marches plongeant sous le niveau de la cour et menant à une porte de cave, de buanderie ou de cellier. Il mit la main sur la poignée et fit signe à Théo, prudemment demeuré en haut des marches.

Théo le rejoignit et pénétra à sa suite dans une nuit rougeoyante.

Là-dedans un vieux poêle rougeoyait, une aveugle lumière rougeoyait. Des étoffes rougeoyaient, et le bout d'une cigarette. Un rouge obscur tapissait le fond de l'obscurité. Par-ci par-là, des taches dorées luisaient très faiblement. Il faisait bon chaud, c'était une chaleur qui ne restait pas contre la peau, elle entrait en vous tout de suite.

— Voici un ami, dit Léon.

Théo vit bouger le point rouge de la cigarette, puis il ne le vit plus, puis une silhouette sortit d'un brouillard rouge et quelqu'un parut devant lui. C'était un très vieil homme aux yeux rieurs, la bouche dissimulée sous une abondante moustache de gros crins durs, tout blancs sauf ceux du bas, qui avaient été jaunis par le tabac. Son visage était brun, ou plutôt cuivré comme celui d'un Indien, hâlé comme la figure des gens de la mer; tout autour des yeux, il avait des rides si profondes qu'on aurait pu croire qu'elles avaient été sculptées exprès avec un outil. On ne voyait presque pas son front parce qu'il portait sur la tête une sorte de turban, un grand bout de chiffon blanc entortillé dans tous les sens.

— Il s'appelle Théo, dit Léon avec une solennité inattendue.

Et à Théo, tout aussi cérémonieusement :

— Voici Larbi.

Le vieil homme éleva la main droite et montra la place de son cœur avec deux de ses doigts.

— Je m'appelle sidi Larbi. Tu es le bienvenu dans cette maison. La paix soit avec toi.

— La paix soit avec toi, répéta Léon.

— Merci bien, dit Théo. Mais j'espère que je ne vous dérange pas ?

Les yeux du vieillard pétillaient de plaisir.

— Assieds-toi parmi nous, mon fils, dit-il. J'ai fait le thé.

Il n'y avait pas de chaise, on se mettait sur des coussins et des morceaux de tapis.

Théo regardait autour de lui. A mesure que ses yeux s'accoutumaient à l'obscurité, ils lui révélaient le volume, la forme et le décor étrange de ce logement qui, outre sa situation dans un sous-sol, ne ressemblait à aucun de ceux qu'il avait déjà visités.

Le jour entrait par deux soupiraux longs mais étroits dont les vitres avaient été garnies de papier rouge. Le papier tamisait la lumière du dehors, il l'obligeait à se baisser, il l'alourdissait de sa propre couleur. Il la fatiguait et lui donnait sommeil. Alors elle s'étendait sur les choses de la pièce, c'était une odalisque, et elle fermait lentement les yeux; elle rêvait parmi nous. Le poêle en fonte brûlait d'amour pour elle.

La pièce est basse, mais vaste. Des tentures rouges couvrent pudiquement la moite nudité des murs, qu'on devine derrière elles. Elles sont attachées à des cadres de bois posés contre la pierre. Tentures, peut-être, est un bien grand mot : elles sont faites d'un tissu râpé, avachi, tout griffé d'accrocs. Elles dessinent un drapé capricieux qui, à certains endroits, est ourlé de franges en fils d'or, mais on sait bien que ça n'est pas vraiment de l'or. Ça scintille très humblement dans l'ombre. C'est comme le souvenir d'un trésor qui n'est plus là.

Il y a d'autres taches qui brillent pareillement, d'un éclat voilé. Elles désignent des objets en cuivre; un grand plateau ciselé, une sorte de pichet au col étroit, un poignard dans une gaine étrangement recourbée, des boîtes installées sur de petites tables qui n'arrivent même pas à la hauteur du genou.

Resté debout, le vieil homme se penche pour tendre à Théo un petit verre très lourd, décoré de points blancs, rouges et verts, qui dessinent de jolies figures. Une ombre rousse est lovée à l'intérieur du thé, tournant tout doucement sur elle-même. Les tapis ont les mêmes couleurs chaudes et profondes que ceux que trimbalait sur son épaule, avant la guerre, le sidi en blouse grise qu'on voyait au marché, qui ne vendait rien mais qui revenait toujours. Une fois, il avait été battu par le marchand de stylos américains, auquel il avait pris sa place près de la porte. A l'époque, cela n'avait pas paru tellement injuste à Théo mais aujourd'hui, c'était différent. Il suffit que la lumière s'endorme un peu, parfois, pour que vous voyiez les choses autrement. Il suffit que vous soyez avec telle personne ou telle autre, car ce ne sont pas vos yeux qui voient, ce sont ceux des gens qui vous entourent.

Ce qui luit brun et marron, ce sont des choses en cuir. Théo aime cette rondeur qu'elles ont, ce côté vieux. On voit qu'elles ont tenu dans des mains, elles sont allées avec les hommes dans la montagne et sur les places des villages. Elles se sont arrondies dans la paume des hommes; elles gardent là pour toujours une empreinte indigo.

Léon a raconté ce qui s'était passé près de la rivière; le vieillard a souri.

— Tu as beaucoup de courage, a-t-il dit, cet homme est un méchant homme. Ils croient tous qu'ils ont gagné à la loterie, a-t-il ajouté, mais ils n'ont pas gagné.

— Personne ne peut gagner! s'écrie Léon d'un air profondément indigné.

Sidi Larbi secoue la tête :

— Qui peut forcer la main de Dieu ?

Théo n'osait pas dire qu'il ne comprenait rien à ces discours. Mais le vieil homme avait perçu l'embarras de son hôte :

— Léon et sidi Larbi, ils font la Grande Loterie du Fourneau. Tu peux gagner les grandes poupées, tu peux gagner la bicyclette (il prononçait bécéclite), tu peux gagner tout, tout, tout, les cigarites, les photos de la femme et tout ça. Si Dieu le veut. Tu as le niméro 59 : si Allah veut 59, tu gagnes. Tu gagnes la bécéclite, tu gagnes la T.S.F. Si Dieu le veut !

— Et lui, le type à la canadienne, il n'a pas gagné ?

Sidi Larbi écarte les bras et lève les yeux au ciel.

— Qui c'est qui a gagné ? demande encore Théo.

— Personne n'a gagné, tiens ! dit Léon.

Ça l'agace un peu, Léon, que Théo soit bouché à ce point. Mais le vieil homme, quant à lui, a de la patience à revendre :

— Dieu n'a pas voulu, explique-t-il. J'ai prié. J'ai demandé à Dieu pour chaque niméro : Allah, dis-moi, est-ce que c'est le niméro qui gagne la bécéclite que j'ai dans ma main ? Est-ce que c'est le niméro qui gagne une grande poupée. Est-ce que c'est le niméro qui gagne les cigarites ? Et tout ça. Allah n'a pas parlé, jamais. Dieu ne voulait pas.

— Pourquoi vous n'avez pas mis tous les numéros dans un chapeau, comme on fait des fois ? En tirant au hasard, il y aurait forcément eu des gagnants...

Sidi Larbi lâche un profond soupir :

— A quoi bon aller contre la volonté de Dieu ? Ce qu'Allah refuse, un chapeau ne peut pas le donner. Ce qui est écrit est écrit. Si Allah veut te parler, il n'a pas besoin d'un chapeau : fais seulement ta prière. Celui qui parle à un chapeau, il appelle le courroux d'Allah. J'ai dit à tous : si Dieu le veut, tu vas gagner la bécéclite et tout ça. Si tu n'es pas mauvais homme, il guidera ta main. Dieu est bon. Ce qui est écrit est écrit.

— Qu'est-ce qu'ils croient, non, mais tous ces cons-là! ronchonne Léon pour appuyer le vieux.

Théo réfléchissait à tout ça.

— C'est toi qui vas l'avoir la bicyclette? demande-t-il finalement à Léon.

— Quelle bicyclette? dit Léon.

Un homme habite dans un pays de rouge argile où les troupeaux vont lentement.

Celui-ci est pasteur, celui-ci est potier. Un troisième creuse le sol et fait un puits.

Des flammes s'élèvent lorsque la nuit est bleue, un homme frappe son tambour.

Ils sont cinq serrés l'un contre l'autre, devant le feu, faisant gronder les tambours jusqu'à l'aube innocente.

Un homme tisse la laine dans sa cour. Il y a de longues heures immobiles, le soleil cloue la vie par terre, un silence de bronze enveloppe le rempart, dans ce pays.

Les femmes se penchent dans le fond des maisons. L'argile prend son odeur de braise.

Aucune histoire ne commence jamais, tout est commencé, tout vient d'avant le monde.

Seules des fins arrivent. Pourtant des enfants naissent, mais Dieu l'avait promis. Les enfants naissent d'avant le monde. L'aurore n'est pas la mère du soleil.

Moi qui ne suis rien, je suis sur ce rempart à l'autre bout du jour et je domine la terre, car Dieu avait écrit mon nom.

J'étais un enfant, je menais les troupeaux, la nuit se levait de nos crêtes d'une façon douce et dorée. J'ai senti le djebel se parfumer pour moi.

Voici que la vie est pareille, mais nous avons

changé. Nous renaissons chaque jour dans la beauté du djebel.

Les années ne sont pas notre affaire, nous vieillissons par la parole de Dieu. Le temps passe en bas de nos montagnes. Le temps ne vient pas chez nous. La voix du tambour s'arrête quand la main décide.

Je ne suis pas né parmi ceux qui dressent les tentes, ni parmi ceux qui voient la nuit et s'enfuient devant elle, ni parmi ceux qui construisent des villes sur le fil du temps, s'apprêtant à les voir fendues et détruites. Les hommes qui frappent le tambour pour dévoiler les femmes, je n'étais pas l'un d'entre eux. Mon frère qui te regarde au visage, mais ne voit pas tes yeux, celui-là n'est pas mon frère.

Et je vivais ainsi.

Puis les soldats sont venus, les pantalons rouges. L'enfant qui menait les troupeaux était devenu grand, un fort parmi les forts, qui riait et dansait quand il faut. Ils l'ont pris avec eux, ils ont dit qu'ils en feraient un chef. La piste descendait sans cesse, Larbi est entré dans le temps. Puis il côtoya la multitude. Le djebel qui chevauche les quatre horizons était à présent enfermé dans son cœur; les os de sa tête se serraient autour de sa mémoire. Il vit la mer, la mer était un djebel de langueur.

Ainsi était-elle pour le cœur de Larbi, mais plus tard il alla dessus. Il ne retourna plus dans la montagne. Quand il eut traversé la mer, il ne retourna plus sur la rive où il avait été heureux et malheureux. Il fut heureux et malheureux ailleurs, ce n'est pas du tout la même chose.

Oh! le monde est grand! Il est trop grand. Un seul djebel suffit à un cœur d'homme.

Larbi s'en va. On le met dans une bataille. Il

égorge le plus d'ennemis qu'il peut. Les pantalons rouges n'ont pas menti : il est le chef de plusieurs hommes et l'un d'eux parle la belle langue du djebel, la langue de Dieu. Ils sortent dans la nuit, ils se couchent dans la boue glacée, ils se dressent tout à coup en hurlant et égorgent les ennemis durant leur sommeil. Un plus grand chef accroche des médailles sur sa poitrine, pour montrer à tous que Larbi est un chef et tue bien les ennemis. Il connaît la neige dans des bois noirs et mouillés. Là-bas, aucun enfant du village n'a les traits de Larbi et c'est un grand chagrin. Beaucoup d'hommes meurent, mais pas Larbi. Quand les fusils se taisent, il y a un défilé. Le caporal Larbi est au milieu d'une route, toutes ses médailles épinglées à sa capote, elles sont plus que trois fois les doigts de la main et l'une d'elles a la couleur du sang versé. De chaque côté de la route, des Infidèles l'acclament, leurs femmes impures tendent vers lui des enfants pâles. Il conduit le mouton, précédant la nouba. Arrivé sur une place, un général américain lui donne encore une médaille. Mon Capitaine pleure en lui serrant la main. Il dit : « Ah ! Larbi ! Mon vieux Larbi ! » On allume des feux dans la vaste cour de ferme où le régiment s'est installé et l'on fait un banquet, parce que cette longue bataille est finie. Vers le soir, les doigts de Larbi se posent sur un tambour de la nouba et se mettent à le faire parler, d'abord doucement, puis de plus en plus fort, tandis que les yeux de Larbi sautent par-dessus la ferme, la boue, les bois, sautent par-dessus la mer et les villes au vain caquetage, enjambent les premières collines et se plantent en haut de la montagne, parmi l'argile rouge, les choses d'avant, l'immensité des ombres, les pierres qui refroidissent après la rentrée des troupeaux et ce rempart d'où l'on voit qu'il n'y a pas de commencement. La nuit d'ici ne peut obscurcir cette vision; elle n'en est pas capable, tant que retentit la voix du tambour. Larbi n'a jamais appris à jouer. Son oncle et son cousin jouaient du tambour, lui non. Pourtant le tambour parle sous la main de Larbi : c'est Dieu qui dirige cette main.

— Eh! le sidi, tu nous les casses! crie un homme.

Mais ce cri se brise contre le silence de bronze qui emplit la parole du tambour.

A travers la danse épouvantée des flammes, tirant à petits coups sur sa bouffarde, hochant sa tête usée par la bataille, Mon Capitaine observe le visage grave et illuminé de son vieux Larbi. Il regarde ce visage et comprend que Larbi a pénétré dans le djebel de la mémoire et mène le beau troupeau des souvenirs. Lui-même songe à son île, Mon Capitaine est corse. Il entend quelque chose dans la voix de ce tambour. Il n'entend pas tout, mais il entend quelque chose. Qui le rend triste et heureux. Quelque chose de si lointain. Plutôt une image qu'un son. Plutôt une odeur qu'une image. De l'huile d'olive et des piments... Mon vieux Larbi.

Larbi s'est réveillé : il était couché dans la paille avec les autres. Il s'est tout de suite souvenu qu'il n'y avait plus personne à égorger. Il s'est levé, il est resté un peu avec le régiment. Puis on lui a dit : tu peux t'en aller. Quand les mères le voyaient passer à présent, elles tiraient leurs enfants de devant les portes et les emportaient dans l'intérieur des maisons.

Larbi n'avait rien fait de mal. Il avait les médailles au fond de sa poche dans une boîte fabriquée avec des morceaux d'obus par un petit bonhomme d'Arcueil qui l'appelait Compère Larbine et qui partageait tout et qui l'aimait bien et qui avait fait la boîte pour lui et qui était mort à Belrupt (une croix disait : Gilbert Judlin). Larbi était le même Larbi qu'avant. Mais soudain les Infidèles faisaient comme s'ils ne l'avaient jamais vu et préféraient ne plus jamais le revoir.

Cependant, Larbi était resté. Il n'avait plus quitté ce froid rivage de la mer. Ne cherchez pas la raison de ceci : Allah est tout-puissant. Larbi avait travaillé dans les champs et dans les villes. Il n'avait pas été riche, mais la honte de tendre la main lui avait été épargnée.

Dix ans plus tard, à Cabourg, il fait tourner un manège de chevaux de bois pour des enfants transparents et polis qui l'appellent M. Mohammed quoique son nom, c'est Larbi. On le retrouve ensuite en Côte-d'Or puis en Lorraine, dans les foires. Il vend des pains d'épice, il vend des cacahuètes, il pousse des cris arabes pour amuser le monde. A pleins poumons, il récite la litanie fabuleuse des beautés du djebel. Les gens rient et se font de l'œil, ils pensent qu'il a un grain, l'arbi, que c'est ramadan tous les jours, sous la chéchia. Lorsqu'il est très malheureux, Larbi leur crie son malheur. « Maudits de Dieu ! leur dit-il. Pécheurs abominables, riez toujours du croyant : bientôt il ne sera plus temps. Je souffre par vous mais ma peine mourra, tandis que vous qui riez maintenant souffrirez jusqu'au dernier jour de l'éternité éternelle. J'en jure par ton Dieu, nous rassemblerons les hommes et les démons; nous en formerons une enceinte dans l'enfer, et nous les forcerons de se tenir à genoux. Nous choisirons ensuite ceux dont l'insolence aura le plus éclaté contre le Miséricordieux. Nous connaîtrons ceux qui ont mérité davantage le tourment des flammes. Ils y seront précipités; c'est un décret prononcé par l'Eternel. Nous délivrerons ceux qui ont craint le Seigneur, et nous laisserons les coupables à genoux. » Il disait et faisait recette, car Dieu prive l'Infidèle de sa raison. En tenant la carabine à bout de bras, Larbi peut gagner la grande poupée et se faire acclamer par ceux que le vin souille et égare. Puis il rencontre Tarzan, qui boit plus que tous les autres, mais qui est un homme bon.

Tarzan a une baraque au fond de la fête. Enduit de graisse, il se découvre le poitrail même par les plus grands froids et défie les badauds à la lutte. Il n'a pas de femme, mais il a un petit enfant nommé Léon. C'est encore presque un bébé et Tarzan est à la fois son père et sa mère. Une fois, à Bruyères, deux hommes tiennent les bras de Larbi; un troisième lui écrase la figure, jette les cacahuètes par terre et saute dessus à pieds joints. Alors Tarzan descend de son estrade. Il prend les deux hommes par le cou et cogne leurs têtes comme deux boules de billard. Le troisième essaie de se sauver, mais Tarzan l'empoigne par la peau du dos, le soulève et le lance contre le sarcophage de la momie et la momie fout à l'homme une de ces gifles qui le fait tourner trois fois sur lui-même. Et Tarzan dit :

— Pourquoi tu ne m'as pas appelé, Larbi, je ne suis pas ton copain ?

Puis Tarzan est obligé de s'asseoir. Il se tient la poitrine, il a mal là-dedans. Il essaie de sourire à Larbi, mais il a trop mal.

— On n'a pas toujours vingt ans, grimace-t-il.

Sa poitrine fait un vilain bruit. Ses cheveux gris sont collés à ses tempes.

Larbi pose délicatement sa main sur l'épaule de Tarzan. Le tout petit soleil de mars expire. Larbi ôte sa capote et couvre les épaules de Tarzan.

Au milieu de la nuit, les hommes reviennent avec des barres de fer. Ils trouvent Tarzan dans sa camionnette et le frappent malgré les cris du petit Léon, qui a cinq ans. Ils disent :

— Tu as ton compte, fumier? Tu as ton compte, dis?

Larbi a entendu les cris de Léon. Il se précipite avec son couteau.

Il voit les barres de fer et la bouche ensanglantée de Tarzan qui hurle une longue plainte muette parce que sa douleur est trop grande pour sa voix.

Il plante son couteau dans la main de l'homme le plus proche. L'homme lâche la barre de fer en gémissant. Les deux autres hommes voient l'éclat du couteau dans la nuit et la figure terrible du caporal Larbi. Eux aussi couinent et lâchent leur barre de fer. Ils détalent dans les ténèbres. Le petit Léon pleure à chaudes larmes. La couverture de Tarzan est pleine de sang.

On emmène Larbi pour le mettre en prison. On lui prend son couteau, on le bat un peu et on le met en prison. Mais lorsqu'il sort de la prison, par un matin de brume et de misère, Tarzan l'attend avec Léon de l'autre côté de la rue, et Léon a six ans.

Ils sourient timidement. Ils ne savent quelle contenance prendre.

Larbi traverse la rue de la prison, tendant les bras :

— La paix soit avec toi, mon frère. Et toi, Léon, la paix soit avec toi. Qu'Allah vous bénisse!

Et Tarzan répond avec son sourire timide (sa voix n'est plus tout à fait la même, à cause de toutes les dents cassées) :

— C'est joli, ce que tu dis là. La paix soit avec toi, Larbi. Comment ça va, mon vieux?

Et le petit Léon répète :

— La paix soit avec toi. Comment ça va, Larbi ?

Dans cette rue, le vent est gris et méchant. Le petit Léon regarde Tarzan :

— Tu ne lui donnes pas son cadeau ?

Tarzan a l'air encore plus embarrassé. Il rougit. Il met la main dans sa poche et tend à Larbi un objet enroulé dans un bout de papier bleu.

Larbi défait le papier et trouve un couteau.

— On sait pas si c'est le même, marmonne Tarzan en baissant le nez. On se souvenait plus bien, tu comprends...

Le couteau est bien différent de celui qu'on a pris à Larbi. D'abord, le sien, il l'avait acheté à Mostaganem, c'était un couteau de là-bas.

— Il est même pareil, déclare Larbi.

— Bien vrai ?

— Je jure par Allah ! dit Larbi.

Il serre Tarzan et le petit Léon sur son cœur. Tarzan lui tient le cou avec un seul bras. L'autre bras pend le long de sa veste, on dirait un bâton.

Larbi voit le bras mort et fronce le sourcil. Mais Tarzan détourne rapidement le regard :

— On t'a gardé toutes tes affaires, dit-il.

La camionnette a pris la route de Gérardmer. Le brouillard restait accroché aux aiguilles des sapins et la montagne était d'une sorte de bleu qui meurtrit le cœur. Pourtant Larbi avait le cœur plein d'élans.

Tarzan n'avait pas été en prison; le petit Léon non plus. Les hommes aux barres de fer n'avaient pas demandé qu'on les y mette. Tarzan était resté dans son coin. Il n'avait pas dit que les hommes avaient brisé ses dents et tué son bras :

— Tu comprends, mon vieux, je suis interdit de

séjour depuis 23 : qu'est-ce que je pouvais faire ? En plus, ils ne m'auraient pas cru. Les autres auraient dit que je mentais, et puis c'est tout. Même toi, ça n'aurait fait qu'aggraver ton cas, mon pauvre ami ! Tu sais, l'un des types est le neveu d'un adjoint...

Larbi ne savait pas ce qu'était un adjoint, mais il comprenait parfaitement le sens de ces paroles et il donnait raison à son ami, car il avait vu comment était la justice de ce rivage-ci. Il ne pouvait pas le croire dans sa tête, mais il l'avait vu et il le croyait dans son cœur.

— Je n'ai rien dit moi aussi, dit-il. Le juge, il n'écoute pas ce que je dis, il ne cherche pas la vérité.

Dans le cœur de Larbi, ceci était la poche d'amertume qui ne s'en irait plus jamais. Et toute la tendresse, la fierté et la joie, et toutes les fêtes et toutes les femmes, et toutes les images douces n'y pourraient rien changer.

La forêt était froide et mouillée comme les forêts de la guerre et Larbi, tassé contre la banquette, le regard en dedans, se souvenait de sa jeunesse. Il murmura :

— Mon Capitaine est un homme juste : il cherche toujours la vérité...

Il revoyait les traits harassés de Mon Capitaine, après tant d'années. Il les voyait plus nettement que ce paysage mélancolique et noyé qui vacillait derrière la buée du pare-brise, la doublure moisie du glorieux manteau de la terre. Son cœur était lourd comme une pierre. Au fond, pensait-il, peut-être qu'on n'avait pas assez égorgé de méchants : il en restait encore trop beaucoup dans le monde.

Après Le Tholy, il cessa de pleuvoir. Les Vosges

mettent longtemps à sécher, mais après la fumée de la pluie viennent déjà les parfums.

Quand vous apercevez le lac entre les troncs des sapins, avant d'arriver à Gérardmer, vous comprenez qu'il est une beauté noire à côté de la beauté rouge, et que celle-là, n'est pas l'envers de celle-ci, l'une et l'autre sont nées de la parole de Dieu. Le noir du lac est l'enfant de la nuit, comme l'argile rouge est la fille du soleil; Dieu a fait la nuit et le jour, il n'a pu tout faire en même temps. Il a fait la nuit pendant la nuit, il a fait le jour pendant le jour, mais il n'a pu terminer complètement son ouvrage. Il a fait certaines parties du jour durant la nuit. Voilà comment les Vosges sont venues sur la terre. Et leurs parfums sont noirs, eux aussi.

A Xonrupt, ils achetèrent un pain, une boîte de sardines, un morceau de fromage et une barre de chocolat pour Léon. La vue de ces choses faisait venir la faim.

Ils remontèrent dans la camionnette. Une moitié du cœur de Larbi était heureuse, l'autre moitié saignait. C'était pareil pour Tarzan et c'était pareil pour Léon. Tous trois avaient joie, colère, douleur et pitié, alors ils n'avaient pas besoin de se parler et ils s'aimaient.

Il y avait encore de la neige à la Schlucht, ce qui n'est pas rare au mois de mars et la neige blanche est bien sûr une fabrication de la nuit. Avant de prendre son repos, Dieu était las, il a dit : « Je vais faire la neige, puis je prendrai mon repos. » Au fond de son sommeil, il a eu ce rêve que la neige s'en allait. Depuis la neige vient et s'en va, selon le labeur et la rêverie de Dieu, car l'un et l'autre sont également sacrés.

Tarzan conduisait lentement. La route était glissante. La camionnette était vieille et si elle ne marchait plus, il ne pourrait pas en acheter une autre. Il n'était pas loin de 10 heures lorsqu'ils traversèrent les Trois-Epis, où la Vierge en image avait montré un glaçon au pauvre forgeron de l'ancien temps. Les Trois-Epis étaient vides, c'était comme de voir un pauvre homme nu qui ne sait pas qu'on le regarde.

Un soleil blanc se montra dans la descente. Ils décidèrent qu'ils n'attendraient pas midi pour manger, le pain avait embaumé toute la camionnette. Ils arrêtèrent la camionnette et le bois était mouillé, mais Larbi construisit quand même un beau feu, ayant appris la façon pendant la guerre. S'ils avaient eu de la viande, Larbi aurait pu cuire la viande pour eux, car il savait cela aussi, et joignait la patience à ce savoir.

Le feu était clair et lent, Larbi ayant choisi une place abritée du vent.

Ils mangèrent en silence. Le pain était le meilleur de toute leur nourriture, comme toujours lorsque le pain est bon. Ils demeurèrent en silence après avoir terminé le fromage et le pain, et Larbi remit du bois dans le feu. Puis le soleil commença à devenir jaune et ils sentirent qu'il posait la main sur leurs nuques. Ils racontèrent comment le temps avait passé depuis l'année dernière.

Larbi raconta la prison et ce n'était que la prison, il n'y a pas grand-chose à dire, sauf qu'on est seul et malheureux et qu'on ne peut pas croire qu'il va vraiment falloir vivre là, et c'est ce qui se passe pourtant, ce qui est écrit est écrit.

Tarzan raconta que, tout d'abord, il avait espéré que la vie reviendrait dans son bras. Il s'était dit que s'il se remettait à combattre dans la baraque, il aurait tellement besoin de son bras que son bras reviendrait comme avant. Il s'était enduit de graisse, il avait poussé le cri de la parade et il avait défié les costauds du village à la lutte, frappant du talon les planches de l'estrade pour ébranler leurs âmes pusillanimes, et le petit Léon, à côté de lui, les toisait insolemment pardessous sa casquette.

Les costauds s'étaient assemblés devant l'estrade, des bûcherons de la montagne, des hommes des scieries, des conducteurs de schlitte aux nuques violettes. Ils avaient écouté Tarzan bouche bée, comme font toujours les costauds, puis ils s'étaient poussés du coude et avaient seulement rigolé.

— Qui sera le premier de ces messieurs ? gueulait Tarzan, défonçant à moitié son estrade à coups de talon. Quel est le plus courageux ? Qui ose se mesurer à Tarzan ?

Les costauds continuaient de l'observer en riant, et pas un ne bougeait.

Alors Tarzan eut peur. Il eut peur qu'aucun homme ne monte sur l'estrade. Mais aussi, pour la première fois de sa vie, il eut peur qu'un homme monte.

— Allons, allons ! les exhortait-il. (Allons, allons ! criait le petit Léon d'une voix haut perchée.) Je connais bien les Vosgiens, ma grand-mère paternelle était de Rochesson : il y a des hercules dans ce pays, les hommes n'ont peur de rien. J'ai connu un dénommé Cuénot, de la région du Val-d'Ajol : il déracina un pommier de ses mains et l'emporta sur son dos.

Un homme éclata d'un rire éméché. Un autre au premier rang, cracha posément par terre et dit :

— On lutte pas avec un estropié, monsieur.

Et Tarzan était terrorisé :

— Vous occupez pas ! hurla-t-il. C'est moi

qui lance le défi. Je lance le défi avec un seul bras !

Il brandissait sauvagement ce bras unique et l'on aurait vraiment dit une massue. Les yeux lui sortaient de la tête et, sous la couche de graisse, sa peau était glacée. C'était aussi la première fois de sa vie que sa peau se glaçait pendant qu'il lançait le défi. Les hommes secouaient la tête pour dire que non, rien à faire.

— J'offre le double de d'habitude ! proposa Tarzan. (Il sentait que sa voix s'étranglait.) Bon Dieu, avec un seul bras, qu'est-ce que vous risquez ?

— Tu nous prends pour qui ? gronda quelqu'un. Les autres approuvèrent cette colère.

— Pourquoi pas avec le gosse ? lança un grand roux.

Ils recommencèrent à rire. Celui qui était à côté du grand roux mit ses mains en porte-voix et cria :

— Attends, Tarzan, je t'envoie le Pépère. Il a quatre-vingt-dix et quelque, peut-être qu'il ne te culbutera pas du premier coup !

Les rires repartirent de plus belle. La sueur dégoulinait dans les yeux de Tarzan. La peur s'était installée dans son ventre et le griffait furieusement de ses ongles froids.

— Pour rien, alors ? Pour l'honneur ? implora-t-il.

— Quel honneur ? fit l'homme qui avait craché. Tarzan brûla sa dernière cartouche :

— Pour rigoler ?

— On a assez ri, dit l'homme.

Ils lui tournèrent tous le dos en même temps.

— Salauds ! Salauds ! piaillait le petit Léon. Battez-vous ! Grands lâches !

— Fais taire le gosse, dit encore l'homme par-dessus son épaule, et puis foutez le camp.

Ils avaient vendu la cabane, gardé la camionnette. Ils s'étaient rendus un peu plus haut dans le Nord, entre Metz et Thionville, où on ne les connaissait pas. Du côté du Levant, ils poussèrent jusqu'à Forbach, allant où vont les foires et les cérémonies. Vers l'ouest, une fois, ils atteignirent Longwy. Ils ne savaient pas si ces villes étaient belles. Ils avaient un nouveau métier, qui était de vendre des images militaires. Ces images représentaient les victoires de la France, les batailles, les faits d'armes; il y avait beaucoup de sang et de drapeaux, des légendes en lettres dorées qui consistaient en phrases de *la Marseillaise*, en mots historiques, en devises de régiments, « Honneur et Patrie » puis tout ça. Ce commerce marchait bien. Plus bas, chez les Marseillais, ça n'aurait peut-être pas été tout à fait la même chose, mais ici, dans l'Est, Tarzan ne chômait pas. Pour ses gravures, il se servait directement à Epinal, au meilleur prix. Ils descendaient se réapprovisionner tous les trois quatre mois. Ils ne s'attardaient pas : juste l'aller et retour.

Tarzan ne travaillait plus torse nu, il avait lancé son pot de graisse aux orties. Chez un fripier à Florange (un ambulant comme lui), il s'était procuré pour pas cher un vieux calot, ainsi qu'une vareuse et une capote de sergent de dragons. Il avait décousu les galons, mais l'emplacement était resté marqué, et le petit Léon criait : « Achetez vos souvenirs patriotiques à l'Infirme ! » Beaucoup pensaient que l'Infirme était un blessé de guerre : ils pensaient ce qu'ils voulaient, l'Infirme en question ne les forçait à rien, il se contentait de ramasser la monnaie, esquissant un salut militaire chaque fois qu'il remettait une image à quelqu'un. Au-dessus de son tréteau, il avait déroulé une banderole : « Au rendez-vous des Patriotes. »

— Allons enfants de la patrie, par ici ! braillait le petit Léon.

Il avait trouvé ça tout seul, un beau matin. Son père était très fier de lui.

Léon attendrissait beaucoup ces dames, les matrones pendues aux basques des bouffeurs de drapeau.

— Il a perdu sa mère, le quiqui ? interrogeaient-elles d'une voix larmoyante.

De son bras valide, l'Infirme traçait dans l'air un geste énigmatique, avant de saluer militairement, le regard perdu à l'horizon.

On racontait partout, avec des mouvements accablés du menton, que la malheureuse femme avait été victime des uhlans.

— Mon Dieu Seigneur ! se lamentaient les commères. Pauvre femme ! Pauvre homme ! Pauvre petit !

Pas une ne semblait s'apercevoir que Léon était bien trop jeune pour avoir perdu sa mère quinze ans plus tôt. Il faut dire qu'en Lorraine, d'une certaine façon, la guerre n'était jamais finie.

Larbi écouta ce récit avec satisfaction. Il constatait que ses amis étaient des personnes de ressource qu'Allah, en sa miséricorde, n'avait pas voulu abandonner dans le malheur. Il dit que s'il avait pu prévoir, il aurait laissé ses médailles à Tarzan pour l'aider dans son commerce, au lieu de les emporter en prison où il n'avait même pas eu le droit de garder la boîte avec lui.

— Enfin, conclut Tarzan, on ne s'est pas trop mal débrouillé, tu vois. En fait, c'est malheureux à dire, mais on a gagné plus qu'avec la baraque.

— Mais tu n'as pas oublié Larbi, dit Larbi avec un sourire grave.

— Et toi, tu nous avais oubliés ?

— Non merci, dit Larbi.

Tandis qu'ils parlaient, le feu s'est éteint. Mais cela n'avait plus d'importance car ils avaient chaud de leur parler, puis le soleil était grand doré et il avait mangé tous les nuages et les oiseaux s'appelaient dans les arbres. Le bleu du ciel est pâle mais il est bleu, encore une sorte de bleu. Le bleu n'a pas de fin, c'est comme d'aller d'un bout de la peine à l'autre bout de l'amour.

Larbi a bu l'eau d'une source, car il écoute la parole du Prophète et repousse le vin, même si le litre est tendu par la main de son frère. L'eau des Vosges est une eau de la nuit : elle est froide et brillante à la façon des étoiles. Elle est amoureuse du soleil parce que c'est une eau de la nuit; elle est amoureuse du ciel bleu parce que c'est une eau de la terre. Dieu permet de boire et de manger la terre, infinie est Sa bonté.

Le soleil avait mis ses bras immenses autour d'eux trois et de la terre des Vosges. Ils descendirent jusqu'à un village fleuri qui se nomme Ammerschwihr et entrèrent dans la plaine. Il n'est rien de plus lumineux que les printemps d'Alsace, quand ils sont beaux. On dit que l'air est d'une légèreté exceptionnelle : les Vosges l'ont passé au tamis, ça n'est pas étonnant.

Ils virent Kaysersberg, Kientzheim, Sigolsheim, Benwihr, Mittelwihr, Beblenheim, Riquewihr, il faut les avoir vus.

Ils passèrent à Hunawihr. A Ribeauvillé, ils prirent à droite pour rejoindre la route nationale qui va de Colmar à Sélestat. Dans Sélestat, sans crier gare, Tarzan donna un grand coup de frein et tomba en arrêt devant l'affiche d'un cinéma.

Plus tard, il fallut bien admettre que c'était devant cette affiche qu'était née l'idée du *Fils du Désert*. S'il n'y avait pas eu cette affiche, Tarzan aurait été vendre ses images, et Larbi ses bonbons cacahuètes, dans les *Kilbe*[1] des environs, ainsi qu'ils en avaient eu l'intention en premier lieu. C'était en tout cas pour ça que le petit Léon et son père avaient emmené Larbi dans la camionnette, outre qu'ils étaient ses seuls amis.

Mais il y avait eu cette affiche. Ils auraient pu passer par une autre rue, mais ils étaient passés juste devant cette affiche...

Imaginez une terre jaune canari et beigeasse, plantée (au fond à gauche) de tentes basses, ourlée à l'horizon de toute une caravane de chameaux — et devant, à cheval sur un coursier écumant dont les yeux lancent des flammes, un grand sifflet enturbanné, au bouc impérieux, qui brandit un yatagan et hurle on ne sait quoi, emportant en travers de sa selle une jeune personne pâmée en boléro, dont le corps forme un arc gracieux. Le matamore flotte dans une espèce d'habit blanc très lâche qui fait des plis partout; la mouquère est couverte de bijoux et porte sur le bas du visage un voile qui ne sert à rien parce qu'on voit tout à travers. De noires silhouettes galopent en arrière, escorte du héros ou poursuivants impitoyables promis au ridicule et à la mort. Déjà, la lame du yatagan ruisselle d'un joli sang vermillon...

— Vingt bois! souffla Tarzan après cinq bonnes minutes de contemplation intense, aux confins du ravissement et de l'incrédulité. Tu trouves pas que t'y ressembles un peu, Larbi, à

1. Fêtes (N. de l'E.).

cet oiseau-là, le bachi-bouzouk avec le sabre d'abordage?

Il ne fut plus question de l'affiche par la suite, mais vous pouvez me croire : c'est bien à ce moment-là que l'idée du Fils du Désert est entrée pour la première fois dans la tête de Tarzan.

Le plus dur, ce fut de trouver quelqu'un pour faire la jeune personne.

Si Léon avait eu douze ou treize ans, on aurait pu s'arranger comme ça : un peu de rouge aux joues, des faux cheveux, deux oranges sous la chemise et hardi donc. Mais là, il n'en était vraiment pas question. A tout hasard, ils demandèrent aux jeunes personnes rencontrées sur les chemins, devant les fermes ou dans les rues des villages mais — comme Tarzan l'avait du reste prévu — ils se firent vertement rembarrer à chaque fois, sans parler du coup où un père les entendit et alla décrocher le fusil sans autre forme de procès.

Tout ça ne faisait guère les affaires du trio, d'autant qu'ils avaient arrêté de se montrer dans les fêtes pour mieux préparer leur coup et aussi pour ménager un effet de surprise lorsqu'ils seraient prêts. Tarzan avait même dû écorner la somme rapportée par la vente de la baraque, qui était restée à peu près intacte jusque-là.

En effet, ils s'étaient rendus dans la région de Mulhouse pour acheter directement à une usine de textile l'important métrage de tissu rouge dont ils avaient besoin pour décorer le théâtre en plein air où ils allaient donner :

LE FILS DU DESERT
Pièce historique, éducative, récréative
et *patriotique* en 5 actes
de Jean-Baptiste LIAUTET
(d'après de vrais événements ayant

survenu dans nos colonies
d'*Outre-Mer*).

Tarzan pensait que le nom de Liautet rappelle-rait quelque chose aux gens et achèverait de garantir l'authenticité des événements en ques-tion — surtout précédé du prénom biblique de Jean-Baptiste, lequel ne pouvait exercer qu'une heureuse influence sur les dispositions d'un public volontiers fourré dans les sombres jupes de la calotte.

— Il faut veiller à tout, disait sentencieuse-ment l'ancien lutteur. Si c'est pour faire les cho-ses à moitié, c'est même pas la peine d'entrepren-dre quoi que ce soit.

Souvent, il se retirait un peu à l'écart des deux autres et réfléchissait, les yeux dans le vague, le menton dans la main.

Il avait bâti toute l'histoire dans sa tête et c'était réellement quelque chose de peu commun. Là encore, il visait à la perfection, aussi passait-il son temps à modifier des scènes, à peaufiner des répliques, à ciseler de minuscules détails. Parfois, il posait des questions à Larbi sur son pays et la vie de là-bas. Il méditait longuement les réponses du caporal.

Il y avait dans sa pièce de l'action, un peu d'amour d'une espèce très élevée, des traîtrises absolument immondes et des gestes de bravoure comme vous n'en aviez jamais vus. Vers la fin, le capitaine de Spahis, qui avait sauvé la Fille du vrai Cheik des griffes du faux Cheik, terrassait d'un seul bras ce dernier en combat singulier, ayant fait don de l'autre bras à la Patrie avec un entrain des plus réjouissants. Avant cela, le faux Arpenteur Américain, qui était un vrai Espion Allemand, était démasqué par la vraie Sœur de

l'Orphelin (une fausse Marchande de Bananes),
grâce aux indications du faux Traître mis là
exprès pour tromper l'Ennemi, et qui n'était rien
d'autre que l'Ami Fidèle du Père de l'Orphelin (et
de sa Sœur), lequel Père avait remis à son Ami
Fidèle avant de mourir — assassiné par le faux
Cheik dans une rue de la Casbah — la moitié
d'une clef d'or, dont l'autre moitié était cousue
sans que personne le sache, sauf le Père assassiné, dans la babouche de l'Orphelin, et celui qui
souderait les deux moitiés serait à même d'ouvrir
un coffre rempli d'un immense trésor, à ceci près
que le coffre en question avait précisément été
enterré par le Père assassiné dans un endroit du
désert où le faux Arpenteur Américain était passé,
ce qui fait que ce dernier l'avait découvert par
hasard et l'avait remis aux faux Cheik en paie-
ment de sa trahison, mais le faux Cheik ne pouvait pas l'ouvrir, et pour cause, puisqu'il n'avait
pas la clef, et le coffre restait là dans sa tente sur
une table en attendant, mais comme le faux Cheik
courait se réfugier dans cette tente après avoir été
dénoncé par le faux Arpenteur Américain juste
une seconde avant que celui-ci soit passé par les
armes devant le mur de la Mosquée, l'Armée trouvait ce coffre; or, l'Orphelin voulait suivre l'Armée
pour devenir Soldat Français, selon son rêve de
toujours, mais à l'instant même où il s'élançait à
la suite de la Troupe, la Complice de l'Espion sortait d'un café et lui faisait un croche-pied; et alors
l'Orphelin s'étalait par terre, la babouche se cassait et la moitié de la clef d'or apparaissait; naturellement, la Complice de l'Espion voulait s'en
emparer, mais l'Ami Fidèle veillait fidèlement,
caché derrière la porte du café : il poignardait la
Complice, disant non sans une certaine fermeté :
« Non! Tu n'auras pas cette clef! Meurs plutôt,

Espionne ! »; il consolait l'Orphelin, mettait les deux moitiés de clef ensemble, pleurait un bon coup car toute cette scène était assez émouvante, puis tout le monde se retrouvait sous la tente du faux Cheik terrassé d'un seul bras par le Capitaine des Spahis; l'Orphelin et sa Sœur, se reconnaissant enfin, tombaient dans les bras l'un de l'autre; le Capitaine épousait sur le front des troupes la Fille du vrai Cheik, une jeune personne charmante, virginale et particulièrement patriotique qu'il avait sauvée des griffes du faux Cheik; on ouvrait le coffre et l'Orphelin déclarait solennellement : « Je fais don de cet immense trésor à l'Armée Française afin qu'elle poursuive Outre-Mer son œuvre pacificatrice et civilisatrice. Je ne demande pour moi-même qu'une seule chose en échange : c'est d'être enrôlé dans ses glorieux rangs au grade de simple soldat de deuxième classe, car il faut commencer petit pour pouvoir devenir grand ! », et sa sœur disait : « Oui, moi aussi j'abandonne de tout cœur la part qui me revient à l'Armée Française, car je n'en aurai plus besoin, car j'ai retrouvé enfin mon cher petit frère et vais épouser l'Ami Fidèle de notre cher Papa assassiné, ce noble ami resté fidèle à la parole donnée au péril de sa vie ! »; alors on faisait grâce aux Prisonniers, à condition qu'ils deviennent gentils et dénoncent les traîtres et — coup de théâtre ! — voilà qu'ils se mettent aussitôt à dénoncer l'Ami Fidèle, qui était en réalité un faux faux Traître, et la Sœur de l'Orphelin ne fait ni une ni deux, elle s'empare du cimeterre du faux Cheik qui traînait par là et transperce le cœur de l'Ami Fidèle, son Fiancé, en clamant : « Sois maudit ! », tandis que l'Orphelin, plongeant ses bras dans le coffre, s'écrie d'une voix brisée par le désespoir : « Mon Capitaine, regardez : ce sont des faux ! » — et c'en sont en effet, tout le monde est bien embêté, mais en sortant de la tente, l'Orphelin qui n'a plus qu'une seule babouche, et pour cause, fait un faux pas et se prend les pattes dans un cordage, et alors le cordage actionne un mécanisme secret et un pan de toile de tente s'écarte : Seigneur Jésus ! la tente avait un double fond et le vrai trésor apparaît aux yeux éblouis de la foule ! « Ce qui est dit est dit, dit la Sœur de l'Orphelin. Je n'ai plus de mari, mais qu'importe, le trésor est à vous. Non, non, je n'y toucherai pour rien au monde ! »; « Ça ne fait rien, dit la Fille du vrai Cheik, en regardant amoureusement le Capitaine de Spahis dans les yeux. Nous ne l'abandonnerons pas : nous la prendrons avec nous comme servante, pour s'occuper de notre petit nid. » « Mais oui, ma chérie, naturellement ! », répond amoureusement le Capitaine, et tout le monde est content. Au beau milieu de tout ça, la Jeunesse-de-France, qui serait représentée par Léon avec un petit drapeau et un bonnet phrygien, n'arrêtait pas de surgir comme un cheveu sur la soupe et de mettre son grain de sel à propos de tout et de rien. Elle chevauchait aux côtés du Capitaine de Spahis, soutenait la Belle Captive dans ses cruelles épreuves, hantait péniblement les rêves du faux Cheik, aidait la Marchande à caser ses Bananes, recommandait aux bons la prudence et promettait la mort aux méchants. Elle paraissait brusquement entre deux dunes et disait à l'Arpenteur médusé : « Aujourd'hui tu arpentes; demain, tu te repentiras ! »

C'était une des deux ou trois répliques dont Tarzan était le plus fier. D'ailleurs, il était assez satisfait du reste également. Ainsi qu'il l'admit un soir, pressé par ses compères enthousiastes : c'était torché.

Le seul problème, c'était d'adapter cette histoire pour en faire une pièce. Non seulement ils n'avaient toujours pas de jeune personne sous la main, mais, à eux trois, ils auraient bien du mal à interpréter la multitude de rôles masculins. A la fin, surtout, ça se gâtait : il y avait dans cette putain de tente, à se marcher sur les pieds, le Capitaine, la Troupe, le cadavre du faux Cheik, les Prisonniers, l'Orphelin, l'Ami Fidèle, sans parler de la Jeunesse-de-France, qui n'allait certainement pas rater une occasion pareille de faire connaître son point de vue. Et par-dessus le marché, on devait voir deux jeunes personnes en même temps ! Ça, c'était le bouquet ! Déjà qu'une, c'était la croix et la bannière, comment faire pour s'en procurer deux ? Tarzan se cassait les dents là-dessus. Il en perdait le sommeil. Mais ce n'était pas Léon, et encore moins Larbi, qui pouvaient lui venir en aide.

Il essaya de faire de la Sœur de l'Orphelin la Fille du vrai Cheik, seulement ça n'avait plus ni queue ni tête. Le bon moyen pour venir à bout de la difficulté, c'était de s'arranger pour que la Fille du vrai Cheik épouse son Capitaine avant que la Sœur ne pénètre sous la tente, puis qu'elle se retire, par exemple sous le prétexte d'aller soigner sa vieille mère malade (ou mise à mal par les sbires du faux Cheik ?). Comme ça, tout allait bien — à part qu'il fallait sacrifier les dernières répliques, quand la Fille du vrai Cheik se montre si compatissante à l'égard de la Sœur de l'Orphelin. Et Tarzan tenait à elles comme à la prunelle de ses yeux. D'abord parce que ça terminait la pièce ; ensuite parce qu'il trouvait ça joli, ce geste de la Fille du vrai Cheik : heureuse et comblée, elle ne sombrait pas dans l'égoïsme, contrairement à ce qui se passe le plus souvent dans la vie.

A force de se creuser les méninges, il trouva une solution. Le Capitaine des Spahis mettait son képi sur son cœur et disait à la Sœur de l'Orphelin : « Ah ! chère et brave mademoiselle, si ma tendre épouse, la Fille du vrai Cheik, était encore avec nous, je sais bien ce qu'elle dirait. D'ailleurs (il se recollait la caisse à boulons sur la calbombe et mettait sa main en cornet autour de son oreille), d'ailleurs voici que j'entends sa douce voix, la voix du cœur, qui murmure à mon oreille : « Ça ne fait rien. Nous n'abandonnerons pas cette malheureuse jeune fille : nous la prendrons avec nous comme servante, pour s'occuper de notre petit nid. Ah ! chère voix ! Quelle idée généreuse et compatissante ! Mais oui, bien sûr, ma chérie, naturellement que nous le ferons ! » Mû par une irrépressible émotion, il ôtait une fois de plus son képi et le tendait à sa nouvelle servante, laquelle se mettait incontinent à en briquer la visière, pendant que toute l'assistance regardait en l'air et braillait à gorge déployée : « Vive la France ! Vive l'Alsace ! »

Tarzan dut apporter encore bien d'autres modifications à sa pièce, aussi bien au début qu'à la fin et à tout ce qu'il y avait entre. Avec toutes ces retouches, on ne pouvait pas dire qu'elle avait autant de sens et d'allure qu'auparavant, mais au moins, il était possible de la jouer sur un théâtre et, l'un dans l'autre, c'était une fameuse pièce. Il faut savoir faire avec ce qu'on a. C'est comme pour le képi. C'était à croire que, dans toute l'Alsace, il n'y avait pas un seul képi bleu ciel à vendre. Tarzan dut finalement se rabattre sur un vieux casque colonial ébréché, qui n'était pas parfaitement adapté à sa tête. Dès qu'il parlait un peu fort, le casque avait tendance à effectuer un quart de tour à droite, ce qui enlevait à son porteur beaucoup de son air martial. Ça valait quand même mieux que d'aller nu-tête sous le cuisant soleil du désert : pas un spectateur n'aurait avalé ça.

Tarzan était bien décidé, de toute façon, à limiter les frais de costume. Pour faire l'officier de spahis, il ressortit sa vareuse de dragon, où furent cousus d'énormes galons de capitaine et épinglées toutes les médailles de Larbi. En guise de blanc burnous, il se jeta sur les épaules une pèlerine d'une couleur indéfinissable qui empaquetait des ordures dans une décharge communale. Pour l'Arpenteur Américain, il se mettait simplement en bras de chemise, avec une moustache jaune qu'il avait fabriquée et une monture de lunettes accrochée à ses oreilles; pour compléter l'illusion, il tenait un double-mètre à la main comme un cierge de première communion. Bien entendu, Larbi remplissait tous les rôles d'Arabes. Il était le vrai et le faux Cheik, l'Ami Fidèle et encore je ne sais qui. Le vrai Cheik étant tué tout de suite, on ne s'en occupait même pas, il pouvait bien être gaupé comme ça lui chantait; le faux était reconnaissable à sa démarche courbée et aux lunettes de soleil dissimulant son regard fourbe; l'Ami Fidèle portait une grande ceinture de flanelle rouge autour de la taille. Léon quittait ses souliers lorsqu'il était l'Orphelin; il les remettait quand il fallait faire la Jeunesse-de-France. Pour les accessoires, on n'avait pas été chercher midi à quatorze heures non plus : des sabres en bois, des poignards en bois, des fusils en bois, des revolvers en bois; la clef d'or était une simple clef peinte en jaune et sciée en deux, qu'on échangeait au dernier moment contre une clef jumelle en un seul morceau ; les coffres : deux grosses boîtes à biscuits, également peintes en jaune, à l'intérieur desquelles les joyaux étaient figurés par des boules de papier d'écolier gribouillées par Léon avec trois crayons de couleur achetés chez l'épicier de Soulzmatt. Tarzan avait encore fabriqué des pancartes : « Désert », « Tente du Chec », « Café », « Kasba », « Caserne », « Mosquée », « Fossé du Château ».

Larbi et le petit Léon passaient la plus grande partie de la journée à répéter leurs répliques. Et c'est ainsi qu'ils trouvèrent Charlotte, la jeune personne dont ils avaient tellement besoin.

Tarzan était occupé près de la camionnette, à clouer du tissu rouge sur de grands cadres en bois blanc qu'il avait assemblés lui-même, ayant été apprenti menuisier quand il avait l'âge de son fils. Le bleu du ciel étincelait. Léon et Larbi étaient allés se dégourdir les jambes dans le village, tout en se récitant l'un à l'autre des morceaux du *Fils du Désert* : « Rampe à mes pieds, maudit fils de chien ! », « La Jeunesse-de-France, maudit fils de chien, n'est pas venue dans les pays chauds pour avoir froid aux yeux ! », etc. C'était à Bergheim ou bien à Zellenberg. Ils s'étaient assis sur un banc de pierre, devant une maison. Une fenêtre était ouverte au-dessus de leurs têtes et Charlotte les avait entendus.

Charlotte était en train de faire les lits dans la chambre du maître fromager Kuenemann, chez qui elle servait comme domestique sans enthousiasme aucun, déplorant l'odeur conquérante du munster qui s'infiltrait jusqu'au fond des draps, et plus encore les criailleries sans fin de sa patronne, une vieille rapiate qui chargeait la terre d'un poids bien inutile.

Surprenant cet étrange conciliabule, dans

lequel un enfant débitait d'une voix paisible d'horribles injures, tandis qu'un homme baragouinait des paroles imcompréhensibles, elle vint voir à la fenêtre de quoi il retournait. Encore plus intriguée après avoir vu le turban de Larbi, elle interpella sans façon les deux étrangers pour leur demander ce qu'ils fabriquaient.

Léon et Larbi répondirent sans se faire prier, proposant de la pièce un résumé audacieux qui n'aurait peut-être pas été du goût de l'auteur. Charlotte était subjuguée. Jamais, dans ses rêves les plus fous, elle n'avait osé imaginer qu'elle parlerait un jour avec de vrais acteurs de théâtre, ni que de vrais acteurs de théâtre pouvaient avoir la dégaine de Léon et Larbi. Toute à l'ivresse de ce double miracle, elle n'entendit pas la porte s'ouvrir derrière elle et ne sut ce qui lui arrivait que lorsque la grosse Kuenemann l'eut saisie par la peau du cou et jetée à la rue, piaillant qu'elle ne voulait pas chez elle de servante qui, non contente de flemmasser du matin au soir, en profitait encore pour ruiner de réputation une honnête maison alsacienne, à tenir par la fenêtre des conversations galantes avec des Turcs voleurs d'enfants qui avaient appris aux singes à faire leurs grimaces.

Au fond, Charlotte fut soulagée et ne pleura que pour la forme.

— Comme ça, renifla-t-elle, elle économise mes gages de la semaine !

Les deux acteurs de théâtre la conduisirent à leur campement, n'ayant mis qu'une minute à la convaincre d'être leur jeune personne.

Ça tombait d'autant mieux que, pendant leur absence, Tarzan avait eu une inspiration. Lâchant son bout de tissu pour se frapper le front du plat de la main, il avait décidé de faire apparaître sainte Odile dans la Casbah. L'idée était grandiose, mais ça faisait encore un rôle de femme. Lorsqu'il aperçut Charlotte, il en tomba presque à genoux, comme si elle était en effet sainte Odile en personne descendue sur la terre pour sauver sa pièce.

À peine arrivée, Charlotte dut apprendre sa première réplique, qui était une réplique de la fille du vrai Cheik en train d'être enlevée par le faux :

— Au secours ! Au secours !

Après deux tentatives plutôt lamentables, elle y mit une telle conviction qu'une douzaine de fenêtres s'ouvrirent alentour. Il fallut assurer à ces gens que tout allait bien. C'était seulement *le Fils du Désert*, ça n'était pas la peine qu'ils s'inquiètent. Mais Tarzan, désormais, avait la conviction que Charlotte était une excellente recrue.

Il sourit à la ronde, comme il n'avait plus souri depuis le début de cette aventure. Il relâcha les muscles de son visage et bâilla dans le soleil à s'en décrocher la mâchoire.

— Allez, tiens ! fit-il. Je vous offre à manger au restaurant.

Léon et Charlotte battirent des mains. Le vieux Larbi couvait Tarzan d'un regard plein de sourire. L'air était propre et brillant, car il prenait sa source au-dessus des montagnes.

L'ancien lutteur sortit ostensiblement un gros billet de son portefeuille et le mit dans sa poche :

— Montez ! On va à Ribeauvillé, à l'hôtel des Vosges. On m'a dit que c'était là que descendaient tous les messieurs.

Tourte vigneronne, choucroute au riesling, vacherin. C'est là qu'ils commencèrent à rire ensemble; Léon mit sa tête sur l'épaule de Charlotte, car il était fatigué d'avoir tant mangé, et pendant trois années, bon an mal an, ils ne cessèrent presque plus de rire et d'être heureux, et Tarzan devint en quelque sorte le mari de Charlotte, quoiqu'ils ne fussent pas mariés. Charlotte posait la tête sur l'épaule de Tarzan, Léon s'endormait la tête posée dans le giron de Charlotte et Larbi les regardait, satisfait et nostalgique, tirant lentement sur sa cigarette.

Le Fils du Désert connut tout de suite un franc succès, surtout sainte Odile et la Jeunesse-de-France. Ils le jouèrent de Wissembourg à Ferrette, de Saint-Louis à Keskastel, et même une fois en Suisse à Rheinfelden. Dans les fermes du Sundgau, on criait en chœur au valet maladroit, au porc récalcitrant, au vent facétieux : « Maudit fils de chien ! » A Uffholtz, l'instituteur demanda à la troupe de jouer dans la cour de l'école et Tarzan refusa d'être payé pour la circonstance; l'instituteur avait du mal à retenir ses larmes.

L'accent alsacien très vigoureux de la Fille du vrai Cheik aurait peut-être pu choquer des auditeurs sourcilleux — mais pas en Alsace : Charlotte ne fut jamais autant applaudie que le jour où elle joua la Sœur de l'Orphelin en costume traditionnel, avec la jupe rouge et le grand flot noir. Quant au contraste entre cet accent et celui que Larbi donnait à son français très personnel, entrecoupé à tout bout de champ d'emphatiques « Au nom de Dieu ! », il apparaissait au public comme une magie supplémentaire du spectacle.

— Au nom de Dieu, je te prie, donne une banane ! hurlait le caporal.

— Yôôôô!!! faisait Charlotte en roulant des yeux.

Il était très dommage qu'on ne comprît pas la moitié de ce que disait Larbi une fois qu'il était échauffé, car c'était de très loin le meilleur comédien de la pièce et il laissait toujours une impression profonde dans l'esprit du public. Larbi mourait comme on ne meurt plus de nos jours; il maniait le cimeterre avec plus de prestance qu'Abd El-Kader lui-même. Et lorsqu'il lâchait un « maudit fils de chien! », plus d'un spectateur rentrait inconsciemment la tête dans les épaules, d'autant qu'il prononçait généralement cette expression en arabe, dressé de toute sa taille sur la pointe des orteils.

Oh! ce furent de belles années. Léon n'allait pas à l'école, pourtant il savait tout. A nouveau Larbi était honoré sur ce rivage-ci. Charlotte avait quitté l'état de servante et connaissait la partie paisible et lente de l'amour. A l'issue d'une des représentations, le jour de la fête des vendanges à Riquewihr, M. Kuenemann vint en cachette derrière le théâtre lui remettre les gages qui ne lui avaient pas été payés. Seppi Kuenemann était un brave homme, elle l'embrassa rapidement sur la joue; il partit en faisant le gros dos pour cacher son émotion. Plus d'une fois encore, Tarzan paya le restaurant à toute la troupe. A Strasbourg, il fit cadeau à Larbi d'objets de cuivre ou de cuir qui venaient de là-bas, de son pays d'outre-mer, et qu'il avait vus dans une vitrine, sous un épais linceul de poussière. Larbi appela sur lui la bénédiction d'Allah.

Tarzan ne composait pas de nouvelle pièce. Ce n'était pas la peine. Partout les gens réclamaient *le Fils du Désert.* Et puis, de toute façon, *le Fils du Désert* était toujours nouveau parce que Tarzan et ses acteurs apportaient constamment des transformations à la trame originale. Ils incorporaient des choses qu'ils avaient vues ou entendues dans leurs tournées à travers l'Alsace, des allusions aux événements d'actualité, des paroles historiques lues dans les journaux ou inventées par eux dans le feu de l'action. La psychologie des personnages évoluait au fil de leurs propres humeurs. L'intrigue se compliquait de jour en jour, mais plus elle était opaque et plus le public semblait emballé. Lorsqu'elle eut atteint l'incohérence totale, la troupe connut ses triomphes les plus éclatants.

L'accueil qui lui était fait lui permettait d'endurer sans trop de privations la morte saison d'hiver. Tarzan mettait des sous de côté sur les recettes accumulées durant les beaux jours et, pendant trois ou quatre mois, on pouvait se contenter de donner seulement une ou deux représentations par semaine, dans des salles de mairie ou sur des scènes de patronage. Dans ces cas-là, presque toujours, quelqu'un proposait de les faire dormir dans de vrais lits. Les autres jours, on leur ouvrait volontiers la porte des granges; ils se pelotonnaient dans la paille. Rares étaient les nuits où il leur fallait coucher dans la camionnette, sans pouvoir quitter leurs vêtements, serrés les uns contre les autres dans un espace ménagé entre le plancher du véhicule et les éléments démontables du théâtre. Ces nuits-là, le vent sifflait, une croûte de glace se collait à la camionnette, ils claquaient des dents jusqu'au moment de se lever et d'aller faire un grand feu dehors. La forêt craquait lugubrement autour d'eux; une fois, la neige monta en une seule nuit jusqu'au niveau des vitres; et puis le printemps revenait, aussitôt tout était oublié... La vie sortait de son sommeil et l'on voyait bien qu'elle n'avait pas cessé de les aimer en dormant. Ils allaient sur le Ried, ils montaient au milieu du vignoble de Ribeauvillé, pour le plaisir de porter le regard jusqu'aux contreforts de la Forêt-Noire, quand l'air est vif et comme pailleté de jeune lumière. Ils partaient coller leurs petites affiches sur les arbres et les maisons.

L'hiver a défait sa cuirasse. On la croyait invincible : elle glisse à terre, se brise et se transforme en un peu d'eau. La dureté de l'hiver n'était que larmes et rivière. Le soleil rit sans haine de la pauvre plaisanterie, et nous sommes encore là. La terre revient du froid pour rire avec lui; elle ne pense déjà plus à son voyage, elle n'est jamais veuve très longtemps et tue tous ses maris.

Tarzan dit : « Cette année, nous commencerons par le Hohwald. A Schirmeck, ils ne nous ont vus qu'une seule fois, et ça ne date pas d'hier... »

Le Hohwald vint à leur rencontre, tendant ses branches de hêtre. Parfois, Tarzan s'asseyait à l'écart, on respectait son silence.

Jamais il ne parlait de ses douleurs. Oppressions, étouffements, déchirures, il n'en disait rien. Il allait seulement s'asseoir un peu plus loin, le visage caché au creux de sa paume, et faisait semblant de réfléchir au *Fils du Désert*, à la façon dont il pourrait encore améliorer sa pièce. Il attendait que ça se passe.

Tout le monde était dupe. C'est-à-dire que chacun essayait de se persuader qu'il l'était.

Larbi se disait que le Miséricordieux n'abandonnerait pas Tarzan.

Léon se disait que son père était l'homme le plus important du monde, un homme plus fort que toutes les mesquines maladies et qui ne mourrait jamais parce qu'il était plus important que la mort.

Charlotte se disait qu'un bel amour est le meilleur des talismans, croyant même l'avoir entendu dire par de sérieuses gens.

Tarzan se disait : « Cette fois, je vais encore souffrir un bon coup, ça va creuser, fouiller, ça va tout déchiqueter là-dedans, les poumons pleins de verre pilé, mais ça sera la dernière. Allez, encore un méchant bon coup et puis je serai tranquille ! » Il y croyait à moitié. Quand la douleur s'en allait, il pensait qu'elle n'avait aucune raison de revenir, puisqu'il était guéri.

Derrière l'église et le rempart, profitant parfois de l'ombre des tilleuls, c'est à Obernai qu'il repose. L'ancien Ehenheim d'Etichon : il n'est pas beaucoup de places aussi propices à l'oubli des fureurs de ce monde. Tout ce qui se précipite, s'apaise en touchant aux murailles d'Obernai. Charlotte fit un joli petit bouquet de fleurs des champs, voilà. Le reste, vous pouvez l'imaginer. Retenez cette date : 2 juin 1939, elle n'est pas inscrite dans le bois. Charlotte a dit : « Plus tard, je veux qu'on puisse croire qu'il a vécu plus longtemps, puisqu'il est mort trop tôt. »

Le curé avait une opinion différente. Il dit que Tarzan était parti lorsqu'il avait été appelé en haut. Il dit d'un air maussade qu'il fallait se réjouir. Avec l'enfant de chœur, les croque-morts et le fossoyeur, le curé était le seul étranger devant la tombe.

En l'écoutant, Larbi apprit que Tarzan avait un autre nom beaucoup moins beau qui était Germain Truchot. Charlotte le savait depuis la veille, s'étant occupée des formalités.

Un autre mort attendait les hommes des pompes funèbres et le prêtre. Larbi ouvrit la porte de la camionnette et s'assit derrière le volant. Il avait appris à conduire autrefois sur une route nommée la Voie Sacrée. Léon et Charlotte montèrent sur la banquette à côté de lui. Larbi mit le contact. Ils ne savaient même pas où ils allaient.

La camionnette prit la route de Barr, Dambach, Châtenois. On aurait vraiment dit que c'était elle qui les emmenait; même Larbi avait l'impression d'être emporté quelque part, dans un endroit qu'il n'avait pas choisi. A Ribeauvillé, ils firent bien attention de ne pas tourner la tête, au moment où il aurait suffi de cela pour apercevoir l'hôtel des Vosges. Dans le pays suivant, on passa devant un endroit que Léon reconnaissait vaguement et Charlotte dit d'une voix blanche, mais bien nette :

— Arrête-moi là, Larbi.

Larbi gara sans discuter la camionnette au bord de la route.

A hauteur de leurs têtes, dans le mur, il y avait une fenêtre dont les vitres étaient faites de losanges jaune orangé assemblés par des baguettes de plomb. Sous cette fenêtre était installé un banc de pierre. Léon et Larbi comprirent tous les deux en même temps qu'ils se trouvaient devant la maison du maître fromager Kuenemann, et ils ne dirent rien.

— Je vous aime, mais je ne peux pas rester, dit Charlotte. (Elle avait une voix comme lorsqu'on récite.) Ce serait trop dur, je n'ai pas la force. Parce que je vous aime trop, comme il vous aimait lui, et lui, je l'aimais tellement. Ils ne sont pas méchants, les Kuenemann : ils me reprendront. Même elle, si je demande des tout petits gages, elle voudra bien me reprendre.

— Fais ce que Dieu t'ordonne, dit Larbi. Allah sait ce qui doit arriver. Ton Dieu, c'est même pareil.

Charlotte se mordit les lèvres et regarda un peu

autour d'elle cette cabine où elle avait passé les belles heures de sa jeunesse.

Elle battit plusieurs fois des paupières, puis ouvrit tout grands les yeux et dit très calmement :

— Alors, on va se dire adieu.

Léon était comme une statue. Larbi, au contraire, s'agitait sur son siège :

— Prends ce que tu veux, dit-il d'une voix animée. Prends tout ce que tu veux, Charlotte : c'est à toi. C'était toutes les affaires de Tarzan. Mes choses aussi, tu peux prendre. Il faut seulement laisser pour Léon.

Charlotte secoua rapidement la tête :

— Non, non ! souffla-t-elle. Ce serait trop dur, je ne pourrais pas, Larbi. Tu es gentil. Vous avez toujours été si gentils !

Elle éclata en sanglots et serra violemment Léon sur sa poitrine. Mais, contre elle, Léon était comme une statue.

— Je m'en vais, bafouilla Charlotte d'une voix pleine de détresse. C'est trop dur, je n'y arrive pas !

Larbi s'était mis à trembler.

— Je n'y arrive pas, Larbi !

Elle avait crié et cet immense cri avait sombré dans sa douleur plus immense encore. Puis elle ôta ses bras d'autour de Léon, embrassa Larbi sans regarder ses yeux, ouvrit la portière, sauta sur le sol et courut en direction du portail de la maison.

Léon n'avait rien dit. Il n'avait pas bougé.

Larbi descendit lourdement sur la route. Il contourna la camionnette et fit dans l'air le signe de la bénédiction.

Quoique Charlotte eût disparu de sa vue, il dit tout haut :

— Qu'Allah te protège !

Il répéta cette phrase en arabe, avec d'autres phrases du djebel qu'il disait pour lui-même. Il alla fermer la portière du côté de Léon. Il remonta dans la camionnette.

Pendant près de trois mois, alors que tout le monde ne parlait plus que de la guerre, l'homme et l'enfant fréquentèrent encore les esplanades. Ils montaient le théâtre et présentaient des extraits du *Fils du Désert*, des morceaux choisis qu'ils avaient adaptés aux nouvelles dimensions de la troupe, et qu'ils faisaient tenir entre eux grâce à de tortueuses explications données par l'Arabe sur un ton de prêche et de prophétie. Les gens appréciaient toujours beaucoup les phrases historiques, le châtiment des traîtres et les vastes aperçus de la Jeunesse-de-France, mais leurs réactions à l'ensemble du spectacle devenaient de plus en plus tièdes. Sans doute, la menace de ce qui les attendait, l'ombre déjà projetée sur eux par cette catastrophe inéluctable, pesait sur les cœurs, obnubilait les esprits. Mais aussi, il faut bien l'avouer, le talent merveilleux de Larbi et la farouche détermination de Léon étaient impuissants à faire oublier l'absence de Tarzan, qui avait été l'âme de leur entreprise, et même celle de Charlotte, devenue l'âme de cette âme. Du reste, la troupe elle-même l'oubliait moins que quiconque. Elle voulait faire partager au public le sentiment de la perte irrémédiable qu'elle avait subie — et n'y parvenait que trop bien. Parce qu'il était encore un enfant, Léon croyait possible d'attendrir les gens sur le sort d'un homme qui leur avait tellement donné; il comprendrait plus tard que les gens reçoivent le don avec joie, mais que l'homme, ils s'en fichent. Ce qu'ils appellent reconnaissance, pour se faire mousser eux-mêmes, c'est seulement le souvenir ému d'avoir eu quelque chose qu'ils ne méritaient pas.

Le soir, assis dans l'odorante nuit d'été, Larbi et lui, ils observaient le feu, ils cherchaient dans le feu les images du passé. L'âme du caporal s'envolait jusqu'en haut des djebels. Celle de Léon pénétrait dans les yeux d'un homme, toujours ce même homme grisonnant et tousseux, qui pour Léon n'avait pas d'âge, qui était père, frère, dieu, chef, ami, collègue et compagnon.

Il leur arrivait de rester là jusqu'à l'aurore, en lisière d'un petit bois, près d'Aspach, ou bien dans un tournant de la route Joffre, entre Masevaux et Thann, dominant un large morceau de splendeur endormie. Venaient la lumière rose, les chants d'oiseaux et les premiers bruits des fermes : ils n'avaient pour ainsi dire pas changé de place et regardaient au fond des braises les signes annonciateurs de ce qui ne serait plus. La dernière heure de la nuit avait pâli et frissonné autour d'eux sans qu'ils se rendent compte de rien.

Ce fut un si mélancolique été. Ils usaient la nuit dans des songes aux yeux ouverts et s'assoupissaient durant la matinée, étendus dans l'ombre de la camionnette, s'éveillant lorsque l'ombre se retirait de leurs visages pour se serrer et froidir entre les roues du véhicule. Il était donc midi; dans les premiers temps, ils n'osaient pas se regarder dans les yeux tout de suite. Chacun de son côté, ils se cherchaient des choses à faire, prétextes à se tourner le dos, car l'un était tout ce qui restait à l'autre et ils étaient devenus fragiles.

Puis Léon se remit à parler. On était à ce moment de juillet où l'été perd la boule et se demande s'il doit rester ou partir. Léon dit :

— Il était malade, Tarzan, hein, Larbi ?

— C'est la volonté de Dieu.

— On n'aurait pas pu le soigner ?

— Inch Allah ! dit Larbi. Ce qui est écrit est écrit.

— J'aimais bien Charlotte aussi, dit Léon. Qu'est-ce qu'on va devenir ?

Larbi éleva la paume pour désigner le ciel.

— Est-ce qu'on va faire la guerre, Larbi ?

— Non. Tu es trop jeune. Je suis trop vieux.

— Quel âge tu as ?

Larbi réfléchit, dit un chiffre en arabe et hésita avant de traduire :

— Je pense... cinquante, et puis deux.

— Cinquante-deux ?

— Je pense. Oui.

Il paraissait bien dix ans de plus mais, quand on est petit comme Léon, on ne remarque pas ces choses.

— Et Tarzan, dit Léon, quel âge il avait ?

— Cinquante et sept.

— On vit jusqu'à cent ans, d'habitude...

— Inch Allah ! dit encore Larbi. Dieu décide.

— Pourquoi c'est pas cent ans pour tout le monde ?

Il se détourna sans attendre la réponse :

— Moi, reprit-il, je voudrais pas vivre cent ans, c'est trop.

Il donna un coup de pied dans une pierre.

— Larbi ! Tu ne vas pas te mettre à mourir, toi, au moins ?

Là encore, il n'attendit pas la réponse.

Le caporal était assis. Léon s'agenouilla devant lui, posant ses mains sur les cuisses de l'homme :

— Dis, si on allait rechercher Charlotte ? Peut-être qu'elle veut bien venir avec nous, maintenant ?

Son visage touchait presque la figure recuite et ridée de Larbi et Larbi vit la flamme qui brillait dans ses yeux :

— Tu veux ? dit-il.

L'enfant fit oui avec la tête.

— Allons, dit simplement Larbi.

Ils se trouvaient du côté de Rouffach et il était environ 2 heures du matin.

A 3 heures et demie, ils stoppèrent devant la maison du maître fromager Kuenemann. Larbi coupa le contact, éteignit les phares. L'aube ne venait qu'à regret, blafarde et barbouillée. Il leur restait bien trois heures à attendre, avant d'avoir une chance d'apercevoir Charlotte.

Tous les deux se tenaient bien droit sur le siège, regardant le bout de la rue à travers le pare-brise. Ils avaient froid et ne prononçaient pas une parole. Contre leur dos, la banquette était pareille à un bloc de glace. Le feuillage des arbres restait gris-bleu, il ne voulait pas prendre sa belle teinte verte.

Ils entendirent sonner 4 heures, 4 heures et demie, 5 heures. Il n'y avait pas de brouillard, mais toutes les couleurs de la vie étaient comme tamisées. Et de même les sons semblaient leur parvenir à travers un filtre. Une bourre transparente s'était placée sur la terre et les tenait éloignés des vrais choses, tels des parias qui seraient parias non point des hommes mais de la terre.

Ils demeuraient parfaitement immobiles : c'était le meilleur moyen pour que le froid reste à la surface de leur corps, au lieu de s'insinuer sous la peau. Bien sûr, ils auraient aussi pu prendre une couverture à l'arrière et s'emmitoufler dedans, mais ni l'un ni l'autre n'en eut l'idée.

Le ciel fut blanc et terne, 5 heures et demie sonnèrent.

— Allons-nous-en, dit Léon.

Larbi tourna la tête et contempla longtemps sans rien dire le profil de l'enfant. Il le regardait avec amour et compassion et aussi avec une sorte de timidité, ou d'humilité. Léon continuait de fixer le fond de la rue :

— Ce n'est pas la peine, dit-il. Allons-nous-en, maintenant.

« Charlotte, dit-il plus tard, on était bien avec elle mais elle aimait trop Tarzan. Nous, qu'est-ce qu'on aurait pu faire ? »

La guerre fut déclarée, l'heure n'était plus aux fêtes. Le faux Cheik mourut une dernière fois à Dannemarie, transpercé par la hampe du drapeau tricolore de la Jeunesse-de-France. Ils remballèrent tout leur fourbi aussi soigneusement que d'habitude ; ils décidèrent de se laisser glisser vers le rivage de la mer, que Léon n'avait jamais vue.

A Belfort, cependant, ils s'arrêtèrent pour boire une limonade dans la brasserie qui fait l'angle du quai Vauban et de la rue du Docteur-Fréry. Ils lièrent conversation avec un homme et de fil en aiguille, l'homme, qui travaillait au Grand Auto-Garage Eloy, rue de la République, leur proposa de racheter la camionnette si jamais ils changeaient d'avis et décidaient de s'établir à Belfort. Dans ce cas, il pourrait même leur obtenir pour trois fois rien la location d'un sous-sol dans le quartier du Fourneau (en fait, c'était sa propre femme qui en était propriétaire). Ça n'était pas un palace, naturellement, mais il y avait quatre murs et un plafond par-dessus. A la salle des ventes, on trouvait des calorifères vétustes mais en bon état pour un prix ridicule.

Larbi hésitait. L'enfant regardait par terre, frottant le sol avec sa semelle.

— Qu'est-cc que tu dis ? lui demanda le caporal.

Léon leva un œil sur la moustache de son ami et ne répondit rien.

— Le treubeu et le sous-sol, fit l'homme, c'est deux bonnes affaires pour vous. Une fois installés, vous pouvez toujours voir venir...

— Tu veux aller voir la mer, Léon ? dit Larbi.

— Et toi, Larbi ? dit Léon.

— L'hiver va s'amener, dit l'homme. Et puis la guerre et tout ça. Moi, la Côte, j'irais à un meilleur moment, si je serais vous. Elle va pas s'envoler, de toute façon. Ici, vous pouvez toujours voir venir. Les gens sont pas méchants, à Belfort, ils connaissent la vie, allez !

— La mer, dit Larbi d'une voix indécise, je l'ai vue, moi...

Léon sourit et arrêta de frotter par terre.

— Alors, tu pourras me raconter, et puis un jour on ira. Tu sais, Larbi, si Dieu le veut, on ira.

— C'est vrai, ça ! s'écria l'homme du Grand Auto-Garage Eloy. Il a raison, le gosse. C'est pas la peine de s'en faire. C'qui vous arrive, de toute façon, on n'y peut pas grand-chose, hein ? — ce serait trop beau !

— C'est bien, dit Larbi à l'homme. Mais il y a toutes nos affaires dans la camionnette...

— T'en fais pas pour camiounnette ! fit gaiement l'homme en imitant le parler de Larbi. Je vous emmène là-bas et je vous aide même à décharger. Allez, c'est ma tournée ! Et discutez pas ! Hop ! Raymond, ramasse la mornifle, c'est pour toi. Nous autres on y va, on y est dans pas cinq minutes !

Il prit le volant et fit aller la camionnette plus

vite qu'elle n'avait jamais été depuis que Tarzan l'avait achetée à un autre forain qui prenait sa retraite. Sur les pavés, on aurait pu croire qu'elle allait se désosser, mais elle tint le coup et l'humeur de l'homme était de plus en plus joyeuse. Il racontait des blagues, chantait des bouts de chansons idiotes, imitait les accents. Dans un théâtre, il aurait fait merveille. Lorsqu'ils arrivèrent au Fourneau, Léon et Larbi s'amusaient à en avoir les larmes aux yeux.

L'homme siffla entre ses dents en découvrant ce que transportait la camionnette :

— Eh! ben, dites donc, c'est la caverne d'Ali-Baba!

Il éclata de rire :

— Alors, fit-il à Léon, si je comprends bien, puisque Ali c'est lui, toi c'est Baba, non? Tu dois être pompette du matin au soir, dis-moi!

— Pourquoi? demanda naïvement Léon.

— Parce que baba au rhum, eh, banane!

BUCK

histoire des yeux hérissés

Il n'était pas loin de 5 heures lorsque Théo quitta Léon et le vieux Larbi, marchant sur des nuages. Il emportait en cadeau la clé du trésor, la fameuse clé « ressoudée » du *Fils du Désert*, ainsi que le cimeterre du faux Cheik, Larbi avait insisté pour qu'il le prenne. La nuit commençait justement. C'est-à-dire qu'elle s'était massée au-dessus de la ville et n'attendait qu'un signal pour se laisser tomber sur les toits et glisser le long des murs, envelopper de son froid ceux qui allaient sur les trottoirs.

Léon le poussa un bout jusqu'à la place Corbis, disant qu'il fallait revenir bientôt, qu'on boirait le thé avec Larbi. Il ferait connaître à Théo le grand Siboulet — le grand Siboulet était le type de l'auto-garage, leur meilleur ami, celui qui avait appris à Léon à jouer des tours pendables et à débiter des sottises pour faire bisquer les figures d'enterrement.

Théo dit que c'était d'accord. Juré, promis.

Il traversa la place pour aller contempler les instruments de musique dans la vitrine de chez D'Orelli. L'éclat de la trompette et des saxophones dissipait sans peine l'impalpable fumée qui forme l'ourlet des nuits d'hiver, dans nos régions.

Théo lut les titres des partitions, il admira un harmonica qui était long comme, je ne sais pas, moi — l'étui à clarinette ? Et les baguettes de tambour, avec leur bout en or ! Et les embouchures de trompette, posées la tête en bas, bien rangées sur une petite étagère recouverte de velours cramoisi !

Brusquement, Théo se rappela qu'on était mercredi. Ce soir, par conséquent, Agathe viendrait souper à la maison. Cette idée lui faisait un plaisir extraordinaire, comme s'il n'avait pas vu sa sœur depuis très longtemps. Tout à coup, il était impatient d'être près d'elle, de voir la petite lueur se ranimer dans les yeux de Mémère et Papy quand elle entrait. — Et s'il allait la chercher à son école ? Il avait juste le temps d'arriver là-bas avant la fin de l'étude. Pour une surprise, ça serait une surprise : Agathe ne pouvait guère s'attendre à ce que M. Breschbuhl accorde des congés à ses gens au milieu de la semaine.

Déjà, il s'était mis en route, marchant d'un bon pas dans la rue de l'As-de-Carreau. Par-derrière, il aurait vite fait de rejoindre la rue Michelet.

Il régnait autour de l'école une sorte de silence tout à fait spécial. On aurait dit que l'air vibrait. C'est difficile à exprimer : ça faisait comme un ronflement continu, mais un ronflement sans bruit, si vous voyez ce que je veux dire. Il y a ça aussi dans les endroits sacrés, par exemple dans les lieux où des hommes ont fait des meurtres et prononcé de belles paroles. Théo avait presque couru dans la descente du cimetière israélite, et continué sur sa lancée jusqu'à l'école. Mais à présent, cette étrange vibration l'empêchait d'avancer. Elle le cloua sur place à trois mètres du bâtiment.

Une lumière jaune, qui avait quelque chose de

sec et de chiche, d'un peu louche aussi, éclairait l'intérieur de la classe, masqué aux yeux de Théo par la buée qui emperlait les vitres.

Là, derrière ce fin écran qu'un revers de main pouvait déchirer mais qui, pour l'apprenti, semblait plus infranchissable et plus opaque qu'un rideau de fer gardé par des sentinelles, là était l'énorme, lourd, incompréhensible et humiliant secret du savoir et de la discipline, dans ce sombre sanctuaire où vous jugent et vous condamnent de toute éternité, immuables, le texte de toutes les dictées et le résultat de tous les calculs — texte et résultat que vous ne pourrez pas changer, même si vous devenez le plus savant des hommes.

Un homme peut conquérir la terre et faire valoir le droit du plus fort. Il peut renverser la justice et chambouler l'ordre que le bon Dieu a mis dans le monde. Mais il ne peut rien contre l'orthographe et le calcul. Le moindre mot du plus petit livre de classe est plus fort que lui, puisque cet homme est incapable de le changer. Et même s'il devient empereur de tout l'univers, il devra encore obéir aux conjugaisons et à la table de neuf. Car il aurait beau ne pas vouloir respecter les règles et se moquer d'elles, brûler les livres, les cahiers et les maîtres, les règles continueraient d'être là et de lui donner des ordres, et tout empereur qu'il est, avec des millions de soldats, des prisons au coin de chaque rue et des gibets couvrant la campagne, il est moins puissant que bijoux, cailloux, choux, genoux, hiboux, joujoux, poux.

Lorsqu'il allait à l'école, Théo croyait qu'on pouvait ignorer la puissance des règles : non point la défier, mais faire preuve d'indifférence à son égard, comme si ça n'était pas vos oignons. Mais à présent qu'il n'y allait plus et que sa sœur était devenue institutrice, il avait l'impression de s'être mis hors la loi. Il sentait que les règles n'étaient pas seulement faites pour qu'Albert Trimaille et les chouchous du maître triomphent aux compositions. Il sentait confusément qu'un jour, quelque chose allait lui manquer, parce qu'il avait cru qu'on est plus libre si l'on n'écoute pas trop bien à l'école.

Cette idée ne lui venait pas souvent, à cette époque du moins. Mais elle lui venait parfois quand il regardait sa sœur corriger les cahiers et elle lui vint ce jour-là, tandis que la vibration lui barrait la route et le tenait en dehors du sanctuaire, faisant vaciller son âme devant l'obscure intelligence des phénomènes et le mystère plus ténébreux encore de l'autorité d'Agathe, qu'il n'avait pas plus le droit de traiter en égale lorsqu'elle faisait la classe, que si elle eût été le pape en train de dire la messe à Rome. Et ceci le troublait profondément. Pendant qu'elle corrigeait les cahiers, il se défendait de ce trouble en se répétant qu'il était un ouvrier, un homme, quelqu'un qui obéissait à des règles plus utiles, plus claires, plus justes, plus chaleureuses. Là, en revanche, devant ces hautes fenêtres encadrées par une nuit crue, à l'aigre parfum de métal et de neige, il se sentait désarmé. Une voix lui soufflait qu'un jour il devrait se soumettre et rattraper le temps perdu, qu'il ne résisterait pas à la puissance des règles, à cet appel résolu. Qui appelait, d'ailleurs ? Etait-ce la divinité du sanctuaire, ou bien Théo, Théo lui-même criant du fond d'une peur et d'un exil que son cœur n'éprouvait pas encore ?

— C'est toi ? Mais qu'est-ce que tu fais là ?

Tout à coup, Agathe était devant lui, dressée sur le seuil de son école, les poings sur les hanches. Et elle avait tellement l'air et la voix d'une

institutrice que Théo eut la tentation de lui dire
« Madame ».

— Je suis venu te chercher, bafouilla-t-il en
rougissant. M. Breschbuhl nous a donné congé...

Les oreilles lui brûlaient.

Agathe tourna un peu la tête pour l'observer
obliquement, comme font les institutrices qui se
méfient de quelque chose.

— On ne t'a pas mis à la porte, au moins ? Tu
n'as pas fait de bêtises ?

— Mais non ! dit Théo avec un empressement
qui le rendit honteux de soi. Il devait s'en aller, il
nous a donné congé, c'est tout...

Il essayait de sourire à sa sœur. C'était piteux.

— Alors, entre, fit Agathe. L'étude n'est pas
tout à fait finie mais tu te mettras dans un petit
coin en attendant : ça vaut quand même mieux
que d'attraper la grippe dans ce froid (elle fris-
sonna et se frotta les bras avec ses mains). Mais
attention, je ne veux pas t'entendre : c'est une
école, hein ! Et enlève ta casquette : personne ne
doit entrer en classe avec une coiffure sur la tête.
(Elle avisa le cimeterre.) Mon Dieu, qu'est-ce que
c'est encore que cette horreur ? Allons, donne-moi
ça, tu le retrouveras tout à l'heure.

Elle ouvrit la porte de la classe. Le bourdonnement des voix s'arrêta dès qu'elle parut, mais
reprit, un ton plus bas, quand les élèves aperçu-
rent Théo.

— Allons ! fit simplement Agathe, posant rapidement contre les tiroirs de son bureau le cimeterre qu'elle avait tenu caché derrière sa jupe.

La classe fut aussitôt plongée dans le silence.
On n'entendait que des raclements de godasses
sur le plancher, des reniflements, des petits soupirs, des bruits de plume et de papier.

C'est au milieu de ce silence que Théo, écarlate,

la casquette à la main, rejoignit une place du fond que sa sœur lui avait indiquée du doigt sans un mot.

Il s'assit. Les élèves l'observaient à la dérobée, par-dessous leur coude.

— Allons! dit encore Agathe. Au travail!

Au premier rang, une fillette leva le doigt :

— Oui, Martine? dit Agathe.

La fillette se mit debout, le doigt encore levé :

— S'il vous plaît, mademoiselle, c'est un nouveau?

Agathe lui lança le même regard en biais qu'à son frère tout à l'heure.

— Tu es bien curieuse, dis donc! (Elle eut un petit sourire, tandis qu'on pouffait çà et là dans la classe.) Non, ce n'est pas un nouveau, reprit-elle. Tu peux t'asseoir. (Elle fronça les sourcils et embrassa la classe d'un regard circulaire.) Je vais bientôt ramasser les cahiers!

Il y eut une brusque effervescence de murmures affolés, auxquels Agathe mit fin en faisant claquer sa règle à plat contre le bureau.

Les têtes plongèrent toutes ensemble en direction des pupitres. Même Théo sentit la sienne basculer en avant.

Son cœur se mettait à cogner au moindre geste que faisait sa sœur du haut de son estrade. Il était éperdu d'orgueil et se sentait en même temps coupable et terrorisé jusqu'aux moelles d'assister à cette cérémonie sacrée de l'apothéose d'Agathe. Chaque fois qu'un élève, croyant échapper au regard de la maîtresse, risquait un œil du côté de Théo, elle le rappelait à l'ordre aussitôt — même si ses yeux à elle étaient fixés à l'autre bout de la classe — simplement en prononçant son nom d'une certaine manière :

— Tournier!

— Jeannette Perrault !

— Dornacker !

— Tour-nier !

L'interpellé avait un petit sursaut et repiquait dans ses écritures.

Théo avait l'impression d'être assis là depuis une éternité. En fait, cela ne faisait pas plus d'une dizaine de minutes. Jamais il ne s'était senti aussi mal à l'aise quelque part. Il était comme une personne qui est entrée en fraude dans un endroit et qui, ne pouvant plus partir, est obligée de regarder ce qu'elle ne devrait pas voir, sachant cependant que tout le monde a conscience de sa présence.

Agathe frappa légèrement dans ses mains :

— Bien ! Martine Chauvin va ramasser les cahiers en commençant par la première rangée.

— Oui, mademoiselle, dit Martine Chauvin.

— Tournier ! Ce n'est pas maintenant qu'il faut te mettre à travailler ! Tu aurais eu tout le temps de finir, si tu n'étais pas aussi dissipé. Presse-toi un peu, Martine, veux-tu ? Nous sommes mercredi, aujourd'hui : il nous reste cinq minutes pour la bibliothèque des grands. Ceux qui ont rapporté leur livre, sortez-le et posez-le sur la table. En silence !

Agathe sortit une clef d'un de ses tiroirs et se dirigea vers une petite armoire située à côté du banc où son frère avait pris place.

L'armoire était bourrée d'un tas d'affaires : des boîtes de craie, une éponge neuve, une grande baguette, la bouteille d'encre avec son bec en métal, des paperasses empilées, de grandes images en couleur, quelques cahiers, des feuilles de bons points vertes, roses, bleues et jaunes, et, dans le haut, deux étagères supportant des livres recouverts du même papier bleu que les livres de classe, mais dont la tranche présentait une petite étiquette ronde avec un numéro à l'encre rouge.

— Ceux qui veulent un nouveau livre, approchez! dit Agathe, tout en ouvrant sur la table de Théo un cahier qui portait en belle grande écriture : « Bibliothèque — 1940-1941. »

Une demi-douzaine d'élèves se levèrent et vinrent entourer la maîtresse. Théo se faisait le plus petit qu'il pouvait. Le reste de la classe s'était mis à bavarder allègrement et même Martine Chauvin faisait la folle, mais à présent, Agathe semblait ne plus s'apercevoir de rien. Elle se contenta de lancer un « chut! » distrait, si peu convaincu que personne n'en tint compte.

Agathe vérifiait soigneusement chacun des livres qu'on lui rendait, reprochait une corne ici, une tache là, tout en demandant à l'élève ce qu'il avait retenu de sa lecture. Elle parlait maintenant d'une voix douce, même pour faire ses remontrances.

— Et qu'est-ce que tu voudrais, aujourd'hui?

— Çui-là qu'a Albert.

— Tss-tss! faisait Agathe en souriant. Est-ce qu'on parle comme ça dans les livres, hein, dis-moi? « Je voudrais celui d'Albert. »

— « Celui d'Albert », répétait docilement l'élève.

— C'est tout de même plus joli, non? « Suilaka! » C'est beau, ça, « suilaka »?

On riait gentiment autour d'elle.

— Non, m'dame! admettait l'élève de bonne grâce.

— Mademoiselle, corrigeait une fille.

— Oui, « mademoiselle », disait Agathe d'un ton conciliant, en élargissant encore son sourire.

— Ha'oiselle, marmonnait l'élève.

Devant, ça papotait et ça faisait les pitres à qui

mieux mieux. Théo en était gêné pour sa sœur et commençait à s'indigner d'un tel affront à son autorité. Mais Agathe leva le nez alors qu'un gros garçon, debout à côté de son banc, interpellait avec colère un autre moutard, couvrant tous les autres bavardages :

— Tiens ! dit-elle joyeusement. Il me semble que j'entends la voix mélodieuse de Gilbert Charpentier...

Il fallait voir la tête du gros garçon ! Toute la classe éclata de rire et la maîtresse, d'un air malicieux, regarda Gilbert Charpentier se couler à sa place et rentrer la tête dans les épaules. Après quoi les rires s'éteignirent rapidement et la salle fut plongée dans un silence presque complet. Théo était émerveillé. Du temps qu'il allait en classe rue de Cravanche, il n'avait jamais vu le père Mouret faire preuve d'une telle malice. Son visage s'épanouit. L'orgueil l'emporta sur la peur et la honte : il osa regarder sa sœur franchement.

Celle-ci était en train de fermer l'armoire. Les amateurs de lecture regagnaient leurs bancs; certains feuilletaient déjà le livre qu'ils avaient choisi.

Agathe frappa deux fois dans ses mains et ordonna : « Rangez vos affaires ! », déclenchant une agitation fébrile, vite calmée d'un ferme : « En silence ! »

Au signal, les élèves se levèrent et sortirent en bon ordre pour aller s'habiller dans le couloir, où se trouvaient les portemanteaux. Lorsqu'ils furent prêts, à nouveau alignés deux par deux contre le mur, les petits devant, les plus grands derrière, elle ouvrit la porte qui donnait sur l'extérieur et se plaça devant le panneau, de sorte qu'ils passaient un à un devant elle, chacun la saluant et recevant son salut en retour.

En rentrant dans la classe, elle éteignit deux des trois ampoules. Théo n'avait pas bougé. Il se trouva plongé dans la pénombre, tandis que sa sœur, devant l'estrade, se tenait dans une flaque de lumière jaune un peu sourde. Elle resta un moment à le regarder, et lui la regardait, assis sur le banc d'écolier.

Puis elle marcha vers Théo, et maintenant que la salle était vide, ses talons résonnaient sur le vieux plancher. Théo se leva lentement alors qu'elle s'approchait. Ils se retrouvèrent debout l'un devant l'autre, et Agathe était à présent aussi intimidée que Théo.

— Tu vois, dit-elle, le mercredi, je fais bibliothèque pour les grands, ceux du certificat...

Théo fit oui de la tête. Bien sûr qu'il avait vu.

Agathe eut un petit sourire, vite effacé, et lança un regard en coin du côté de la bibliothèque. Elle dit avec un entrain factice :

— Tu sais, j'ai de bons clients, pour mes livres ! Des garçons qui, cet été, iront en apprentissage comme toi, mais qui empruntent un nouveau livre chaque semaine. Il faut dire que c'est une bonne bibliothèque : il y a des histoires passionnantes — et joliment bien écrites, de surcroît !

Comme par magie, la clef de l'armoire apparut dans sa main. Elle s'avança, entrouvrit le meuble, plongea son bras à l'intérieur et en retira un livre :

— Celui-ci, par exemple, *L'Ami Fritz*. Ça se passe en Alsace, c'est magnifique.

Elle le reposa sur l'étagère et en prit un autre un peu plus loin, ce qui l'obligea à ouvrir en grand un des battants de la porte.

— Celui-ci, tiens ! *Cinq semaines en ballon* : il n'arrête pas de se passer des choses extraordinaires, c'est tout à fait palpitant ! Tu connais Jules

Verne ? *Le Tour du Monde en 80 jours,* tu te rends compte ? C'est de Jules Verne, aussi. J'en ai d'autres !

Elle ne regardait pas Théo. Elle remuait les livres, annonçant les titres avec emphase :

— *Un capitaine de quinze ans !... Vingt Mille Lieues sous les mers !... Robur le Conquérant !...* Tu n'as pas idée des aventures qui se déroulent là-dedans, c'est à vous couper le souffle ! Ou alors... attends... (Elle ouvrit l'autre battant)... Alexandre Dumas : *Les Trois Mousquetaires !* Des duels ! Des batailles ! Tu te croirais tout le temps au cinéma, c'est vraiment excitant !

Elle s'interrompit subitement et se retourna, et même dans l'ombre on voyait bien qu'elle était toute rouge. Elle regarda Théo comme si elle venait d'avoir une idée :

— Mais dis-moi, je suis bête ! Peut-être que ça t'intéresserait d'en lire un !

Elle se détourna aussitôt et disparut jusqu'à la ceinture dans l'armoire. Théo entendit sa voix très assourdie qui proposait :

— *Le Capitaine Fracasse,* Théophile Gautier ?

— Fracasse ? répéta Théo d'un ton suspicieux.

— C'était aussi une espèce de mousquetaire : un fameux gaillard ! Il lui en arrive de toutes les couleurs, à chaque page. C'est même ennuyeux parce qu'une fois que tu as commencé, tu n'arrives plus à lâcher le livre !

Théo prit un air renfrogné. Sa sœur le regarda par-dessus son épaule :

— Alors ? Qu'est-ce que tu en dis ?

Si près du but, elle sentait Théo lui échapper. Elle en aurait pleuré, mais continuait cependant d'afficher un sourire engageant et guilleret.

Théo baissa le nez.

— J'ai pas envie.

Agathe tenta un petit rire flûté, qui ne fut pas trop réussi :

— Mais ce n'est pas une corvée, tu sais ! Je te propose cela pour que tu t'amuses un peu, au contraire ! Tu travailles comme un homme du matin au soir et on ne te voit jamais prendre un délassement quelconque, à part manger et dormir...

Soudain, elle s'accroupit devant lui et saisit ses poignets. Son sourire avait disparu, ses yeux fouillaient anxieusement le visage de Théo.

— Théo, dit-elle (sa voix était rauque et tendue), Théo, tu crois que je ne sais pas pour quelle raison tu dois t'échiner comme ça chez M. Breschbuhl ? Tu crois vraiment que je ne le sais pas ? (Elle lui secoua le bras sans violence.) Hein ? Eh bien, je vais te le dire : c'est pour que moi, je puisse être institutrice ici, bien tranquillement, à faire ce qui me plaît, à être bien considérée et bien traitée par tout le monde pendant que toi...

Ses yeux s'embuèrent. Elle serra les lèvres et monta ses sourcils au milieu de son front pour s'empêcher de pleurer.

— Laisse-moi t'aider, Théo. Laisse-moi t'aider un peu, s'il te plaît !

Une larme coula quand même sur sa joue. Elle l'essuya avec le poignet de son chemisier.

— Tu penses que je veux t'ennuyer ? Que je veux t'obliger à faire des choses désagréables ?

Théo secoua la tête. Lui aussi, il commençait à sentir un picotement au fond de ses yeux.

— Essaie une fois, Théo. Rien qu'une fois...

— Je veux pas de mousquetaires, bredouilla Théo.

Sa sœur le lâcha et se remit debout, le visage rayonnant :

— Mais bien sûr ! Il faut lire ce qui te fait envie !

Sa voix riait et pleurait en même temps.

— Qu'est-ce que tu préfères, comme histoires, alors ?

— Foh ! fit Théo.

Puis, prudemment :

— Des coveboïlles ?

— Des cow-boys ? (Agathe farfouillait dans l'armoire.) *Le Dernier des Mohicans,* peut-être. Ce n'est pas exactement des cow-boys, mais il y a des Indiens. D'ailleurs, tu sais, les vrais cow-boys, ce sont des gardiens de vaches, un point c'est tout...

— Ah bon ! fit Théo.

Il avala sa salive, fit un pas en avant et pointa l'index sur un livre :

— Et ça, là, c'est quoi ?

Agathe lui lança un coup d'œil aigu, avant de dégager le volume.

C'était le livre le plus mince de la rangée.

— *Buck,* annonça Agathe. Par Jack London.

Elle regarda à l'intérieur du livre :

— Il n'y a que trente-deux pages... Tiens, je vois que c'est M. Hoffer qui en a fait cadeau à la bibliothèque avant de partir en retraite : ça doit être un bien beau livre... Pour te dire franchement, je ne l'ai pas lu, celui-là... On dirait que ça se passe en Alaska — tu sais où c'est, l'Alaska ? —, c'est une histoire de chien-loup, un de ces chiens de traîneau... Il y a aussi des Indiens, des « Yeehats ». Je ne sais pas comment on prononce ce nom-là, par exemple ! En tout cas, le chien se bat contre eux : « Les sauvages veulent l'abattre à coups de flèches ; ils se blessent les uns les autres sans atteindre leur ennemi, l'un d'eux essaie de transpercer de sa lance le démon agile qui bondit au milieu d'eux ; l'arme pénètre dans la poitrine d'un de ses compagnons qui s'abat avec un cri affreux. »

Théo tendit simplement la main vers le livre.

Au moment de quitter la salle de classe, Agathe lui dit en souriant :

— N'oublie quand même pas ton épée.

— C'est un cimeterre, corrigea Théo. C'est le cimeterre du *Fils du Désert.*

Ils ne voulaient pas arriver rue de l'Yser trop en retard. Agathe donna de la monnaie à Théo pour qu'il prenne le tram à la gare; elle, ferait le chemin sur son vélo.

— Mais non, dit Théo. Toi, tu vas en tram; moi, j'y monte, sur ta bécane.

— Eh! bécane toi-même! s'exclama-t-elle en riant.

Sans en avoir l'air, Agathe était très émue ce soir-là.

Le tram débouchait du tournant de l'Américain lorsqu'ils arrivèrent à la station située devant l'entrée de la gare. Un pied sur une pédale du vélo, l'autre posé par terre, Théo attendit pour démarrer que sa sœur se soit assise près d'une fenêtre. Il lui fit un signe joyeux et partit comme une flèche.

Il aurait pu rentrer par le quai militaire, mais il avait décidé de faire la course avec le tram. Il suivait donc le chemin tracé par les rails entre les pavés de Belfort, se souvenant plus ou moins de cette vieille histoire à Papy où Hansi — à moins que ça ne soit Seppele — a le hoquet dans le tram parce qu'il a avalé sa montre, ou quelque chose dans ce goût-là...

Le tram le rattrapa dans le faubourg de France, mais à l'arrêt suivant, Théo passa en se déhanchant sous le nez de sa sœur, courbé sur le guidon, détournant la tête juste une fraction de seconde pour lui adresser une petite grimace au passage. Il arriva avant le tram à la place Corbis et se mit à tricoter des mollets. Le cimeterre dépassait de la sacoche; Agathe avait pris le livre avec elle, pour qu'il ne soit pas abîmé.

Le tram rejoignit une nouvelle fois le vélo, mais Théo savait qu'il serait forcé de s'arrêter à la gendarmerie. Avant guerre, Cochise Zehnacker avait la spécialité de s'accrocher au tram d'une main et de se faire tirer comme ça sur son biclou. Mais, outre que c'est défendu et que contrôleur et wattman menacent de vous tailler les oreilles en pointe, ça peut vous faire piquer des gadins pas ordinaires. Et puis, Théo ne voulait pas tricher. L'ennui, c'est qu'il y a des endroits, par exemple entre la gendarmerie et l'hôpital, où les stations sont très écartées l'une de l'autre et où le tram peut aller au maximum de sa vitesse parce que la route est droite et qu'il n'y a pas beaucoup d'autres véhicules, surtout à cette heure-ci, dans cette partie du faubourg.

Le tram dépassa Théo un peu avant le 17 et comme il n'y avait qu'une seule personne qui descendait à l'arrêt de l'hôpital, il repartit juste au moment où le vélo arrivait à la hauteur de la plate-forme, et Théo perdit la course. Jamais il ne fut vraiment dans les choux, mais il n'approcha plus le tram à moins de dix mètres. Vers l'Eldo, il était temps qu'on arrive : il ne sentait plus ses jambes. Il avait l'impression qu'on avait rayé l'intérieur de sa gorge et de sa poitrine avec la lame d'un rasoir.

Agathe l'attendait au bord du trottoir, tout attendrie, au dernier arrêt du tram avant la rue de l'Yser.

Le tram, lui, filait sur Valdoie. On voyait ses lanternes et la lumière de la plate-forme. On n'y faisait pas attention. On ne savait pas qu'un jour, cela aussi, on nous l'enlèverait pour mettre des trolleybus — mais des trolleybus, à côté des trams, qu'est-ce que c'est ?

On s'attache à des riens, à des bêtises. C'est pour ça que la vie vaut la peine, c'est parce qu'on peut aimer des choses qui sont là par hasard, qui ne sont que des choses, mais c'est à nous, et quand on les retire, on ne leur retire rien à elles parce que ce sont des choses qui peuvent aller pourrir dans des carrières, servant de baraques de chantier, mais à nous on retire un morceau de notre vie et c'est comme si l'on nous disait que nous pouvons partir. Nous n'arrêtons pas de dire adieu à des choses, à des gens, à des moments, à des histoires, et c'est seulement nous qui partons. On s'attarde à chaque chose, on s'agrippe, mais le monde repart, il va dans l'autre sens que la vie, alors on tend les bras vers la vie, puisqu'on nous donne la vie à étreindre, mais la vie rapetisse et s'éloigne de nous. Les illusions restent, cependant; elles sont immortelles. Nous sommes la seule véritable illusion de cet univers et quand on l'a compris, on est quand même seulement une illusion. On n'y gagne rien. On ne peut tout simplement pas gagner à ce jeu-là, c'est clair. Rien ni personne ne gagne quoi que ce soit, mais nous, en plus, nous perdons.

Théo est descendu de bicyclette. Il rit, bien qu'il ait le souffle coupé. Il n'en veut pas au tram, et sa sœur rit avec lui. Ils marchent ensemble sur ce trottoir du faubourg des Coups-de-Trique tandis que la nuit de janvier se vautre au milieu de la ville comme une vieille putain des Boches au cul grison.

Ils marchent, à d'autres instants ils marcheront encore. Ils feront sur place la marche d'un long voyage et ne verront pas de pays. Nous partons sans cesse et nous n'allons nulle part. Ils marcheront ensemble ou chacun de son côté. Ils se hâteront parfois, parfois ils flâneront. Puisque la vie nous quitte sitôt qu'elle nous rencontre, il faut bien s'inventer une vie. Une vie, c'est aller plus vite et plus lentement, et puis aussi c'est marcher droit. Voilà toute la vie que nous inventons, c'est tout ce qu'on a pu trouver.

Quand Gentil, assis dans les prés sous la Miotte, voyait sur la route deux fois de suite un homme avec son chien, il disait :

— Il passe... Il repasse... Il trépasse.

Ça faisait faire à Théo un couac dans la clarinette, s'il était en train de s'exercer. Gentil ne riait pas autant. Il avait une espèce de sourire, un de ces sourires où les yeux voient en dedans. Il levait une main, il la laissait retomber, il hochait la tête. Et la brise courbait les joncs, faisait courir des rides légères sur la peau grise de l'étang.

Et si le type revenait encore avec son clebs, Gentil ne disait plus rien. Il n'y avait plus rien à dire.

— Théo, joue-moi un *do.*

Jouer une seule note, c'est ce qu'il y a de plus difficile. C'est pour cela que les hommes en ont inventé plusieurs : parce qu'en général, ils ne savent pas en faire une seule comme il faut.

Le repas fut très gai. Dommage seulement qu'il fallut se dépêcher, pour que Agathe puisse rentrer à Bavilliers avant le couvre-feu.

Mémère avait préparé un plat d'autrefois, c'est-à-dire un soufflé avec des restes de purée d'à midi. Depuis la fenêtre de la rue, Papy avait vu un Boche à moto heurter un caillou et se casser joliment la margoulette : lui, filant sur le ventre d'un côté de la route tandis que son engin ripait jusqu'au trottoir d'en face. En plus, il avait bien failli se faire écrabouiller par le camion qui roulait derrière lui. Et pour couronner le tout, un officier était descendu de la cabine du camion, bleu de colère, lui avait passé un savon à la boche et, à un moment donné, lui avait même frappé le bras avec son stick :

— Les voilà maintenant qui se battent entre eux ! répétait Papy, hilare.

Le soufflé était juste bien comme il faut. Maman paraissait plus détendue qu'elle ne l'avait jamais été depuis des mois et souriait à la ronde, adossée à sa chaise. Tout le monde avait accueilli avec joie la nouvelle que Théo avait emprunté un livre à la bibliothèque de sa sœur.

— Il pourra me le prêter ? demanda Maman.

— Bien sûr ! fit Agathe, enchantée.

Le livre passa de main en main. Chacun à tour de rôle, nous l'ouvrîmes et lûmes à voix basse :

Maman :

— Jack London. *Buck,* ah-ha...

Mémère :

— *Buck*... (Elle hocha la tête.)... eh bien !...

Papy :

— Viens voir ça... *Buck*. (Il fronce le sourcil.) C'est un nom, ça... (Le ton indique qu'il n'en est pas très sûr.)

— Un nom de chien, confirme Théo.

Papy :

— Ah ! oui, un nom de chien... par Jack London... inconnu au bataillon... « L'Ecole émancipée » (Il écarquille les yeux.) C'est un livre d'école ?

Agathe :

— Non-non, c'est une histoire qui se passe

dans le Grand Nord. « L'Ecole émancipée », ce sont ceux qui ont fait faire le livre.

— Emancipé, ça veut dire quoi ? interroge Théo.

— Emancipé ? fait Agathe. Libéré d'une autorité, d'une servitude, d'une tutelle — enfin, disons libéré.

Papy tourna une page et lut à haute voix :

— « Buck ne lisait pas les journaux »... Si c'est un chien, c'est le contraire qui m'aurait étonné !

Tout le monde éclata de rire.

Le livre se retrouva dans les mains de Théo.

— C'est toi qui l'as choisi, Théo ? demanda Maman.

— Oui-oui ! dit fièrement Agathe.

— Dis donc, tu n'as pas pris le plus gros ! fit Maman, l'œil pétillant de malice.

— Comme ça, dit gaiement Théo, souriant à sa sœur pour montrer qu'il blaguait, j'en serai plus vite émancipé !

Il y eut encore des rires autour de la table.

Ce n'est qu'en se fourrant au lit que Théo s'en aperçut : il n'avait pas ramené sa gamelle, il avait dû la perdre pendant la bataille avec le salopard, près de la Savoureuse.

Robert Lamiral avait lu plusieurs romans de Jack London à la bibliothèque de la maison du peuple, où il allait surtout chercher des livres d'histoire. Il avait lu *Buck,* qu'il appelait d'un trait Buck-chien-de-l'Alaska, et Théo eut toutes les peines du monde à l'empêcher de raconter l'histoire. M. Breschbuhl, cependant, soutenait qu'un chien n'a pas assez de poils pour vivre dans le Grand Nord : tout ça, c'était des fariboles.

— Bon Dieu, patron ! s'indignait l'ouvrier. Vous

n'allez jamais au cinéma! Vous n'avez jamais vu les types en traîneaux avec les attelages de chiens quasiment au pôle Nord, comme si c'était, je ne sais pas, moi... le Ballon par rapport à nous!

— Le cinéma, tu penses! reniflait M. Breschbuhl. Ils mentent encore plus que dans les romans! Tu crois que c'est le pôle, c'est ce qu'ils te racontent, mais si ça se trouve, ils ont été faire ça à Brebotte! Le frère de la patronne, ils en ont un de chien-loup, figure-toi : il passe son temps devant la cheminée. Dès qu'il fait un peu froid, c'est tout juste s'il met le nez dehors pour pisser!

Robert s'énervait :

— Puisque je vous dis que ces chiens-là dorment dehors par des moins 50, bonté divine!

— Ouais-ouais! A moins 70, ils doivent s'éventer avec leur queue tellement ils transpirent, il paraît!

L'ouvrier serrait les dents :

— Bon, croyez ce que vous voulez, après tout!

M. Breschbuhl fit un clin d'œil à son apprenti :

— T'as entendu, Théo : essaie pas de caresser un toutou comme ça : tu te brûlerais les doigts!

Robert haussa les épaules :

— Si vous croyez que je vous écoute! maugréa-t-il.

Théo était embêté à cause de sa gamelle. Le premier midi, il se contenta d'une moitié de pain long et courut jusqu'aux abattoirs. Mais il eut beau explorer la berge pouce par pouce, décoiffer les touffes d'herbe au risque de tomber à nouveau sur le salopard, il ne trouva rien : quelqu'un avait dû profiter de l'aubaine, ça n'avait rien d'étonnant.

L'après-midi, pour lui, se passa tristement. Il n'était pas particulièrement attaché à cette gamelle, mais il ne supportait pas l'idée de l'avoir perdue. D'abord parce qu'elle avait coûté des sous à sa mère. Ensuite parce que si l'on se met à perdre ce qui vous appartient, c'est comme si on se laissait devenir infirme par distraction, par négligence, et alors tout peut vous arriver, vous n'êtes plus protégé contre rien.

Théo découvrait d'une manière brutale qu'il était vulnérable, qu'il lui faudrait désormais se défendre non seulement contre la force des autres, mais aussi contre ses propres faiblesses. C'était une révélation amère et décourageante. Il avait le sentiment d'avoir commis une trahison — et c'était lui-même qui avait été trahi. Son malaise était si grand qu'il se mit à espérer, contre toute évidence, que la gamelle se trouvait dans la sacoche d'Agathe. Mais le soir même Agathe revint à la maison porter des navets dont un parent d'élève lui avait fait cadeau. Théo reconnut la bicyclette contre le mur. Avant même d'ouvrir la sacoche, il savait qu'elle serait vide.

— En tout cas, dit Agathe, tu n'as pas pu l'oublier dans ma classe. Mme Dumay me l'aurait dit : elle fait le ménage à fond chaque matin.

— Non, dit Théo au désespoir. C'est près de la Savoureuse, je le sais bien. Quelqu'un l'a prise, voilà tout.

Il paraissait si malheureux que personne n'osait lui faire de reproches.

— Tu vois comme sont les gens, mon pauvre petit ! soupira Mémère. A Thann, dans notre temps, tu aurais pu laisser ton portefeuille au milieu des bois. Si personne ne te l'avait rapporté, tu aurais été sûr de le retrouver huit jours plus tard exactement là où tu l'avais posé...

— Les gens peuvent pas savoir que c'est à moi, murmura Théo, les larmes aux yeux.

Agathe ne voulut pas rester souper. Théo

n'avait pas faim. Maman, Mémère et Papy mangèrent en silence les navets qu'ils avaient toujours
détestés. En temps de guerre, on ne fait pas les
difficiles.

Buck était sur le buffet, posé sur le *Messager
Boiteux* de Papy, afin d'éviter les taches.

Et Théo ne voulait pas le voir.

Maintenant qu'il n'avait plus sa gamelle, il ne
se sentait plus le courage d'aborder l'épreuve de
la lecture. Il se rappelait ce qu'il avait toujours
pensé : que les livres sont bêtes du fait que ce qui
est dedans n'a même pas existé en vrai. Au
cinéma aussi, on vous raconte des histoires inventées, mais au moins il y a quelque chose qui s'est
réellement passé. Le coveboïlle abattu d'une flèche en pleine chevauchée n'est peut-être pas vraiment mort, mais il fait une vraie chute du haut de
son cheval : c'est déjà quelque chose à quoi on
peut se fier. Dans les livres, rien du tout n'est sûr,
on peut vous mentir du début à la fin. Et Théo en
venait à se demander si le patron n'avait pas raison avec son Grand Nord à Brebotte.

Mais tout cela, il le savait déjà au moment où il
avait avancé la main pour recevoir le livre. C'était
seulement des excuses qu'il se cherchait, une
façon de s'expliquer à lui-même le lien absurde
qui s'était noué dans sa tête entre la gamelle et le
livre. Etait-ce bien dans sa tête, d'ailleurs, et non
pas dans une autre partie de son être, un recoin
sombre et mystérieux, une cache bourrée de semblables énigmes ?

Théo se disait qu'il ne voulait plus ouvrir *Buck*.
Mais ce qu'il ressentait au fond de lui était tout
différent : c'était qu'il n'en avait plus le droit. Les
sentiments sont drôles, parfois; on dirait qu'ils ne
nous appartiennent plus, que c'est nous qui leur
appartenons. Théo avait perdu son père, et il ne

pouvait plus toucher à la clarinette; il avait perdu cette misérable boîte en fer-blanc, et il ne pouvait plus toucher le livre. Comme si chaque fois qu'on est privé de quelque chose, ça n'est pas assez, il faut encore qu'autre chose nous soit ôté... C'est peut-être, songeait Théo, que nous sommes responsables de tout ce qui est à nous. Si quelqu'un nous quitte, si quelque chose disparaît, c'est qu'on a commis une faute, et on doit être puni. Perdre, ça n'existe pas : on nous retire ce qu'on n'est pas digne de garder.

Ainsi, après la colère, l'enfant découvrait la honte. Non pas la honte d'avoir fait ceci ou cela, qui n'est pas trop terrible, mais la honte d'être ce qu'on est.

Sa famille remarqua qu'il errait d'une pièce à l'autre, se mettait devant les fenêtres et ne regardait pas ce qu'il y avait de l'autre côté de la vitre. Il repoussait son assiette avant d'avoir fini et ne disait plus un mot, sauf pour supplier qu'on ne lui achète pas une nouvelle gamelle (il mettait son manger dans la plus petite cocotte en fonte de Mémère, fermée avec un bout de ficelle). Vingt fois, à l'atelier, M. Breschbuhl lui demanda s'il n'était pas malade, et Robert finit par lâcher avec mauvaise humeur :

— Comme si ça ne se voyait pas tout seul! C'est sûr qu'il nous couve quelque chose, le gosse : pas la peine d'y demander!

M. Breschbuhl alla prendre conseil auprès de la patronne.

— A moins qu'il vous joue la comédie pour tirer au flanc! se crut-elle obligée de grogner.

Mais elle n'y croyait pas elle-même et ôta son tablier pour traverser la rue.

Robert contemplait Théo en secouant énergiquement la tête, les mains sur les hanches :

— Y a pas moyen de lui tirer quoi que ce soit, à la sacrée tête de mule !

— J'ai rien ! grommela Théo d'un air borné, les yeux rivés sur son travail.

Son cœur était plein d'effroi. Il se disait qu'à force de chercher, les trois autres allaient trouver ce qui n'allait pas, c'est-à-dire que Théo était un garçon maudit, la honte du faubourg des Coups-de-Trique, celui à qui on avait retiré son père parce qu'il n'avait pas su en prendre soin.

Il avait la sensation de porter une marque d'infamie au milieu du front. D'une seconde à l'autre, quelqu'un allait la désigner du doigt en s'écriant avec horreur :

— Là ! Regardez ! Regardez ce qu'il essayait de nous cacher, le petit salaud !

Mme Breschbuhl vint vers lui, l'obligea à relever le menton du bout de son index et, les yeux mi-clos, lui flaira suspicieusement le visage :

— En effet, marmonna-t-elle, il n'a pas l'air dans son assiette... (Puis, sur un ton sans réplique :) Allez, viens avec moi ! Je vais te faire une camomille.

Théo avala sa tisane, dit merci bien, et fit comme s'il allait déjà mieux, étendu sur le petit canapé où la patronne l'avait installé. Et celle-ci se montrait enchantée de sa médecine et de son bon cœur et de l'apprenti si bien disposé à tirer profit de l'une et de l'autre. La fierté se lisait sur son visage lorsqu'elle ramena à l'atelier un Théo vaguement souriant, que M. Breschbuhl et Robert accueillirent avec effusion. Jusqu'au soir, il fallut bien garder accroché à la bouche ce lambeau de sourire.

A la honte immense de Théo vint encore s'ajouter la petite honte d'avoir berné ces gens, d'avoir fait des grimaces pour dissimuler son ignominie.

De sorte qu'à la maison, le soir, il parut encore plus abattu que la veille et, cette fois, c'est Mémère et Maman qui lui demandèrent s'il n'était pas malade.

Puis Mémère plissa les yeux et l'observa plus attentivement :

— Ce n'est quand même pas à cause de cette gamelle que tu t'en fais, mon petit ? dit-elle doucement.

Théo ne put s'empêcher de lui jeter un regard débordant de reconnaissance et de chagrin.

— Mais si, c'est à cause de ça ! Mon pauvre petiot ! s'écria Mémère. Mais ce n'est qu'une gamelle ! Ta maman aussi en a perdu une, avant d'être mariée ! Ce sont des choses qui arrivent, on sait bien que tu ne l'as pas fait exprès !

— Et moi ! fit Papy avec un rire forcé. Si j'avais été obligé d'emporter une gamelle pour manger au boulot, c'est des douzaines que j'en aurais perdu, tu peux être sûr ! N'y pense plus, gamin. Ta mère t'en rachètera une et puis c'est tout !

— Non ! cria Théo.

C'était le cri de quelqu'un qu'on bat. Ils le regardèrent tous avec stupeur.

Papy détourna les yeux le premier :

— Qu'est-ce que c'est que ces histoires ? bougonna-t-il d'une voix mal affermie. Tu te ronges les sangs avec ça, ça n'est pas raisonnable ! Change-toi les idées, nom de nom ! Pourquoi ne lis-tu pas le livre du chien ?

Théo quitta précipitamment la cuisine. Maman et les grands-parents échangèrent en silence des regards impuissants, pourtant ils se sentaient coupables. Allez deviner pourquoi.

L'enfant mit longtemps à s'endormir. Il songeait à toute les choses qui restent fermées pour nous, parce que nous ne sommes pas dignes d'elles. S'il avait su conserver sa gamelle, il aurait été admis à connaître ce qui était écrit dans le livre du chien. Mais ce n'était pas le cas. Etait-ce pour cela qu'à présent, son opinion du livre avait complètement changé? Il se moquait pas mal, après tout, que les histoires soient vraies ou pas. L'important était que le livre ait quelque chose à lui dire à lui, Théo; et brusquement il avait la conviction que ce livre avait été écrit exprès pour lui. Autrement, comment le fait de ne pas être autorisé à l'ouvrir aurait-il pu constituer une punition? Peu à peu, *Buck* apparaissait à Théo comme la chose la plus désirable du monde.

Pendant son sommeil, il rêva de glace, de traîneaux, de sang et de chiens. Des Indiens embusqués dans la neige étaient surpris et massacrés. Théo courait à quatre pattes sous un ciel embrasé, il bondissait et sauvait un homme qui avait la figure de son père, puis son propre visage. Le pôle Nord ressemblait au Champ-de-Mars.

Le lendemain dimanche, Agathe aperçut le livre tout de suite en entrant dans la cuisine, mais elle se garda bien de faire une réflexion, et même de montrer qu'elle l'avait vu.

Elle parla avec volubilité de choses sans importance qui amusèrent Papy plus qu'elles n'auraient dû. Mémère laissa trop cuire les nouilles mais personne ne voulut en convenir et elle-même finit par se demander si elle n'avait pas été victime d'une hallucination. C'était un de ces dimanches brun et blanc — brun dedans, blanc dehors — où l'on sait d'avance que rien ne peut arriver, car ils sont finis au moment même où ils commencent. Ils sont déjà vécus, il faut seulement les digérer.

Il n'y avait pas besoin d'aller voir à la fenêtre de la chambre pour savoir que le faubourg était désert, pâle comme la mort, exsangue. Un spectre flottant dans de vieux linges usés. Le monde s'arrête aux façades des maisons, qui sont des blocs de pierre massifs, sans aucune fissure par où la vie humaine pourrait s'infiltrer. Derrière les portes, les fenêtres, ce n'est que du granit rêche et compact, impénétrable. Tout le temps éternel finit et commence dans la seconde présente. Le ciel incolore se tient immobile, non pas couché sur la ville, mais dressé verticalement en arrière des maisons. Au-dessus de nous, on ne sait pas ce qu'il y a. Peut-être le vide.

Théo n'a pas voulu jouer aux cartes. Les bras croisés sur la table, la joue posée contre sa manche, il regarde Agathe corriger les cahiers, dans un sentiment de solitude et de dépossession. De temps en temps, Agathe lève le nez et lui sourit, et il continue de l'envelopper d'un regard doux, nostalgique et malheureux comme celui des chiens qui hantent les livres interdits aux garçons indignes. Et il se sent pris alors d'une immense pitié pour lui-même. Il frotte sa joue le long de sa main et se met à faire glisser lentement sur la table, de droite à gauche, de gauche à droite, le berceau de ses bras, où repose sa tête.

— Tu vas finir par t'endormir ! dit Agathe d'un ton enjoué.

Mémère fronce le sourcil :

— Il a mal dormi, mon petit ?

— Quand on travaille, il faut dormir, déclare Papy.

— Dormir et manger ! renchérit Maman.

— Ta maman a raison, dit Mémère. Ecoute-la.

Agathe repose son porte-plume.

— Dormir, manger et s'amuser un peu ! dit-elle.

Son frère lui jette un regard noir, mais elle continue en le fixant droit dans les yeux :

— Je ne le vois jamais jouer, cet enfant : c'est quand même formidable !

Elle a retrouvé sa voix d'institutrice.

— Autrefois, dit gentiment Mémère, tu nous jouais de ta clarinette. C'était joli...

Théo a une expression effarée.

— Ce n'est pas interdit, tu sais, fait Maman d'une voix hésitante.

Elle se ronge l'intérieur des lèvres puis se jette à l'eau :

— Ce n'est pas parce que...

Mais rien à faire. Elle n'arrive pas à le dire, ça ne veut pas sortir. Elle pousse un long soupir, tourne le dos à la compagnie et va se laver les mains sur l'évier.

Les trois autres observent intensément Théo. On dirait des docteurs après un malade.

— Moi, ronchonne finalement Mémère, je vous dis que c'est encore cette saprée gamelle qui le chiffonne...

— Mais non ! s'écrie Papy, qui essaie surtout de se convaincre lui-même. Qu'est-ce que tu nous chantes !

— Théo, dit sévèrement Agathe, tu files un mauvais coton, je te préviens. On n'a pas idée de se mettre dans des états pareils pour une simple boîte en fer-blanc ! Je t'ai connu plus raisonnable !

— Laissez-le, dit Maman d'une voix lasse mais tranquille. (Pendant ce temps, elle s'essuie les mains au torchon pendu près de la fenêtre, si bien qu'elle n'est pas obligée de nous regarder.) Il a son caractère, c'est tout.

— Un caractère de cochon ! dit Agathe.

— Oh ! non, fait plaintivement Mémère. Il ne faut pas dire des choses comme ça. C'est notre petit Théo, nous l'aimons tant !

L'enfant a caché son visage dans ses bras. Son

nez s'écrase contre la toile cirée qui recouvre la table, la vieille table de cuisine de la rue des Prés. Des odeurs puissantes, âcres, acides, chaudes et molles, emplissent ses narines. Mémère, Maman, Agathe, Papy, il ne les voit plus. Il presse ses bras contre ses oreilles aussi fort qu'il peut, pour ne pas les entendre.

Théo se réfugie dans cette obscurité pestilentielle et enivrante. Une odeur n'a pas besoin d'être bonne pour être fraternelle; il suffit qu'elle soit à nous. Théo plonge au creux de la nuit étoilée qui naît dès qu'on serre fort les paupières, ayant appuyé ses yeux sur ses bras. C'est une nuit rapide et sifflante, semée de constellations qui défilent de chaque côté de votre front. Certaines explosent en silence, d'autres crèvent simplement comme des bulles de savon.

Les paroles de la famille ne sont plus qu'un brouillard sonore, aux confins de ce turbulent univers. Et voici qu'un bruit acéré perce la brume et fait irruption dans la nuit de Théo, bouscule ses planètes, l'oblige à lever le front.

On a sonné à la porte.

Cela fait plus de huit mois, maintenant, que nous sommes installés ici, parmi l'odeur de chat — mais c'est pour ainsi dire la première fois qu'on sonne, à part le gaz et l'électricité.

Lorsque Agathe arrive de Bavilliers, elle ne sonne pas, elle pousse la porte et crie : « C'est moi ! » L'oncle Maximilien, on va lui ouvrir alors qu'il est encore dans l'escalier : on a reconnu le bruit de la traction.

En plus, on est dimanche. Ils ne passent pas le dimanche pour les compteurs. Pour le loyer non plus.

Nous nous regardons en retenant notre souffle, interdits. Qui ça peut-il être? — Et si l'on avait rêvé? Non, quand même pas tous les cinq en même temps... Alors qui? Un voisin? On n'est pas trop ami avec les voisins d'ici; c'est tout juste si on a eu l'occasion de se saluer une fois ou deux, dans l'escalier, bonjour bonsoir... Les Boches? Personne n'a rien fait! Mais est-ce que les Boches s'occupent si on fait quelque chose ou pas?

L'idée traverse Théo que c'est Papa qui revient. Son cœur bascule la pointe en haut — mais non, ça n'est pas possible. Aucun mort n'est jamais revenu chez soi le dimanche après-midi, se présentant à la porte du logement avec la terre de Brasse collée à sa personne.

De notre silence éclosent des fleurs de fer, elles rouillent aussitôt entre nous. Et nous nous observons toujours, chacun attendant des autres, absurdement, l'explication du mystère.

On sonne encore un coup. Le doigt n'en finit pas d'appuyer sur la sonnette.

— Mais qui ça peut être, à la fin? murmure Papy.

Il est décomposé.

Agathe se dresse d'un seul coup, nous faisant tous sursauter :

— Le meilleur moyen de le savoir... dit-elle.

Elle quitte la cuisine d'un pas décidé.

Nous tendons l'oreille, mais le bruit de nos cœurs brouille tous les autres bruits. Du reste, sommes-nous tellement avides d'entendre? Nous n'avons pas cessé de nous regarder et d'être livides.

Puis Agathe était devant nous, radieuse, s'exclamant avec du rire dans la voix :

— Théo, te voilà sauvé!

Et comme nous tournons vers elle des visages stupides, elle brandit en un geste de triomphe ce qu'elle avait adroitement dissimulé derrière son dos :

— Ta gamelle! Quelqu'un te la rapporte...

Un visage se profile, une tache pâle dans l'ombre du couloir : c'est Léon.

Pour trouver où Théo habitait, ça n'avait pas été facile. S'il l'avait su, Léon serait venu plus tôt, bien entendu. Mais Théo n'avait fait que des allusions assez vagues, surtout pour des gens qui n'étaient pas d'ici et habitaient à l'autre bout de la ville.

Tout d'abord, ils avaient pensé que Théo viendrait la chercher lui-même le lendemain. Ils s'étaient arrangés pour qu'il y ait toujours quelqu'un à la maison pendant la journée du jeudi. Puis, ne le voyant pas venir, ils avaient décidé d'aller, eux, à sa recherche.

Ils avaient rassemblé dans leurs souvenirs toutes les paroles prononcées par Théo quand il avait parlé de chez lui. Ils étaient allés interroger le grand Siboulet. Et le grand Siboulet les avait accueillis chaleureusement, les avait entraînés au bistrot, leur avait fait tout répéter depuis le début et s'était écrié :

— Eh! ben, oui, malins! C'est le faubourg des Coups-de-Trique, ça, qu'est-ce que vous voulez que ça soit d'autre?

Il avait continué de dire ses blagues, tout en leur expliquant où c'était.

Le reste de la journée, ils s'étaient rendus là-bas et avaient posé des questions aux gens. Mais les gens se méfiaient, à cause de Larbi. Le samedi, Léon était revenu seul. Apparemment, personne n'avait jamais entendu parler d'un certain Théo.

Le dimanche matin, Léon se promenait à nouveau dans le quartier, la gamelle à la main. Il
croisait des gens auxquels il avait déjà parlé et on
commençait à le regarder de travers.

Vers 3 heures de l'après-midi, enfin, quelqu'un
lui avait donné l'ancienne adresse de la rue de
Toulouse. Là, on lui avait dit :

— Non, ils n'habitent plus ici depuis que le
papa est mort. Tu devrais aller voir du côté de
l'U.S.B., mon garçon.

A ce moment-là, la porte d'en face s'était
ouverte, une tête était apparue dans l'entrebâille-
ment et s'était mêlée à la conversation :

— Non-non, pas si loin, madame Hirtz! C'est
rue de l'Yser qu'ils sont allés : les déménageurs
me l'ont dit. Je crois même au début de la rue. Le
petit n'a qu'à se renseigner là-bas.

Mme Hirtz et sa voisine avaient aussitôt oublié
Léon. Elles s'étaient mises à discuter ensemble de
la famille à Théo et d'autres personnes dont Léon
n'avait jamais entendu parler.

Il lui avait fallu un certain temps pour trouver
la rue de l'Yser. Là, il était entré dans la première
maison, et la première maison, c'était celle de
Théo. Aussi curieux que ça puisse paraître, Léon
l'avait tout de suite senti. Il était monté, avait
appuyé sur la sonnette, sans douter une seconde
d'avoir enfin atteint son but. On aurait dit qu'une
voix venait de lui souffler le bon numéro, le bon
étage, la bonne porte. Des choses comme ça, vous
ne pouvez pas les expliquer, mais ça existe.

Le cimeterre était allongé sur la table. Mémère
et Papy voulurent entendre l'histoire du *Fils du
Désert* : Théo ne leur en avait pas dit grand-
chose, jusqu'à présent.

Le petit Léon savait raconter comme personne. Tantôt il avait l'accent de Larbi; tantôt il avait l'accent de quelqu'un d'autre, et l'on devinait que ce devait être de ce fameux Tarzan, celui qui apparaissait comme le héros de son histoire. Léon accompagnait son récit de mouvements larges, longs et fluides de tout le corps, qui brassaient le temps, les amours et les saisons. Son auditoire se balançait imperceptiblement au rythme de cette danse, le souffle court, les yeux rivés sur le visage du conteur.

Et même Théo qui savait déjà tout avait l'impression d'entendre l'histoire pour la première fois. Contre toute vraisemblance, il se prenait à espérer que les méchants hommes n'allaient pas tuer le bras de Tarzan, que Larbi ne serait pas jeté en prison injustement, que Tarzan n'allait pas mourir du côté d'Obernai, que Charlotte ne retournerait jamais plus chez le maître fromager, qu'il n'y aurait pas la guerre et pas la fin du théâtre et pas la fin des voyages et pas la fin de tout et pas le commencement de rien. Mais Léon poursuivait inexorablement son racontage et tout arrivait quand même, le pire et le meilleur, et c'était déjà le moment où intervient le grand Siboulet, faisant l'andouille au volant de la vieille camionnette. Alors il avait fallu vivre, se débrouiller. Larbi et Léon avaient organisé la Grande Loterie du Fourneau et chacun pouvait gagner, si telle était la volonté de Dieu (évidemment, Dieu n'allait pas favoriser des feignants qui comptent sur un simple numéro pour empocher des mille et des cents...)

Ensuite, il y avait eu une partie de cartes acharnée entre les grands-parents et les deux gosses. Chacun jouait pour soi et personne ne pouvait battre Léon. Il avait un sixième sens qui lui disait les cartes que vous teniez entre les mains. Quant aux siennes, c'était toujours celles dont il avait précisément besoin pour vous faire capot une fois de plus.

Il a gagné l'une après l'autre toutes les réussites du Barbu, ce qui n'est jamais arrivé à personne. Il a refilé l'Homme Noir à son voisin, quand celui-ci riait aux anges, se croyant tiré d'affaires. Après quoi, il a voulu nous apprendre de nouveaux jeux. Il battait les cartes comme un vrai prestidigitateur (il avait vu faire les hommes qui vivent de ça dans les foires). Il t'en faisait choisir une, n'importe laquelle, il les mélangeait, il les rangeait sur la table dans un certain ordre, il en piquait une de l'index, tu la retournais et c'était bien celle-là.

Il était plus de 6 heures, on n'avait pas vu le temps passer. Léon ne voulut pas rester manger. Il fallait qu'il aille retrouver Larbi. Il dit au revoir à tout le monde en serrant gravement la main comme un homme, et Théo était fier d'avoir un pareil ami.

Maman elle-même avait l'air amusé :

— Ils en connaissent, tout de même, ces forains ! fit-elle.

— Ce serait malheureux ! dit Agathe.

— Evidemment, reconnut sa mère, c'est un autre genre de vie. Je ne peux pas dire que j'aimerais être à leur place.

— C'est un pauvre gosse, dit Papy, mais il est bien sympathique...

— ... et puis rendant service, ajouta Mémère.

— Alors, tu vois, mon enfant à moi, reprit-elle, elle n'était pas perdue, ta gamelle !

Elle mit les bras autour de lui et l'embrassa.

Maman était en train d'ouvrir le récipient.

— Même tes haricots, ils sont encore là ! s'exclama-t-elle avec bonne humeur. Décidément, tu as toutes les veines, aujourd'hui !

Ce fut un éclat de rire général. Tout le restant de la soirée, chacun taquina Théo qui avait eu la veine que personne ne mange ses vieux haricots du mercredi.

Lorsque Agathe s'en alla, Théo l'accompagna jusqu'à la porte de la rue. La nuit était tout d'un bloc. Elle n'avait qu'une seule odeur et un seul son qui ronronnait juste au-dessus de vos têtes, à la hauteur des toits. Elle se collait à vous, c'était comme d'être emmailloté dans quelque chose. Pédalant sur sa bicyclette, on aurait dit que Agathe avançait sous la mer.

Théo l'avait embrassée fort et ne lui avait rien dit. Il l'avait regardée tourner dans le faubourg et disparaître. Cet éloignement de sa sœur le bouleversait et pourtant c'était un moment de bonheur, car il ne l'avait jamais tant aimée. Il continuait à regarder l'endroit où elle était encore l'instant d'avant, courbée sur sa machine et luttant contre une matière qu'on ne pouvait pas voir. Le froid ne bougeait pas, alors on pouvait le supporter sans son manteau. Puis il vous glaçait jusqu'au fond des os et il vous fallait grimper l'escalier quatre à quatre.

En haut, tout était silencieux. Mémère se tenait sur une chaise, les avant-bras écartés et levés, présentant autour de ses poignets un écheveau de laine que Maman dévidait, assise en face d'elle, et transformait en pelote. Papy s'était plongé dans son *Messager Boiteux;* le livre était posé sur la table, séparé de la toile cirée par une grosse boîte d'allumettes.

Théo le prit et l'ouvrit à la première page :

« Buck ne lisait pas les journaux et était loin de savoir ce qui se tramait vers la fin de 1897, non seulement contre lui, mais contre tous ses congénères. En effet, dans toute la région qui s'étend du détroit de Puget à la baie de San Diego on traquait les grands chiens à longs poils, aussi habiles à se tirer d'affaire dans l'eau que sur la terre ferme... »

Puis il lui sembla entendre quelque chose. C'était son nom qu'on appelait. Il leva des yeux égarés, émergeant d'un état qu'il n'avait encore jamais connu. Pendant tout le temps où il avait lu l'histoire du chien Buck, qu'on vole et qu'on martyrise et qui est si malheureux, Théo n'avait plus été conscient ni de la présence de la famille, ni de la cuisine, ni de ses odeurs, ni du livre et des lettres qui se groupaient par petits paquets pour raconter l'histoire. Avant d'avoir fini la première page, il avait déjà été transporté dans la vallée de Santa Clara, à Seattle, dans l'entrepont du Narwhal, dans la baie de la reine Charlotte et sur la grève de Dyea, parmi les acteurs du drame : Buck, le juge Miller et le misérable Manoël qui les trahit l'un et l'autre, l'homme au gourdin, et Perrault, le métis indien franco-canadien, on ne sait pas s'il est bon ou mauvais, et le chien Spitz et la chienne Curly qui est massacrée par la meute. Et lui-même, le petit Théo, jouait un rôle dans l'histoire car il essayait d'influencer le comportement et les pensées de tous ces personnages. Et en même temps, ceux-ci pénétraient sous sa peau tour à tour comme dans une défroque, le privant de sa propre existence. Il devenait l'homme et le chien, le voleur et le volé, celui qui donne et celui qui reçoit les coups de gourdin. Il était Spitz,

Buck, Perrault et le traîneau, le soleil et le froid, la mer et la peur, et cependant, il ne cessait de les voir devant lui, de même qu'il voyait les différents décors de l'histoire aussi nettement que s'ils avaient été filmés et projetés sur l'écran de l'Eldo.

Lorsqu'on appela Théo, Buck était en train d'apprendre à dormir dans la terrible nuit de l'Alaska : « Buck n'ouvrit les yeux qu'au bruit du réveil du camp. Il ne comprit pas d'abord en quel lieu il se trouvait. La neige de la nuit l'avait complètement enseveli et ce mur glacé l'enserrait de toutes parts. » Et lui aussi, Théo, il avait la sensation d'avoir été longtemps enseveli. Mais c'était dans quelque chose de tiède et de cotonneux, l'intérieur d'un œuf magique qui traversait l'espace, remontait le cours du temps et, devenant peu à peu transparent comme du verre, vous déposait parmi les cruelles histoires du passé et de l'autre bout du monde. Il comprenait quelle avait été naguère son erreur : la souffrance et la mort des livres sont bien plus vraies que celles du cinéma. Dans un livre, l'homme frappé au cœur ne se relève jamais, il ne s'époussette pas, une fois qu'on a arrêté la caméra, et ne va pas boire un coup avec les copains.

Théo se sentait délicieusement courbatu et plus las qu'il n'avait jamais été. La lecture lui avait fait, en dix fois plus fort, le même effet que deux verres de vin vidés coup sur coup. Sa tête était lourde, pleine à craquer. Une meule d'images et de sentiments roulait au beau milieu. Environnées d'une sorte de brouillard impalpable, ses tempes battaient à coups lents et profonds. Il dut cligner des yeux car sa vue s'était brouillée.

Son expression hagarde amusa beaucoup Papy!

— Eh bien, camarade, tu tombes de la lune! Sais-tu seulement l'heure qu'il est?

Ce fut Maman qui répondit :

— Passé dix heures! Et c'est demain lundi : il ne s'agit pas d'arriver en retard un lundi!

— Ça non! fit Papy.

— L'ouvrier doit avoir sa fierté, renchérit Mémère.

Puis elle sourit, penchant un peu la tête sur le côté :

— A ton âge, mon petit, on doit dormir si l'on veut rester en bonne santé.

Papy tendit à son petit-fils la vieille image de communion qui lui servait de signe pour son *Messager Boiteux*.

Théo marqua sa page. Il embrassa la famille en ayant l'air de penser à autre chose. Lorsqu'il rejoignit sa chambre, on aurait dit un somnambule. Le lendemain matin, il eut beau réfléchir, il ne parvint pas à se rappeler qu'il s'était mis au lit, et son sommeil n'avait été qu'un tout petit point noir dans la longue ligne du temps.

Il dut se dépêcher, car autrement il n'aurait pas été aussi en avance que d'habitude.

Ce jour-là, Théo ne fut pas très attentif à son travail. Il ne pensait qu'au moment où il pourrait rejoindre Buck à son réveil dans la neige glacée. Mais, comme par hasard, la pendule ne voulait pas tourner; elle faisait traîner chaque minute autant qu'elle pouvait. Théo n'arrêtait pas de la surveiller du coin de l'œil et il se fit beaucoup attraper par Robert qui n'était pas de très bon poil, ayant appris la veille ce que les banquiers juifs étaient encore en train de machiner avec les Rosbifs pour faire capoter l'Europe nouvelle. Même le patron n'osait pas s'y frotter et, pour une fois, il avait rengainé ses sarcasmes. En revanche, c'est lui qui adressait des clins d'œil complices à son apprenti dans le dos de Robert, quand celui-ci s'en prenait à Théo. Lui, en tout cas, M. Breschbuhl, ça n'avait pas l'air de le fâcher que Théo ne soit pas à son travail. Peut-être que ça lui faisait plaisir de voir quelqu'un d'aussi cagnard que lui. C'était un de ces matins où le patron ne faisait qu'aller d'un mur à l'autre en fumant son gris, s'arrêtant à mi-chemin sur le seuil de l'atelier pour contempler le ciel crasseux et les arbres dans les cours, qui semblent avoir mis leurs racines en l'air.

Théo aurait aimé parler de *Buck* à Robert — et Robert se serait certainement radouci s'il l'avait fait — mais Théo avait bien trop peur qu'il lui raconte la suite de l'histoire. L'ouvrier voulait toujours montrer qu'il en savait plus que tout le monde, c'était sa manie. Alors Théo rêvassait tout seul et il se faisait encore incendier.

Vers 11 heures, M. Breschbuhl lui inventa une course à faire au faubourg des Ancêtres, parce que Robert commençait à devenir vraiment exaspérant avec ses remontrances.

Théo partit sur le vélo de la patronne. Il devait aller dire à un bonhomme que sa commande était prête. Un moment, il songea à rendre visite à Léon et sidi Larbi, mais ils ne seraient pas forcément à la maison et puis, cela l'aurait fait revenir trop tard à l'atelier. Il n'aurait d'ailleurs eu aucune excuse d'avoir traîné car le bonhomme en question n'était pas chez lui.

Le patron ne parut pas autrement surpris de cette absence. Ils mangèrent dans la cuisine des Breschbuhl. On parla un peu des restrictions. Pour montrer qu'il n'y avait pas à s'en faire, le patron sortit la goutte, ignorant les protestations de sa femme qui lui rappelait sèchement qu'on n'était pas dimanche.

Elle fut la seule à refuser un petit verre. Théo empoigna le sien et, mû par l'habitude, se mit en devoir de le vider d'un trait.

Il fallut lui taper dans le dos pendant près d'un quart d'heure : il n'arrivait pas à retrouver son souffle. Robert et le patron étaient ravis; Mme Breschbuhl bougonnait d'un air scandalisé et les fusillait du regard tous les trois.

— On n'a pas idée! rabâchait-elle. On n'a pas idée! Hnn! On voit tout de suite ce qu'il deviendra, le gosse! Et à qui la faute, je vous le demande!

Des larmes roulaient sur les joues de Théo, mais il avait aussi envie de rire. Il était content d'avoir fait cette expérience. Il était fier. La prochaine fois, il saurait s'y prendre avec la goutte.

En attendant, son cœur se chauffait à la braise qui couvait dans ses entrailles. Et ce nuage qui se formait autour de sa cervelle, l'insensibilisant aux idées mauvaises, comme il aimait ce nuage! Une paix s'installait en lui sous cette forme ouatée, une paix et une gaieté légère (c'était pourquoi il souriait et regardait sans voir un morceau du plafond).

L'après-midi fut paresseux et bavard. Même Robert ne fichait rien. Il racontait les parties de pêche avec son père dans l'Ognon, avant la guerre de 14, et l'été il descendait dans le ruisseau et pataugeait, déplaçant les pierres pour se construire des baignoires, car les étés d'alors étaient torrides. M. Breschbuhl racontait aussi des aventures de sa jeunesse; il en avait fait sa part avec les gamins de la rue, son père allant le rechercher jusqu'aux Forges, une canne à la main. Le patron récoltait des routes carabinées; il retournait là-bas quand même, uniquement pour emmerder le vieux. Et lui, Théo, avait pêché les écrevisses dans la Savoureuse, était passé dans les Forges avec Gentil, l'étui à clarinette sous le bras, n'avait pas reçu de rouste et n'avait jamais voulu emmerder le vieux qui était une autre sorte de vieux, et tout ce qu'il désirait c'est qu'il devînt roi de la terre mais il ne le devint pas. Alors Théo raconta autre chose, par exemple la fois où son père avait dit une phrase si drôle à table, à propos de Papy qui n'avait jamais donné sa part de misères. C'était un de ses meilleurs souvenirs. C'est-à-dire que beaucoup d'autres souvenirs étaient beaux, mais ils étaient mélancoliques en même temps.

On était le premier lundi de février. Théo n'eut pas beaucoup à faire pour ranger l'atelier : en causant les mains dans les poches, on n'a guère l'occasion de déplacer les outils. Il courut jusqu'à la rue de l'Yser et se jeta sur le livre. La soupe, il l'avala le plus vite qu'il put, étant pressé de savoir comment Buck et les autres chiens de Perrault allaient se tirer de la bagarre avec les féroces chiens faméliques du village indien. Sitôt sa cuiller reposée, il lut à s'en écorcher les yeux jusqu'au moment où Dave est trop malade et trop faible, alors son conducteur l'emmène derrière les arbres de la rivière et tout le monde écoute le bruit du revolver.

Nous étions bien heureux que Théo soit si passionné de sa lecture et, sans qu'il s'en doute, nous le couvions de regards attendris. Mais il fallait rester raisonnable, car la santé est quand même ce qu'il y a de plus précieux, et l'on allait se coucher à la même heure qu'avant.

Théo n'avait pas besoin de nous pour se lever le matin, il n'avait même pas besoin d'une sonnerie. Mais pour le réveiller de son livre, c'était une autre affaire. On se levait, les pieds de chaises raclaient contre le carrelage de la cuisine, on se disait bonsoir entre nous, on s'embrassait juste à côté de lui, mais il ne se rendait compte de rien. Il fallait l'appeler plusieurs fois par son nom, Mémère posait les doigts sur son épaule. Alors il relevait le nez, « les cheveux hagards et les yeux hérissés » (comme disait Papy pour nous faire rire), son visage s'affaissait, il poussait un soupir à fendre l'âme.

— Je finis juste la phrase, disait-il plaintivement.

Même quand le livre était refermé, ses yeux avaient du mal à le quitter. Ils demeuraient tournés vers lui tout le temps que Théo était encore dans la cuisine. Il fallait éteindre la lumière pour qu'ils se détachent de ce fameux bouquin.

Le mardi, il s'éveilla plus tôt que d'habitude, décréta qu'il n'avait pas envie de petit déjeuner et se replongea dans *Buck*. Il préféra lire plus longtemps et faire le chemin jusqu'à l'atelier en courant comme un fou. Du coup, il oublia sur le bord de la cuisinière la gamelle préparée par Mémère depuis la veille au soir. Mais lorsqu'il s'en aperçut, cette fois, il fut heureux, car c'était une bonne excuse pour rentrer à midi et retrouver Buck harassé à Skagway, ayant perdu trente-cinq livres de son poids.

Il profita de ce que Maman était à sa cantine pour continuer sa lecture en mangeant, le livre posé sur un vieux journal à côté de son assiette. Mémère et Papy s'insurgèrent contre ces manières de sauvage. Mais rien n'y fit. Ni les menaces ni les prières.

— Et si tu fais une tache de graisse, hein, qu'est-ce qu'elle va dire, ta sœur? objecta Mémère.

Il repoussa cette hypothèse d'un mouvement agacé de la tête, sans interrompre sa lecture un seul instant.

C'était un triste passage dans la triste vieillesse de ses grands-parents. Ils voyaient Théo leur échapper, s'éloigner d'eux à toute vitesse et cela n'était jamais arrivé avant. Si Théo les avait vus se ratatiner sur leurs chaises, devenir plus minces, plus ridés, plus transparents et plus humbles, si humbles et si désappointés, peut-être qu'il n'aurait jamais plus touché un livre de sa vie. Mais il ne vit rien. Il était reparti dans le Grand Nord et se tenait dans un œuf, auprès de la femme nommée Mercedes qui ne voulait pas être privée de ses toilettes pour affronter les tourments de la piste.

Le soir, quand il revint à la maison, Mémère et Papy avaient tout raconté et Maman avait caché le livre.

— Théo, dit-elle, je ne veux pas de ça !

Il courba la nuque. Il ne trouvait rien à répondre. Mais il sentait que si *Buck* ne lui était pas rendu, il allait se mettre à trépigner et à pousser des cris de bête féroce. Et Mémère comprit cela, un coup d'œil lui suffit pour comprendre.

— Ta maman va te le redonner, le livre, dit-elle, fixant sa fille droit dans les yeux pour que celle-ci ne s'avise pas de protester. Mais il ne faut pas te renfermer comme ça, mon petit, entends-tu ? Et puis on ne lit pas à table, ce n'est pas poli. Nous sommes là, nous t'aimons... Tu vas te faire du mal à l'estomac, aussi. Il faut laisser la digestion se faire, tu comprends ?

Théo regardait le carrelage de la cuisine. Elle reprit :

— Tu as bien le temps de le finir, ce roman ! Il ne va pas s'envoler ! Quand tu seras arrivé au bout, tu regretteras de n'être pas encore au milieu.

— Si tu lis trop vite, ajouta Papy, il y a des choses qui t'échappent : c'est dommage !

— En tout cas, fit Maman, je ne veux pas de ça. Si tu n'as la tête qu'aux livres, ce n'est pas une solution non plus. Comment veux-tu travailler proprement ? M. Breschbuhl finira par te renvoyer. C'est Josette Lamiral qui serait contente, tiens ! après tout le mal qu'elle s'est donné pour que Robert te recommande ! Dans la vie, mon petit Théo, les alouettes ne vous tombent pas toutes rôties dans le bec. Il y a un temps pour tout.

Elle parla encore et les grands-parents approuvaient ce sermon de la tête car ils auraient aussi bien pu le prononcer eux-mêmes. Théo comprenait qu'il avait fait quelque chose que tout le monde trouvait mal. Si son père et Gentil avaient été là, ils ne l'auraient pas approuvé non plus.

Le remords l'envahit, et ce qui est terrible avec le remords, c'est qu'il empêche de dire à quel point on est triste d'avoir agi comme on l'a fait. Mais la famille connaissait bien l'effet du remords et chacun sourit, essayant à présent de consoler Théo par des caresses et des mots gentils.

Le livre lui fut rendu, seulement il n'osait plus l'ouvrir. Il le tenait à la main, nous parlant d'autre chose, comme s'il avait oublié son existence.

Mémère était penchée sur le fourneau. Elle regarda Théo par-dessus son épaule. Ses petits yeux ronds étaient pleins de tendresse car elle savait ce qui se passait dans le cœur de l'enfant. Elle prit un air innocent pour demander :

— Mais, tu ne nous as pas dit : qu'est-ce qu'il raconte donc de si intéressant, ton livre ?

Et tout à coup, chacun voulait savoir. Pour

commencer, Théo ne fit que donner à contrecœur des indications décousues, parlant dans sa barbe. Puis il se prit au jeu, et voici qu'il racontait tout en détail, dans l'ordre où c'était écrit dans le livre. Il avait tous les noms dans la tête. Des phrases entières lui revenaient, par exemple : « C'était une vie monotone et réglée comme le mouvement d'une machine », ou bien : « Trois jours après leur arrivée à Skagway, Buck et ses compagnons n'étaient pas encore remis de leurs fatigues. » Théo faisait revivre les souffrances des hommes et des bêtes. Il les décrivit d'une telle manière qu'on pouvait presque sentir la morsure du froid polaire, tandis qu'il parlait. Nous mangeâmes sans bien savoir ce que nous mangions, étant suspendus à ses lèvres. Puis il dit : « Voilà, c'est là que j'en suis », et nous nous reculâmes du clair de la lampe, chacun préférant que les autres ne voient pas bien son visage à ce moment-là.

— Ma parole, dit Papy un peu plus tard, on dirait que tu l'as appris par cœur, ton bouquin !

— Croyez-vous ! s'exclama fièrement Mémère.

— Et qu'est-ce qui va arriver, maintenant ?

Maman avait exprimé tout haut la question que nous nous posions tout bas.

Théo réfléchit un instant. Nous observions sa bouche afin de ne pas manquer ce qui allait en sortir.

— Je ne sais pas, dit-il gravement. Je crois bien... Ils n'y arriveront jamais, Mercedes et son frère, ils ne savent pas s'y prendre...

Sa voix hésitait. Il nous consulta du regard, voulant connaître notre opinion.

— Ce n'est pas nous qui pouvons te le dire, soupira Mémère. Si tu regardais voir ?

Alors Théo ouvrit le livre devant soi, sur la toile cirée bien propre, et il lut quelque temps, les traits tendus. Il faisait encore plus attention que d'habitude, lisant non seulement pour lui, mais aussi pour nous. Nous vîmes sur sa figure lorsqu'il arriva à la fin du chapitre.

— Non, dit-il. Ils meurent tous les deux. La glace pourrie se brise sous leur poids et ils sont noyés. Un homme les avait prévenus mais ils n'ont rien voulu écouter. Tous les chiens tombent dans le trou avec eux.

— Aïe! fit Papy.

Théo nous laissa quelque temps sur des charbons ardents. Il savait bien ce qui nous tracassait et prenait un malin plaisir à nous faire languir.

— Il n'y a que Buck qui est sauvé, lâcha-t-il enfin. Parce que Hal lui tape dessus comme une brute et l'homme dit qu'il va le tuer s'il continue et puis il prend Buck avec lui pour le soigner. Il est en train de le caresser et alors ils voient tous les deux le traîneau s'enfoncer sous la glace.

— Ça devait arriver! soupira Papy.

Nous hochions la tête en silence.

Ensuite venait le plus beau de l'histoire. Car Buck et l'homme commençaient à s'aimer de plus en plus et c'était le premier véritable ami que Buck avait depuis l'époque où il vivait comme un pacha chez le juge Miller, à des milliers de kilomètres de l'Alaska. Et ils se sauvaient la vie, et Buck était capable de tout pour l'amour de son nouveau maître et, une fois, il lui faisait gagner une grosse somme en tirant tout seul un traîneau chargé de mille livres de sacs de farine, bien que les patins fussent collés après la glace. Et l'homme, qui s'appelait John Thornton, ne voulut pas vendre son chien pour tout l'or du monde. Il y avait écrit : « Buck ayant saisi entre ses dents la main de Thornton penché sur lui, la pressait avec

tendresse; et les spectateurs, discrets, se retirè-
rent pour ne pas troubler le tête-à-tête des deux
amis. » Alors Théo pleura. Il avait éprouvé de la
colère, et aussi comme une sorte de honte, quand
différents hommes avaient battu le chien. Mais là,
de vraies larmes roulèrent sur ses joues et il dut
se frotter les yeux avec son poing fermé pour pouvoir reprendre sa lecture.

C'était le dernier chapitre du livre et l'homme
aimait le chien. Le chien l'aimait, mais il entendait de plus en plus distinctement l'appel de la
forêt, du fait qu'ils vivaient parmi les loups et les
loups avaient été les ancêtres de Buck, autrefois.
Buck écoutait. L'appel de la forêt venait jusqu'à
lui et il quittait son ami pour courir dans les bois
et il devenait peu à peu l'ami des loups. Cependant il continuait à aimer l'homme tout autant, et
c'était un épisode nostalgique que cette sépara-
tion en deux parties du cœur de Buck, car il y
avait cette main qui savait les caresses et puis
l'appel de la forêt, que Buck était bien obligé
d'entendre. Un jour, il court loin du campement,
il poursuit et terrasse un grand élan, il le mange
et revient sur ses pas, ayant un pressentiment
lorsqu'il approche de l'endroit où John Thornton
pêche l'or de la rivière — et les Indiens ont tué
son ami. Il saute sur les Indiens et en fait un
carnage. En essayant de l'abattre, les Indiens se
percent entre eux avec leurs flèches. Et Buck a
vengé son ami, mais John Thornton est mort
pour toujours, emportant dans la mort sa main et
ses caresses et le son de sa voix. A présent, seul
résonne dans le cœur de Buck l'appel de la forêt;
il va vivre avec les loups. « Et ceci, dit le livre, est
la fin de l'histoire de Buck. »

Mais justement ce n'est pas la fin. L'auteur a
rajouté quelque chose. Il raconte comment Buck

— mais il ne dit pas vraiment que c'est Buck — devient le chef des loups, le plus grand loup qu'on ait jamais vu, et qu'il revient pleurer là où John Thornton a rencontré la mort, n'ayant pas oublié son ami, et puis qu'il court au clair de lune dans les longues nuits d'hiver ou à la flamboyante lueur de l'aurore boréale, « il domine ses compagnons, et sa gorge sonore donne le ton au chant de la meute, à ce chant qui date des premiers jours du monde ». Et cette fois le livre est vraiment fini.

Mais cette fin d'après la fin est une chose qui bouleverse Théo d'une manière nouvelle et profonde. Il ne saurait dire pourquoi, mais elle le bouleverse plus encore que la mort de John Thornton, et plus que tout le reste du livre, au point qu'il la lit une deuxième fois. Quand Jack London recommence à écrire, après avoir dit « ceci est la fin de l'histoire », toute la mélancolie et toute la compassion du monde prennent soudain possession de vous. Apparemment, il n'y a aucune raison pour que cela déclenche une impression pareille : c'est seulement un écrivain qui fait une chose à laquelle vous ne vous attendiez pas, et qui aurait aussi bien pu faire autre chose (par exemple inscrire le mot fin au milieu de la page) si cela lui était passé par la tête. Néanmoins, vous voilà pris dans le tourbillon. Ces émotions jaillissent en vous, vous submergent. C'est un torrent qui écume. Et quand bien même vous seriez en train de vivre le jour le plus lumineux de votre vie, vous ne sauriez échapper à la violence de cette irruption. Un grand chagrin s'ensuit, mais aussi une forme de douceur. Vous vous sentez tout doux en dedans. Nostalgique, doux et rompu comme Théo l'était à présent, refermant précautionneusement son livre, attentif à ne pas éveiller de sentiments nouveaux, car ceux-ci étaient déjà trop.

Le lendemain mercredi, quand Agathe pénétra dans la cuisine, nous étions tous rangés en demi-cercle autour de la table. Et sur la table, posé bien en évidence sur le dessous de plat en faïence que Maman avait reçu à son mariage de ses collègues d'atelier, il y avait le livre.

Nous avions préparé cette mise en scène pour Agathe spécialement. Et nous la regardions s'approcher d'une manière spéciale, le cœur battant, car nous savions que Théo avait lu le livre. Nous savions même ce qu'il avait lu. Aussi avions-nous du mal à contenir notre arrogance et notre joie.

— Voilà! dit Maman, désignant *Buck* du menton. Tu peux le reprendre.

Elle essayait de parler naturellement, mais il y avait un accent de défi dans sa voix. Nos yeux brillaient.

— C'est bien aujourd'hui, le jour de bibliothèque? dit-elle encore pour anéantir Agathe.

Agathe souriait dans l'encadrement de la porte. Elle nous examinait à tour de rôle, la tête un peu penchée sur l'épaule, de l'air de quelqu'un qui vous laisse faire votre comédie, connaissant un certain détail qui change tout et que vous, vous ne pouvez pas connaître. Cela nous agaçait beaucoup. Nous nous étions imaginé qu'elle allait faire des oh! et des ah! mais non, elle avait son petit sourire en coin et observait tranquillement notre manège.

— Il l'a tout lu, tu sais! insista Mémère. Il l'a fini hier soir.

— Il n'en a pas sauté une ligne, non mademoiselle! renchérit Papy.

Agathe ne disait mot, paraissant de plus en plus s'amuser à nos dépens. Même Théo, qui était resté le plus modeste d'entre nous, en conçut du dépit.

— J'ai relu la fin, dit-il sur un ton de revendication, comme s'il s'attendait à ce que sa sœur conteste la chose.

— Aha ? fit simplement Agathe.

Elle avait relevé ses sourcils jusqu'au milieu de son front et considérait son frère de haut en bas. On l'aurait bouffée !

Maman eut un ricanement mauvais :

— Tu ne t'attendais pas à celle-là, hein, ma petite !

Mais Agathe se contenta de faire disparaître le livre dans son sac. Face à une telle désinvolture, nous avions abandonné nos poses avantageuses et demeurions bras ballants, ne sachant plus ni que dire ni que faire.

Alors Agathe sortit un autre livre de son sac :

— Je t'ai apporté celui-ci à la place, dit-elle à Théo d'un air de ne pas y toucher. J'espère qu'il te plaira aussi.

Elle le déposa sur le dessous de plat et attendit. C'est à ce moment-là seulement que nous eûmes la révélation du bon tour que Agathe venait de nous jouer. Elle nous avait vu venir avec nos mines plastronnantes, nos gros sabots ! Alors, pour nous apprendre, elle avait décidé de nous laisser mariner dans notre jus, en faisant comme s'il ne se passait rien d'extraordinaire. Elle nous donnait une leçon, mademoiselle l'institutrice ! Car elle, voyez-vous, elle n'avait jamais douté de son frère. Avant de venir rue de l'Yser, elle savait déjà qu'il aurait terminé son livre. Dans ces conditions, vous pensez bien que nous n'avions aucune chance de l'attraper avec nos grimaces !

Ah! tu nous as bien eus, ma petite Agathe! Nous nous sommes mis à rire comme des fous, pensant à la manière dont elle nous avait embobinés, et elle riait plus gaiement que nous tous. Elle embrassait Théo en le tenant par les oreilles et ne pouvait plus arrêter de l'embrasser. Et nous n'étions plus seulement orgueilleux à cause de Théo, nous l'étions à cause d'elle et de nous tous, parce que nous étions si bien ensemble.

De fil en aiguille, l'amour découd le rêche habit de honte et d'affliction qui nous enferme, et voici que Théo revient parmi nous avec la clarinette, il compte un, deux, trois, quatre, et joue *La vie qui va, Ménilmontant, Vous oubliez votre cheval.* Et il a peut-être oublié comment on touche la clarinette, mais on entend bien que la clarinette, elle, n'a pas oublié le toucher de Théo, et elle l'aide le plus qu'elle peut, ayant envie de jouer autant que lui.

On n'est pas des imbéciles, quand même. On entend bien ce que la clarinette veut jouer, même quand les doigts de Théo dérapent et jouent une autre chose qui ne fait pas partie de la chanson. C'est comme nous, les paroles : il y a des bouts qu'on se souvient, ils ne sont pas nombreux; autrement on fait *lalalala* et c'est toujours la chanson. L'histoire est la même. D'ailleurs, ce n'est pas une histoire, c'est le vent qui nous rend nos mots de tous les jours, parce que nous les avons bien gagnés. Nos mots, c'est comme *tralala : tralala tradéridéra,* ce ne sont que des mots. L'important, c'est qu'on ne parle pas pour ne rien dire.

La clarinette se réchauffa entre les mains de Théo. Le souffle de Théo réveilla ce qui dormait dans le rond des flancs noirs. Alors tout redevint possible.

Agathe repartit sur sa bécane, ayant encore ces musiques dans la tête. Elle traversa le Belfort roide et tassé de l'Occupation. Elle pédala fort pour que le froid n'ait pas le temps de planter ses petites dents aiguës à travers ses habits.

Elle rangea le vélo sous l'escalier. Le logement était glacial. On entrait dans un froid immobile et creux, beaucoup plus hostile que celui du dehors. Mais à cette heure-ci, il n'était plus question de faire du feu.

Agathe conserva son manteau jusqu'au moment où le lit fut prêt. C'était un grand lit et elle le déborda des deux côtés. Elle se déshabilla rapidement, avec des gestes courts et précis. Elle mit ses bas sur le dossier de la chaise, par-dessus son linge, et les recouvrit de sa robe étalée, de sorte que tout était bien convenable. Puis, revêtue d'une grande chemise de nuit boutonnée au col et aux poignets, elle s'allongea sur le lit et resta un moment étendue comme une morte, n'ayant pas éteint la lumière mais les paupières closes. Elle retenait son souffle, les bras le long du corps, les paumes ouvertes, l'éventail de ses cheveux semblant appartenir à un autre visage que le sien, qui s'était transformé, était devenu un masque de cire éclairé non par l'ampoule de la lampe, mais par une lumière intérieure.

Elle attendait.

Les bruits venaient, hésitaient et s'arrêtaient à quelques millimètres d'elle. Et Agathe écoutait, elle écoutait le bruit léger que font les bruits en train d'écouter si on les entend.

Nous avions disparu du sein froid de ce monde. Elle-même n'existait pas. Son attente était devenue l'unique réalité de ce monde noir qui ne chuchotait pour personne. Les cheveux épars flottaient très loin de là, dans les eaux lustrales de son autre vie. Ici rien ne bougeait. L'univers entier ne tenait plus qu'à un fil.

C'est ce qu'elle croyait, tandis qu'elle figurait à son insu une ancienne jeune morte dont on admirerait le visage candide à travers l'épaisseur d'un glacier, les larmes des siècles ayant coulé sur elle. On serait venu des autres planètes pour la contempler, confiant la précarité de nos vies à des crampons et des piolets.

Agathe était en son propre cœur telle une cathédrale engloutie. Elle était le tombeau d'un monde achevé, le lac éternel où un autre monde allait naître. Elle était le morceau dur, la bille d'agathe dans le sable impalpable et croulant de l'absence.

Hors de la chambre, sur les ailes de l'attente, Agathe filait dans une haute immensité de brume, apercevant tout en bas l'allongement ému de la femme sur un lit, cette femme aux paupières finement cousues, et qui avait sa tête et qui était comme morte.

Puis il y eut un froissement, les murmures s'étranglèrent et les bruits manquèrent défaillir, le corps de pierre d'Agathe vola en mille morceaux et son corps de peau se raidit d'une façon délicieuse. Une main s'était tendue vers lui, il n'y eut plus d'attente, l'attente n'avait jamais été.

Sans ouvrir les yeux, comme elle avait vu cette main descendre devant la lampe et se poser sur l'oreiller, ramassant tout un jet de cheveux, elle vit le tremblement de cette main. Elle-même tremblait aussi.

Elle tremblait désormais, n'étant plus l'Agathe que nous connaissions depuis toujours, mais la même changée en femme à qui un personnage va demander quelque chose, sur qui la main d'un personnage peut se poser sans permission, étant

161

tant attendu tout le temps. Et ceci était une Agathe neuve que nous ne pouvions ni connaître ni comprendre parce que l'amour de ceux que nous aimons nous semble une grande honte et un péché mortel — mortel non pas pour eux, mais pour nous, c'est la raison pour quoi il nous est douloureux. Nous pouvons tout accepter d'eux sauf le désir, puisqu'ils nous ont.

Ils préféreraient nous dire; nous aimons mieux ne pas savoir. Ça n'empêche rien. Dans notre dos les choses s'accomplissent. Agathe se débarrasse de sa vieille carapace et devient ce que nous ne pouvons pas voir en elle, même en écarquillant les yeux, c'est-à-dire une femme qu'un homme peut aimer.

Pourtant un homme aime Agathe. Et Agathe aime cet homme de la seule manière que nous sommes incapables de concevoir — j'entends qu'ils font l'amour toute la nuit. Comment vous dire? Je ne sais pas. Ils s'empoignent et gémissent. Ils vont l'un dessus l'autre et se mettent à bouger d'une façon... d'une façon que je ne peux pas imaginer car je la connais trop bien et j'en éprouve de la honte. Si vous savez, dites-moi pourquoi?

Alors ils prononcent les paroles que personne ne nous apprend et pourtant, ce sont toujours les mêmes. Je crois que les muets les disent dans leur tête, et que l'autre les entend. Ils poussent des cris qui n'ont rien d'humain. Nous les poussons aussi, quelquefois au cours de nos vies fragiles, mais les leurs, nous ne voulons pas les entendre. Nous laissons ce faux silence construire un mur de mensonge entre nous, puis chacun va de son côté. Les enfants qui naissent ne seront pas plus généreux. On apprend son amour à soi, plus ou moins; celui des autres reste une noirceur.

On dit mariage, on dit passion : n'importe quoi pourvu qu'il ne soit pas question de ces gestes, de ces essoufflements. Cachez-les, cachez-les, nous avons trop de peine.

— Louis... Louis..., murmurait Agathe.

Nous aurions préféré mourir, la tuer elle de nos propres mains, plutôt que d'entendre cela. Celui qui disait : « Agathe, Agathe je t'aime, je n'ai jamais aimé que toi ! », celui-là, nous ne pouvions pas même admettre qu'il existât. Il existait cependant et disait vingt fois pire, étant ce qui s'appelle amoureux d'elle, qui n'est pas une chose pour nous.

La vie qu'on nous donne est mince et brève, mais nous n'avons pas le droit de la prendre tout entière. Certains aspects sont réservés à d'autres, tandis que leur bonheur nous manque et nous pénètre d'effroi. Agathe aimait Louis et nous ne savions pas rendre cet amour inutile, alors nous l'ignorions. Ils roulaient d'un bord à l'autre du grand lit.

Loin, loin de cet univers de peur et d'adoration, un enfant nommé Théo portait au bout de ses doigts l'empreinte de la clarinette. Il ne parvenait pas à dormir. Le repos ne voulait pas l'accueillir, puisqu'il avait cette marque sur les mains. C'était le milieu de la nuit mais le jour ne pouvait pas se retirer de sa tête. Un feu brillait dans sa mémoire, comme une aurore printanière. Une autre lumière s'approchait, venant de l'avenir, elle lui portait un message. Il se gardait en éveil pour le recevoir en mains propres.

Il avait laissé la clarinette en un seul morceau. Elle reposait sur l'étui ouvert, retenant le plus longtemps possible le tiède de la musique, entre les fibres du bois. Sur les clés de métal, on pouvait lire les empreintes à Théo.

Un fantôme s'en alla de la chambre sur la pointe des pieds. L'enfant avait les yeux ouverts, pourtant il ne s'aperçut pas de ce départ. C'était sa colère qui lui disait adieu. Elle le quittait discrètement, n'ayant plus rien à faire avec lui. Son temps était passé, elle se retirait à reculons, elle allait rejoindre le père dans son tombeau, lui dire qu'enfin son fils lui avait pardonné. Il pourrait s'endormir, à présent, le pauvre Roméo. Non point consolé, car cela n'était pas possible, mais sachant que Théo était à nouveau capable de penser à lui avec bonheur, je veux dire avec du regret et non plus avec du remords. Et la froide poussière de ses os, dans les siècles des siècles, retrouverait un peu de chaleur, se mêlerait de bon gré au levain de la terre.

Enfin la musique s'était déroulée de la clarinette. La muette douleur s'était dénouée et, au lieu d'une plainte, nous avait offert des chansons. La mort du père avait fait artichaut. Après le deuil, la moisson. Les hommes sont comme des graines lancées aux quatre vents.

Quand la clarinette jouerait, avait pensé Théo, Gentil serait là. Le lendemain, à l'heure où Théo revint de chez Breschbuhl, fatigué parce qu'il avait si peu dormi et que c'est une rude épreuve, l'abandon d'une pareille colère, un homme était assis dans la cuisine, le dos à la porte.

— Alors, mon Théo, dit Gentil, tournant paisiblement la tête pour le regarder dans les yeux, comment ça va aujourd'hui ?

MARTHE

histoire des deux bouquets

UN jour nous vivions. Un jour nous étions là. Le monde était beaucoup moins triste puisque nous étions dedans. C'était une grande consolation pour lui et pour nous, je crois. On savait vivre, en ce temps-là. Kramsky fendait le bois, fermait les yeux et respirait des parfums de femmes qui n'existaient pas mais leur parfum existe. Gentil-N'a-Qu'un-Œil, l'ancien marsouin, tirait le printemps derrière soi au bout d'une ficelle invisible. Agathe voyait venir l'amour, il ne vient jamais trop tôt. Et nous, sur le faubourg des Coups-de-Trique, nous marchions bras dessus bras dessous sans nous lasser. Nous aurions pu user les deux trottoirs, si on nous en avait laissé le temps.

Dans son échoppe, rue Quand-Même, le pauvre Roméo était pauvre, mais pas encore si pauvre qu'à Brasse. Et il chantait en travaillant :

> *Las de t'attendre dans la ru-eu*
> *J'ai lancé deux petits pavés...*

Nous avions rajeuni ce monde, nous l'avions attendri. Ce vieux faubourg assoupi, crevé, nous lui avions donné du cœur au ventre. Il retrouvait ses vingt ans. Il valsait, mon ami ! Quelquefois en été, quand les nuits étaient étouffantes, les fenêtres du Luxhof restaient ouvertes et la musique allait se promener dans la rue, enlaçant les filles qui n'avaient pas osé entrer.

L'après-midi du dimanche, si l'hiver est venu et que le ciel reste clair, nous nous promenons encore. On monte au Salbert, derrière chez nous, poussant une fois jusqu'aux prairies penchées qui se laissent glisser vers Bas-Evette et les étangs. On va au Bois-Joli. Au square Jean-Jaurès en passant devant Saint-Joseph, puis rue Pasteur pour longer le grillage noir de la Belfortaine, puis rue de Mulhouse qui fut une des rues les plus vides de Belfort parce qu'elle est à la frontière du faubourg et de la ville des riches. On prend l'avenue des Trois-Chênes pour aller sous le Mont, cette triste rue d'usine où les arbres ont l'air d'être au cimetière. On rentre par un autre côté, peut-être avenue de Dornach, le long du D.M.C. et des gazomètres — encore une à qui on ne permettra pas de conserver son nom. Et ce ciel des dimanches est un ciel incolore et lointain qui n'est pas posé directement sur nous, restant suspendu à bonne distance. Et quand on part on ne va nulle part, et quand on rentre, c'est comme si l'on n'était jamais parti.

Mais vous rencontrez Gentil, ici ou là. En ce temps-là, notre ville était faite de telle manière que si vous aimiez quelqu'un et s'il vous aimait en retour, vous ne pouviez manquer de croiser son chemin à un moment donné du dimanche, et l'on savait alors à quoi servaient les dimanches. C'était à se rencontrer les uns les autres et à s'aimer plus qu'avant une fois qu'il fallait se quitter, car la nuit commence à tomber.

Un jour nous vivions parmi tout cet amour, nous étions un petit morceau de lui, on n'en demandait pas davantage. Gentil et son printemps éclairaient toute la terre qui va des cycles Alcyon à l'entrée dc l'U.S.B. Il était revenu des colonies, c'était une autre personne. Ayant achevé le quatre centième de ses quatre cents coups et tiré un trait là-dessus. Ayant terminé ses folies mais n'ayant pas dit adieu à sa jeunesse et sa jeunesse lui en était reconnaissante, alors elle devait rester longtemps avec lui. Elle habitait dans son cœur et dans sa clarinette, nous profitions de sa chaleur. Un Chinois, dit-on, avait appris la clarinette à Gentil. Mais ça ne sert pas à grand-chose d'apprendre un instrument, il faut déjà savoir avant.

Gentil était venu au monde et après l'avoir regardé un instant, ayant des yeux pour voir, il n'avait pas jugé qu'il fût bien fait. Tel n'était pas, cependant, l'avis de son propre père, qui battait Gentil pour lui enfoncer dans le crâne que le monde est bien assez bon comme ça et que les honnêtes gens doivent le prendre tel qu'il est. Mais le fils n'entendait pas le raisonnement de son père. Un jour, il lui saisit le poignet et arrêta sa main. Oh ! il le fit sans haine, n'allez pas croire. Il voulait seulement montrer à son père qu'il avait un autre jugement que lui sur le monde, et que les coups n'y feraient rien. Mais le père ne comprit qu'une seule chose : c'est qu'il n'était plus de force à battre son fils si celui-ci ne voulait pas être battu. Alors il se mit à pleurer comme un enfant, cachant sa figure avec son coude. C'était un grand espoir qui s'en allait. C'était un grand orgueil auquel il fallait dire adieu. Ses épaules tombèrent et il devint un petit vieux presque instantanément. Un radoteur. Une loque. Il raconta que son fils avait levé la main sur lui. Qu'il projetait de l'assassiner dans son lit, et il ne pourrait jamais plus dormir. Comme on ne l'écoutait guère, il se confia à la bouteille et roula dans le caniveau. Le faubourg lui attribua un sobriquet peu flatteur, ce qui ne fit qu'attiser la révolte du jeune homme.

Pensez à cela : le père croyait que Gentil avait tourné brigand, simplement parce que celui-ci ne pouvait pas se faire à la briganderie du monde. S'il vous reste un peu de cœur, vous savez bien que la révolte, c'est ce qui distingue les bons des mauvais. Le père aussi avait su cela dans sa jeunesse — c'est un savoir répandu dans le faubourg — mais il l'avait oublié. Il l'avait oublié comme on oublie toujours les vérités premières : parce qu'il est plus facile de vivre sans elles, quand on n'est pas du bon côté du manche.

Gentil avait essayé d'expliquer tout ça posément à son père, mais le vieux n'écoutait pas. Tout voûté, il le surveillait par en dessous. Il tremblait de frousse, et puis à cause du vin. Alors Gentil avait plaqué son travail. Il n'avait même pas prévenu le contremaître : il était parti s'engager. Soudain, il ne voulait plus de cette existence, où la révolte est tout ce qui vous reste, et malgré tout, on essaie de vous l'ôter par tous les moyens, ainsi qu'on l'avait ôtée à son vieux père, surnommé « Le Baigneur » parce qu'il finissait la soirée dans le ruisseau. Il s'enrôla pour la colonie, espérant ne plus jamais revenir. Et le fait est qu'au début, il se crut délivré pour toujours des usines et de la tristesse du faubourg.

Il fut vite un héros parmi la bleusaille. Puis les anciens lui firent une place à côté d'eux. Il était fort, increvable, courageux, fier, généreux, impertinent. Il ne se laissait jamais marcher sur les pieds, mais il était incapable de rancune et ne pouvait supporter l'injustice. Plus d'une fois, il se fit mettre au trou pour avoir ouvert sa grande gueule. Aussitôt qu'il était sorti, il recommençait à dire ce qu'il avait à dire. C'était comme ça.

Si vous lui aviez vu l'air, avec son habit de marsouin! Il y a des colonels, dans leurs chamarrures, qui n'avaient pas meilleure figure que lui. Sans parler de la paire de bacchantes! Quand le régiment défilait, on ne voyait que lui. Le commandant Point le fit placer au premier rang et les niaquoués se le montraient du doigt en poussant des cris perçants et en se mettant à courir en rond : on aurait dit une statue que les autres soldats portaient en procession.

Dans les embuscades, il avait l'air d'être à la noce. Il bénissait les salopards à grandes giclées de mitrailleuse, riant comme on rit sur les manèges de la fête. En permission, c'était un ouragan. Aucun pari n'était trop fou pour lui. Il buvait comme un trou, c'étaient les autres qui roulaient sous la table. Il aimait trois femmes en même temps et n'en aimait aucune autant que l'amour, qu'il aimait d'une façon gaie. Et si l'on annonçait la police, il soulevait une grande table de cabaret au-dessus de sa tête comme s'il se fût agi d'un sac de plumes.

À cette glorieuse époque, il n'était pas loin de penser que ceux qui végétaient au fond des ateliers étaient de fameux gogos. Il lui arrivait de se demander si Belfort n'était pas un endroit purement imaginaire, un pays de roman. Alors il riait très fort sans pouvoir s'arrêter. Il se passait de sommeil pour rire tout son saoul et plusieurs restaient à rire avec lui, songeant vaguement à lui demander de quoi on avait ri, quand le petit jour serait là. Gentil pensait avoir découvert la façon de dompter le monde et de parler plus fort que lui. Il se gaspillait joyeusement, jetait sa vie par les fenêtres et pourtant ne parvenait pas à l'entamer le moins du monde. Au contraire, il rajeunissait de jour en jour. Les étourdissements de la boisson, des femmes, de la jungle, des combats, des cartes, des sottises, des frasques sempiternelles, c'étaient autant de bains de jouvence. L'opium lui-même ne mit pas une seule ombre sur son esprit ni sur son corps. Gentil était devenu un vrai dieu. Dieu de force, d'insouciance, de farce, de verve et de futilité. Belfort, enfin, n'avait jamais été.

Puis il se réveilla dans la nuit, s'aperçut qu'il avait les yeux grands ouverts et que ses yeux regardaient Belfort, qui était au bout du monde, mais qui n'avait jamais cessé d'être là — et il l'avait toujours su; on n'enlève pas les villes comme ça, on n'enlève pas les hommes graves qui sont enfermés à triple tour dans l'oubli des dieux hilares.

Tout fut très vite terminé. Il comprit que cette farandole tonkinoise d'aventures et de folies n'était pas une vie d'homme, mais un hochet fabriqué pour des enfants. Quand on a fini de l'agiter, il n'y a plus qu'une chose à faire, c'est de recommencer. Si l'on recommence tout le temps la même chose, où est l'aventure, où est la folie ? Un jour, il faut bien que les enfants grandissent et, pour Gentil, ce jour était venu.

Il resta gai mais, désormais, fut tranquille et presque réservé. Sans rien perdre de sa bravoure, il se comporta avec prudence dans les batailles. Un autre que lui devint la coqueluche du régiment et Gentil, sans amertume et sans dédain, le vit réinventer les mêmes facéties, les mêmes arrogances, les mêmes miracles puérils qui avaient fait sa renommée. Tout indulgence, il souriait paternellement.

Gentil roula encore un peu sa bosse sur les

mers, participa la tête froide à des bordées formidables. Il avait juré naguère : « Je rempilerai. » Lorsque son engagement prit fin, il ramassa sa prime et puis s'en retourna chez nous.

Entre-temps, ses parents étaient morts. Sa sœur Zabeth s'était mariée à un fraiseur. Comme le ménage habitait au large dans les cités, Gentil accepta de prendre une chambre dans leur maison, en échange d'une certaine somme qu'il leur remettrait chaque mois et qui paierait aussi sa nourriture. C'était un arrangement avantageux pour tout le monde. Quand les enfants naîtraient, on verrait bien si Gentil pouvait rester ou non.

Lui qui avait fui la condition d'ouvrier, il accepta un poste de manutentionnaire à l'Alsthom (on dirait alors la Société Alsacienne). Manutentionnaire, c'est à peu près ce qu'il y a de plus bas dans l'échelle, tout juste au-dessus des femmes de charge. Mais Gentil ne se sentait pas humilié par sa fonction. C'était comme si elle fût une chose et que sa vie en fût une autre qui n'avait rien à voir. Il fut sans doute le premier d'entre nous à penser qu'un homme n'est pas obligé de se confondre avec son travail, si ce travail est une chose qui vaut moins que lui. Et d'ailleurs, personne dans le faubourg ne songeait à Gentil comme à un manutentionnaire de l'Alsthom, même pas ceux qui travaillaient à ses côtés toute la journée.

Gentil ne tenait pas beaucoup de place dans la maison de sa sœur, aimant à se promener dans les rues plutôt que de s'installer devant la T.S.F. Et si quelqu'un venait voir Zabeth et son mari, il se retirait discrètement dans sa chambre, disant qu'il avait à faire. Ou bien il mettait sa casquette et sortait en griller une dans le jardin. Il y a toujours quelque chose à regarder dans un jardin.

Les soirs étaient bruns ou gris. Il y a toujours un ciel qui passe et qui vaut la peine, parce qu'il ne repassera plus. Gentil demeurait un long moment le nez en l'air : il avait des images devant les yeux, puis d'autres derrière, qui devenaient cependant les plus fortes s'il restait assez longtemps, accoudé à la barrière.

Cependant, quand une certaine personne venait, Gentil s'attardait dans la cuisine, sa casquette à la main. Avant de se marier, Zabeth avait eu une meilleure amie, une fille de son atelier qui s'appelait Marthe Schultz, puis elle s'était mariée aussi et son nom était autrement, mais Marthe lui était resté, bien entendu.

Marthe avait été enceinte et quand Gentil était revenu du Tonkin, une petite fille était née. Marthe et son mari cherchaient un prénom pour elle et Zabeth avait dit : « Pourquoi pas Agathe ? » Elle avait dit ça comme elle aurait dit autre chose, mais le mari de Marthe avait eu le coup de foudre pour Agathe.

— On vous invitera au baptême ! avait-il promis à la sœur et au beau-frère de Gentil, en guise de remerciements.

Zabeth avait éclaté de rire (tout la faisait rire, en ce temps-là) :

— J'espère qu'on sera aussi invités à la noce ! Ce sera sûrement une belle fille...

— Evidemment ! avait répliqué le mari de Marthe. Avec un nom pareil !

Lui-même portait un joli nom, Roméo, seulement c'était un nom presque un peu trop beau pour lui, comme lorsqu'on a un habit neuf dans une fête où tous les autres sont venus comme ils étaient.

Je disais donc, Gentil revient du Tonkin. Habite chez sa sœur. Voit cette Marthe qui fut la meilleure amie de sa sœur. Et maintenant ce sont deux dames, dont l'une a un enfant et l'autre, ça ne va pas tarder. Elles ne travaillent plus dans le même atelier, mais elles se rendent encore de petites visites, des visites de dames qui ne sont plus tout à fait comme des visites de meilleures amies (c'est qu'on n'est pas tout le temps la même personne à mesure qu'on vit).

Gentil garde sa casquette à la main et il demeure encore un peu avec ces dames, quoiqu'elles ne disent rien qui puisse l'intéresser. Parfois même elles ne disent rien du tout; elles regardent des endroits différents de la cuisine et elles sourient. Pourtant, il n'arrive pas à s'en aller. Ce qui le frappe surtout, c'est l'espèce de réserve qu'il y a chez cette Marthe. Ça n'a rien à voir avec de la timidité, c'est autre chose. Cette chose-là intrigue Gentil.

Le regard de Marthe est paisible. Les traits de son visage restent presque toujours à la même place. Zabeth rit pour un rien. Même quand elle ne rit pas, sa figure a l'air de s'apprêter à rire; on dirait qu'il y a des bulles qui pétillent sous la peau. Admettons que Marthe se mette à sourire, ce qui n'est pas très souvent : une clarté se répand autour de ses lèvres et monte jusqu'aux yeux où elle tremble un instant, c'est tout.

La plupart des gens, songeait l'ancien marsouin, portent leur lumière à la surface de leur peau, espérant éblouir autrui. Tandis que cette Marthe conservait la sienne à l'intérieur de soi, retirée tout au fond, à l'abri des regards indiscrets et des coups de vent imprévus. Sa lumière demeurait en deçà des gestes et des paroles, si bien que vous ne pouviez pas, vous approchant d'elle sournoisement, la souffler comme une chandelle. Et vous ne pouviez pas davantage vous

173

chauffer à elle sans que Marthe vous en ait donné la permission.

Faisant une comparaison avec la clarinette, qui cache les feux de la musique sous un aspect glacé, Gentil croyait deviner derrière le silence de la jeune femme, derrière ses réactions lentes et à peine esquissées, toute une profondeur de vie, une richesse et une gravité de sentiments telles qu'on n'en rencontre pas souvent. Immobile contre l'évier, il était fasciné par cela.

Et il songeait encore :

Sa jeunesse, ce qu'il pouvait y avoir en elle de souple et de joli, n'étaient pas des choses auxquelles Marthe accordait une grande importance, contrairement aux autres femmes. Ces choses étaient une partie d'elle, simplement, que l'autre partie, celle qui abritait la lumière, considérait avec froideur ou même ne considérait pas du tout, ayant peu de goût pour ces futilités. L'autre partie traversait les paysages du corps et les époques de la vie sans y faire autrement attention, car elle avait les yeux fixés non pas sur ce qui change, mais sur ce qui persiste.

Gentil voyait bien que pour elle ce qui dure sans histoire était mieux que ce qui émerveille et s'éteint. En fait, Marthe détestait tout ce qui n'est pas sûr et peut faire l'objet d'une controverse. Elle haïssait qu'on se dispute et même qu'on ne soit pas d'accord. Elle préférait encore les mensonges ou bien que chacun reste chez soi. Parmi nous, d'autres que Gentil tiraient de cette attitude des conclusions peu flatteuses pour la jeune femme. J'ai entendu dire dans le faubourg que Marthe n'avait ni caractère ni personnalité. Sans imagination et sans désirs. Timorée. Obtuse. Aveuglément soumise à l'ordre des choses. Pour Maximilien Schultz, par exemple, sa sœur n'était pas beaucoup plus qu'une moule, ainsi que le prouvait notamment à ses yeux son ridicule mariage avec un avorton sans le sou. Mais Gentil, lui, envisageait les choses d'une manière différente. Il ne s'intéressait qu'à cette lumière, ce mystérieux mélange d'absence et de force invincible. Et comme il y songeait à nouveau, les jours redevenaient longs.

Il faisait beau blond, beau roux dehors. Gentil traînait dans la cuisine, si cette Marthe y était, ne trouvant pas grand-chose à dire, car il craignait de lui paraître bête, mais satisfait de voir qu'elle ne parlait pas non plus, ou si peu que rien.

Puis il ne savait plus comment faire pour sortir sans avoir l'air impoli, alors il restait jusqu'à ce que la jeune femme se lève, remonte le bébé contre sa poitrine et s'en aille. Pendant qu'elle embrassait sa sœur, il se tenait près de la porte, tournant sa casquette entre ses mains et se rongeant secrètement les sangs, car il ne savait pas ce qui était le mieux : proposer à Marthe de la raccompagner jusqu'à la rue d'Aspach, ou bien montrer la même discrétion qu'elle et la laisser partir avec l'enfant, au risque qu'il n'y ait personne pour lui venir en aide, si jamais elle avait besoin de quoi que ce soit.

Gentil était très préoccupé de ce qui pouvait arriver à cette Marthe.

Un soir quand la porte se fut refermée sur elle, il dit à sa sœur, sur un ton dégagé :

— J'aurais peut-être dû aller avec elle, non ? Elle était chargée, avec ce cabas et la gamine...

Zabeth ne se détourna même pas de son épluchage.

— Avec Marthe ? Tu rigoles ! Elle était haute comme trois pommes, elle traversait la ville avec des paquets de blanchisserie que son Roméo n'arriverait même pas à soulever !

Elle éclata de rire à cette évocation. Gentil, qui n'avait pas encore rencontré le pauvre Roméo, ajusta sa casquette et sortit voir le jardin. Poudre blonde et poudre rousse. Poudres du soir et solitude.

« C'était un vrai trou à rats, ce logement qu'ils avaient rue d'Aspach à leurs débuts, devait dire plus tard l'ancien marsouin à Théo. Mais il faut voir comment ils avaient arrangé ça ! Le père Schultz et la Mémère les avaient aidés, bien entendu. A l'époque, ils n'habitaient pas encore ensemble. Ton Papy avait retrouvé son poste aux Galeries Modernes en revenant de la guerre : il n'y avait pas meilleur conducteur de camion à chevaux dans tout Belfort... »

Ils marchaient le long du quai le plus triste, celui qui passe derrière Sainte-Marie et le café d'Alsace et qui a tout le temps l'air d'avoir eu un malheur. Gentil disait qu'en réalité, c'était le meilleur quai, parce que c'était celui d'où l'on pouvait voir le quai d'en face, avec les arbres et les façades des maisons riches. Mais personne ne faisait le même raisonnement que lui et vous étiez toujours seul sur le quai triste.

Gentil parlait des rues et des endroits, comme il avait aimé le faire lorsque Théo était petit garçon et croyait que Belfort était le monde entier. Et Théo l'écoutait comme autrefois, avec attention, amour et respect. Il n'avait pas besoin de poser de questions.

— Et ton père, reprenait Gentil, louait déjà la petite boutique de la rue Quand-Même. C'est pour ça qu'ils ont déménagé pour la rue des Prés quelques mois avant ta naissance. C'était plus près. Et puis, c'était plus grand. A l'époque, ils avaient décidé de prendre les parents avec eux — les parents de ta mère; les autres, je ne les ai pas connus...

— C'était le grand-père Joseph, dit Théo. Il vivait dans la montagne, après Belfahy.

— Oh! oui, dit Gentil. J'en ai entendu parler. Un vieil ours, entre nous soit dit.

— Tout ce que je me rappelle, dit Théo, c'est qu'il n'enlevait pas son chapeau.

Ils se turent. Au bout du quai triste, la route fait un coude pour rejoindre la place Corbis, on passe devant les magasins Alkan.

Il pouvait être dans les 7 heures du soir, un samedi. On se trouvait dans les commencements du mai. Mai 42. Théo avait quatorze ans. Ou bien il allait les avoir bientôt, je ne sais plus exactement.

— Ecoute voir, fit-il à Gentil. J'aimerais bien jeter un coup d'œil à la maison, rue d'Aspach. Je suis déjà passé par là, mais je n'ai pas fait attention. D'ailleurs, ils ne m'ont jamais dit quelle maison c'était.

— Oh! Y a pas à se tromper! dit Gentil. Il n'y en a qu'une seule d'habitable et c'est la plus noire de tout le coin! Quand on débute dans la vie, on ne va pas faire la fine bouche.

En ses années de jeune femme, Marthe était un mystère pour Gentil, mais pas pour elle-même. Pour Marthe, personne n'était un mystère et la vie était une chose habituelle.

Rue de Wesserling, où habitait Zabeth, on était à deux pas de la rue Voltaire. Au bout de la rue

Voltaire, de l'autre côté de la rue de Mulhouse, il y avait la rue d'Aspach.

Marthe couchait la petite. Marthe préparait le souper, attendant son époux Roméo, chétif et bon, qui rentrait tard car il avait du travail en ce temps-là, étant habile en son métier.

1922. Les années folles ne nous ont pas semblé si folles que ça. Elles nous ont semblé dures et précieuses comme sont toutes les années pour ceux qui restent. En 20, les artilleurs nous avaient chargés sabre au clair, Auguste Heim était mort d'une balle dans le cou, Joseph Stoecklin avait reçu une lame à travers le corps (il habitait le faubourg, naturellement, au 122). Ce qu'ils ne savaient pas, les canonniers et les gendarmes, c'est que quelques-uns d'entre nous cachaient des pistolets sous leur blouse. On en a mouché deux comme ça, ce qui ne veut pas dire, hélas, que les autres n'y reviendront plus.

Belfort était en train de prendre le visage que Théo lui connut lorsqu'il vint au monde. Il faut bien l'avouer, sur le moment, nous étions plutôt fiers de tous ces chamboulements. Nous constations que Belfort ressemblait de plus en plus à une vraie ville, au lieu d'une prairie semée par-ci par-là de petits tas d'immeubles. Alors nous étions contents. Ce qu'on ne voyait pas, c'est que ces transformations n'auraient plus de fin et bientôt, c'est à notre âme qu'on s'en prendrait. A force de changer les choses, on change les gens : on ôte un sentiment qui était en eux et qui les aidait puis, à la place, on jette une poignée de cendres. Les gens deviennent gris du dedans et n'ont plus qu'à s'en aller.

C'était un avorton, le pauvre Roméo. Oui, peut-être bien que c'en était un, si vous tenez absolument à employer ce mot-là. N'empêche qu'il avait soulevé Marthe dans ses bras pour lui faire franchir le seuil de ce logement, d'un seul mouvement triomphal et gai, et qu'il aurait pu la tenir et l'emporter ainsi à travers toutes les années de leur bonheur, qui furent des années courtes, mais des années lentes et magnifiques.

Ce que fut leur amour, il faut le dire doucement, car c'était un amour à voix basse. Ce que fut leur premier baiser, nous l'ignorons, n'ayant pas été conviés à tenir la chandelle. Et si ç'avait été le cas, cependant, nous aurions sûrement détourné la tête. Il y a les baisers à rire, à crier des sottises aux amoureux. Et puis les baisers à se taire, ces baisers qu'il ne faut même pas faire semblant d'avoir vus. Quand ils ont lieu, vous devez regarder par terre, comme à la messe à un moment donné. Ce sont les vrais baisers : si vous les observez, un sourire moqueur au coin des lèvres, les gens peuvent mourir.

Marthe et Roméo ne s'étaient pas tombés dans les bras. Ils avaient seulement glissé l'un vers l'autre. Insensiblement, comme dans la chanson. La première fois qu'ils se rencontrèrent, ils se virent à peine. La jeune fille Marthe ne prêtait pas grande attention aux hommes, non par timidité ou par indifférence, mais parce qu'elle répugnait à toutes ces comédies d'œillades et de tortillage des fesses, comme vulgaires et humiliantes. Elle avait la certitude qu'un homme la marierait, le mariage étant dans l'ordre des choses, alors elle n'avait pas à se tracasser pour ça, et encore moins à se manquer de respect. Le pauvre Roméo ne regardait les filles qu'avec précaution, craignant que son regard ne les abîme. Il se souvenait de cette Manuella, ou autre, qui avait été sa mère sur la montagne : le regard d'un homme l'avait tuée en ne faisant rien d'autre que de ne pas la voir, tandis que le silence froidissait et durcissait autour d'eux.

Ils se croisèrent rue de l'Industrie (rebaptisée rue de Lille quelques années plus tard). Marthe donnait le bras à une amie. Roméo marchait au côté d'un garçon qu'il connaissait. Il se trouvait que l'amie de Marthe était la cousine de ce garçon. Cela se passait en 18, le jour de l'Armistice.

Marthe Schultz ne voulut pas aller au bal de l'Armistice, son père n'étant pas rentré du front. Roméo, qui avait été renvoyé à l'arrière, puis démobilisé quelques mois plus tôt, parce qu'il était toujours malade, jugea plus convenable de ne pas y paraître lui non plus. Si bien que les futurs époux, s'étant à peine aperçus, furent six mois sans se revoir.

Et pendant ce temps-là, Marthe était sans rêver d'homme. Elle demeurait patiente et sage, ne laissant pas les tourlourous lui saisir la taille sous prétexte qu'ils avaient rabattu son caquet à Guillaume. Durant ce temps-là, Roméo pensait à sa mère, à la tendresse qu'elle avait eue pour lui et à son sacrifice, lorsqu'elle l'avait poussé à fuir la ferme perdue dans les nuages avec le réparateur de vaisselle ambulant.

La deuxième rencontre de Marthe avec ce petit homme étrange et doux, qui déjà semblait sans âge, eut lieu le jour où une voisine des Schultz, tombée malade, pria la jeune fille d'aller chercher une grande cuvette de faïence chez un artisan du faubourg des Vosges à qui elle l'avait donnée à raccommoder. Quand on habite la vieille ville, normalement, on ne va pas s'adresser à des ouvriers du faubourg. Mais cet homme-là était vraiment le meilleur de Belfort dans sa partie. Et pas plus cher qu'un autre, avec ça.

Arrivée à la minuscule boutique de la rue

Quand-Même, un soir en sortant du D.M.C., Marthe fut tout étonnée de voir devant l'établi un personnage qui lui disait vaguement quelque chose. L'artisan, lui, la reconnut immédiatement, ayant une mémoire vive des jeunes filles et des femmes car il ne posait pas les yeux sur beaucoup, en dehors de ses clientes et des passantes de la rue; et toutes lui rappelaient d'une certaine façon sa mère de la montagne. Il sourit à la visiteuse, puis il se rembrunit et toussa, craignant d'avoir été indiscret. Mais elle, Marthe, ne s'était pas effarouchée le moins du monde de ce sourire, qui était un vrai sourire et non pas cette grimace que certains hommes font aux femmes dans un but malhonnête. Par conséquent elle sourit de la même manière et comme Roméo se trouvait bête de faire le digne quand on était si aimable avec lui, il se remit à sourire. Sur quoi Marthe se demanda ce qu'ils avaient tous les deux à sourire comme des imbéciles dans cette sombre échoppe et elle commença à froncer les sourcils, toussotant derrière son gant. Alors le pauvre Roméo vit comme sa main était petite et, ma foi, ce n'était jamais qu'une petite main enserrée dans un gant, mais il en eut froid dans le dos. Puis le froid cessa et Roméo ne songea certainement pas à tomber amoureux. Il n'y avait jamais vraiment songé.

Ce qu'était au juste l'amour, ni lui ni Marthe ne le savaient. Ils s'en faisaient des idées qui vous feraient sourire, si je vous le disais. Beaucoup d'entre vous les trouveraient niaises, touchantes ou saugrenues. Mais c'étaient des idées d'autrefois, qu'on avait chez les pauvres. Des idées modestes et solennelles. Un peu ce même genre d'idées qu'on rencontrait alors dans les livres d'école. Je dirai seulement que pour Marthe, l'amour était d'abord une chose raisonnable. Pour Roméo, c'était une sorte de grâce dont il fallait se rendre digne.

Forts de ces croyances, ils furent encore plusieurs mois sans soupçonner qu'ils s'aimaient. Pourtant, ils avaient désormais l'occasion de se voir presque tous les jours.

Voici comment la chose était arrivée. Les Galeries Modernes avaient ouvert pour leur clientèle un service de réparation de vaisselle. Mais le magasin ne réparait rien lui-même. Il donnait les choses au pauvre Roméo et c'était Papy qui était chargé d'aller les lui porter avec le camion, puis de les reprendre une fois qu'elles étaient arrangées.

Il se trouva qu'Elysée Schultz sympathisa tout de suite avec ce jeune homme prématurément vieilli, déjà un peu voûté, mais qui conservait à travers sa gravité un regard plein d'indulgence et de candeur. On voyait bien que la vie l'avait blessé cruellement. Mais il ne montrait aucune amertume et n'en profitait pas pour se venger sur autrui de ses propres malheurs. Il respirait la franchise, la bonté. On sentait que pour lui, il n'était pas vain d'espérer que les hommes deviennent un jour meilleurs.

Au premier abord, Roméo pouvait paraître d'un caractère renfermé, mais si l'on prenait la peine d'échanger quelques paroles avec lui, autres que bonjour et bonsoir, cette impression se dissipait aussitôt. Elysée Schultz avait été conquis par la simplicité de son langage et la profondeur de ses remarques, qui montraient un homme réfléchi, épris de justice et de dignité. Et Roméo, de son côté, avait aimé les façons chaleureuses de cet homme et sa façon de parler du travail manuel et des outils, si proche de la sienne, de ce parler qu'il faisait résonner dans sa tête, mais qu'il n'avait encore pu faire entendre à personne depuis qu'il avait été séparé du réparateur de vaisselle ambulant, son maître, l'année de ses dix-huit ans. En fait, presque tout ce que l'un disait éveillait en l'autre un écho. Parfois une simple vibration fugace, d'autres fois toute une symphonie de souvenirs et de sentiments. Aussi n'avaient-ils pas besoin de se dire grand-chose pour se tenir de longs discours. A peine s'étaient-ils flairés qu'ils s'étaient reconnus. Ils appartenaient à la même race d'hommes, une race de justes désarmés, vaincus par l'ironie du sort et leur propre obstination à ne pas tricher. D'un côté, Papy Schultz, qui n'était encore le papy de personne, mais seulement un homme que les hasards de l'existence avaient chassé de plus en plus loin de son pays natal, du métier qu'il s'était choisi et des espoirs qu'il avait placés dans l'avenir, quand le présent était morose. De l'autre côté, ce pauvre Roméo, initié au grand mystère de la tendresse par une femme terrorisée, et qui n'était pas rentré à temps pour empêcher celle-ci de s'éteindre, et qui était redescendu en ville, voyant alors la méchanceté tenir le haut du pavé et ne parvenant pas à l'admettre. Deux êtres nés en lisière des forêts, à l'égard de qui les cités, d'instinct, s'étaient montrées hostiles. Des hommes dont toute l'existence n'avait été et ne serait plus qu'un rapetissement. Ils se connurent à cela surtout, quoiqu'ils n'y firent jamais allusion, ni alors ni plus tard. Elysée Schultz comprit que le réparateur de faïence était une personne en exil, comme il l'avait été lui-même et comme il le restait au fond de son cœur. Le réparateur de faïence vit qu'Elysée Schultz le comprenait et sut immédiatement pourquoi. Aussi eurent-ils encore moins besoin de discuter ensemble. Mais ils aimaient se voir et, un jour, Papy fit ce qu'il n'avait jamais fait auparavant : il ramena un ami à la maison.

Quelle ne fut pas la stupéfaction de Marthe en découvrant dans la cuisine, alors qu'elle revenait des courses, ce type qui, décidément, n'arrêtait pas de surgir devant elle comme un diable d'une boîte !

— Tiens ! voilà notre fille Marthe, dit Papy, tout fier. Entre, Marthe, n'aie pas peur ! Je te présente un des meilleurs artisans de Belfort, et peut-être pas seulement de Belfort !

Roméo avait bondi de sa chaise, le visage cramoisi.

— Nous nous connaissons déjà, bredouilla-t-il. Enfin, c'est-à-dire...

Il y eut une brève explication de Marthe. Papy, Mémère et Roméo étaient enchantés de toutes ces coïncidences. La jeune fille disait que ça n'avait rien de tellement bizarre après tout, Belfort n'est pas une si grande ville.

— Ecoutez, dit Mémère, pourquoi est-ce que vous ne resteriez pas souper avec nous, monsieur Roméo, si vous aimez les kenpfles ?

— Bien sûr ! fit Papy. Mais quand même, on ferait mieux de lui demander s'il n'a pas déjà rendez-vous quelque part. Il a peut-être une fiancée ou quelqu'un, cet homme. Ou bien il se proposait d'aller faire une petite partie avec des copains...

Dans sa tête, le réparateur de faïence n'arrivait pas à décider ce qui était le plus impoli : se précipiter sur l'invitation ou bien la décliner en utilisant un prétexte fallacieux car il n'avait ni fiancée, ni copain, ni personne (à l'exception d'un vieux père mauvais vissé sur la montagne, qui tournait à peine la tête vers lui quand il montait

184

le voir). Il parvenait si peu à cacher son embarras que c'en était à la fois comique et touchant.

Comme de bien entendu, ce fut Mémère qui vint à son secours :

— Allez, monsieur Roméo, dites-le donc que vous avez envie de goûter à mes knepfles !

— Ah ! c'est qu'elles sont fameuses ! s'écria Papy avec conviction.

Mémère fit les gros yeux :

— Voulez-vous vous taire, Elysée Schultz ! Qu'est-ce que M. Roméo va penser !

M. Roméo ne pensait plus. Il avait les larmes aux yeux et se retenait pour ne pas se précipiter sur ses hôtes et les embrasser comme du bon pain.

Marthe s'affairait entre la cuisine et le reste du logement. Le réparateur de faïence n'osait pas non plus la suivre des yeux. Il bafouillait des politesses et des excuses, au lieu de dire une bonne fois s'il restait ou s'il fallait qui s'en aille.

— Allez ! mange donc avec nous ! fit Papy — et c'était aussi la première fois qu'il tutoyait Roméo.

— C'est à la fortune du pot, comme on dit, précisa Mémère, mais c'est de tout cœur, vous savez !

Elle aussi était émue : depuis qu'ils habitaient rue Sur-l'Eau, ils n'avaient jamais eu l'occasion d'inviter quelqu'un à leur table.

— Je vais préparer quelques crêpes, dit-elle encore.

Et pour vaincre les scrupules que le réparateur de faïence aurait pu avoir :

— Ça n'est rien du tout à faire !

Elle sortait déjà la farine du buffet.

Alors Roméo n'eut même pas à accepter l'invitation : il était entendu qu'il restait. Il ouvrit la bouche pour se confondre en remerciements, mais Papy, sortant son porte-monnaie de sa poche, lui coupa délibérément la chique.

— Tiens donc, Marthe, dit-il en tendant un billet à sa fille, va-t'en voir chez le père Peter nous prendre un sylvaner ou quelque chose : ce n'est pas si souvent !

Du coup, le pauvre Roméo ne savait plus où se mettre.

— C'est moi qui paie, alors ! fit-il d'un ton suppliant, commençant fébrilement à se fouiller.

— Teu-teu-teu ! s'insurgea Mémère. J'aimerais bien voir ça, par exemple !

Et Papy, affectueusement :

— Tu viendrais me chercher des noises dans ma maison ?

Roméo fut contraint de se rasseoir. De toute façon, Marthe s'était déjà envolée avec l'argent.

Ils mangèrent les knepfles de grand appétit et burent le sylvaner précautionneusement. A la fin du repas, après que chacun eut complimenté Mémère sur ses crêpes, il en restait encore près d'un tiers dans la bouteille. Mémère remit le bouchon en place et rangea le sylvaner dans le haut du buffet, là où l'on mettait aussi les restes de tarte et les verres du dimanche.

Par respect pour toutes ces bonnes choses, on n'avait échangé que quelques paroles. Et puis, pour des raisons différentes, chacun se sentait un peu intimidé. Même la jeune fille Marthe, qui acceptait tous les événements comme ils venaient et ne se laissait démonter par rien, ne parvenait pas à considérer la présence de l'artisan en face d'elle comme une chose ordinaire et banale. Elle ne pouvait s'empêcher de l'observer à la dérobée, profitant de ce qu'il avait la tête tournée pour sourire à son père et sa mère. Quel âge pouvait-il avoir ? Trente ? Trente-cinq ? Plus ? Certainement pas moins de trente, en tout cas. Et ce qu'il pouvait être maigre, Jésus! Ça n'était certainement pas tous les jours qu'il mangeait des knepfles, cet homme-là! Il était gentil, en revanche; on voyait tout de suite qu'il n'aurait pas fait de mal à une mouche. Et puis timide avec ça, vous auriez dit une fille! Comme il se troublait pour la moindre chose, non! Ça valait dix!

Mémère servit le café, remplissant à ras bord la tasse de l'invité.

— Et vous n'avez jamais songé à vous marier? lui demanda-t-elle à brûle-pourpoint.

— Et de quoi je me mêle! s'exclama Papy avec bonne humeur. Tous les hommes ne sont pas fous!

Mémère tendait le sucrier au réparateur de faïence, le dévisageant attentivement avec le plus grand sérieux.

— Je suis sûr qu'il ferait un bon époux, murmura-t-elle d'une voix pénétrée.

Marthe riait. Le père Schultz se tapait joyeusement les cuisses — « C'est bien des femmes, ça, tiens! » — pendant que Roméo cherchait refuge dans sa tasse de café, se brûlait le gargouillot et répandait un peu de liquide sur son plastron.

— Je vais vous enlever ça, dit Marthe.

Elle mouilla un linge propre et se mit à frotter les taches. Roméo, les joues en feu, regardait droit devant lui, c'est-à-dire par-dessus le chignon de Marthe penchée sur son plastron, et ce chignon, qui parfois venait lui frôler les narines, avait un certain parfum tiède et sucré.

En rentrant chez lui (il louait une chambre chez une Mme Puech, rue de la Sablière), son plastron n'était pas redevenu parfaitement net mais il se rappelait cette odeur aussi précisément que si la jeune fille venait tout juste de lui promener ses cheveux sous le nez. Le lendemain, à son réveil, l'odeur flottait toujours dans sa tête. Il la reconnut immédiatement et s'en étonna.

Il resta un moment assis au bord de son lit, essayant sans succès de savoir à quoi il était en train de penser.

En tout cas, soyez-en sûrs, il ne songeait pas à Marthe comme à une personne qu'il aurait pu convoiter pour en faire son épouse. Marthe ne songeait pas à cela non plus. Et Papy Schultz pas davantage. Pour ce qui est de Mémère, je ne sais pas. Elle avait souvent des idées de derrière la tête, que nous ne soupçonnions que lorsqu'elle avait réussi à nous les faire partager.

Au moindre prétexte, Papy ramenait son ami à la maison, sinon pour manger, du moins pour boire un bock, finir un gâteau, prendre le café. Et comme Roméo ne pouvait pas inviter les Schultz dans sa chambre, il n'avait d'autre moyen de rendre ces largesses que de se présenter à leur porte, une bonne bouteille sous le bras et quelque gourmandise à la main, fromage de tête, gendarmes, choux à la crème, biscuits à la cuillère ou autres (le gendarme était la charcuterie préférée de Maman, et l'une des choses au monde qu'elle aimait le mieux). Ainsi la jeune fille et l'artisan se voyaient-ils plusieurs fois dans la semaine, même s'ils ne se regardaient pas beaucoup, la première parce qu'elle n'en ressentait pas le besoin, le second parce qu'il ne voulait pas se montrer indiscret.

Et ces histoires de cheveux? Ce sont des bêtises, a déclaré le réparateur de faïence. Il l'a dit tout haut, alors qu'il se rasait devant sa glace, et s'est retourné vivement, rouge comme une pivoine, pour vérifier que personne ne l'avait entendu.

Un dimanche de juillet, cependant, il débarque rue Sur-l'Eau, un cake sous le bras. C'était un cake que lui avait confectionné sa logeuse, elle l'aimait bien (car tout le monde l'aimait bien). Il monte, il sonne, voici Marthe dans l'encadrement de la porte, elle dit :

— Bonjour, monsieur Roméo, mais c'est qu'ils sont partis, vous savez. Il fait si beau : ils n'ont pas pu résister. Et c'est que je ne sais même pas où ils ont pu aller ! A la Justice ? Aux Perches, peut-être ?

Et M. Roméo n'a pas du tout l'habitude de causer avec Mlle Marthe. Il parle souvent avec Papy et un peu avec Mme Ida. Il sourit à Mlle Marthe, mais rapidement, furtivement — ou bien alors quand elle regarde ailleurs, car il ne voudrait pas la gêner. Mais là, que faire ? Il ne peut quand même pas grogner et froncer le sourcil. Il ne peut pas se détourner et faire des amitiés au chambranle ou au paillasson !

— Aux Perches ? répète-t-il d'un air parfaitement niais, sentant son visage s'embraser.

— Aux Perches ou autre part, dit Marthe.

Ses yeux s'arrêtent sur le cake dans son emballage et elle ajoute d'une voix polie, sans y mettre beaucoup de conviction :

— Je vois que vous avez encore fait des folies.

— Non-non, bredouille le pauvre Roméo, non-non...

Il tend précipitamment le cake à la jeune fille, comme s'il voulait se débarrasser d'une chose sale :

— Tenez, j'avais apporté ça... comme ça.

Mais cette Marthe, au lieu de prendre le paquet :

— Entrez donc, je vais vous faire un café.

Et Roméo, l'air de plus en plus idiot :

— Un... un café?

Marthe ne peut s'empêcher de sourire :

— Un café, oui, si vous voulez. J'allais justement m'en préparer un.

— Eh bien..., marmotte le réparateur de faïence.

— S'ils avaient su, fait encore Marthe d'une voix consolante, ils seraient restés, vous pensez bien.

— Non-non! dit Roméo, effrayé. Il ne faut pas qu'ils se dérangent pour moi... Et vous, je ne voudrais surtout pas vous déranger, mademoiselle Marthe! Je peux revenir un de ces jours. Dimanche prochain. Il ne fera peut-être pas si beau. Enfin, on ne sait jamais comment ça peut tourner, n'est-ce pas?

Il s'apprête à s'enfuir.

— Entrez donc! répète Marthe. Que vous n'ayez pas fait tout ce chemin pour rien.

Pauvre Roméo. Ce sont des bêtises, en effet. Pourquoi faudrait-il que certaines chevelures aient un parfum particulier, et que précisément ce parfum-là nous trouble? Pourquoi faudrait-il qu'il nous émeuve comme aucun parfum ne devrait jamais émouvoir quiconque, parce que, au bout du compte, ça n'est jamais qu'une odeur, et ce ne sont pas les odeurs qui manquent sur la terre, bonnes ou mauvaises...

Toujours est-il qu'en pénétrant derrière Marthe dans le logement des Schultz, Roméo avait eu la sensation violente et presque mortelle d'entrer dans le sein de l'odeur, du parfum de chignon. Il est certain que les cheveux n'embaument pas si fort, pourtant c'est ce qu'il ressentait. Et alors il n'avait pas songé à l'amour, et moins encore aux belles épousailles qu'il pourrait faire avec cette Marthe. Il avait été plutôt comme groggy, hébété, rempli d'effroi et aussi d'un sentiment d'impuissance et de malheur qui, pour un peu, l'aurait fait vaciller sur ses jambes. Ou bien pleurer comme un enfant.

Puis ils avaient pris le café. C'était probable. Il n'en savait déjà plus rien, bien que les tasses fussent encore là sur un plateau. Même pendant qu'il était en train de l'avaler, il n'aurait pu jurer qu'il prenait le café, n'en ayant pas clairement conscience, non plus que de n'importe quoi d'autre d'ailleurs, sinon de ce parfum, cet arôme suave et pénétrant.

Et cette Marthe ne songeait pas davantage à l'amour et aux noces. Autrement, bien sûr, elle ne l'aurait pas accueilli, seule dans ce logement, étant jeune fille. (Il faut dire qu'elle ne pensait pas exactement à soi comme à une jeune fille. Ou alors ce n'était pas avec les frémissements romantiques dont les autres jeunes filles décorent cette appellation, parvenant à se troubler elles-mêmes en songeant à ce qu'elles sont.)

Il n'y eut pas de conversation, mais ils parlèrent. Roméo commençait quelque chose et s'arrêtait aussitôt, convaincu par avance qu'il n'aurait pas la force d'aller jusqu'au bout. Avant même d'être arrivé à le saisir, il avait déjà perdu le fil. Marthe disait, elle disait le café n'est pas trop chaud cette fois au moins (sourire), il n'avait pas fait un temps pareil depuis bien longtemps n'est-ce pas ?

Le réparateur de faïence oublia complètement de lui faire goûter son cake, ce qui devait le remplir d'une honte affreuse un peu plus tard, sur le chemin des Perches, allant avec elle.

— Et si nous marchions à leur rencontre? avait-elle proposé. (Puis elle avait ri.) Oui, mais de quel côté?

— Je ne sais pas. Le Lion, vous croyez?

Ils étaient allés aux Perches.

Un peu après la fabrique de peignes, la rue des Perches monte sur la droite, ce n'est même pas vraiment une rue. C'est un chemin de terre et l'homme, le réparateur de faïence, cet enfant flétri, ce vieillard né de la rosée du matin, ouvre la bouche et dit :

— Peut-être êtes-vous lasse, mademoiselle Marthe? Peut-être êtes-vous... altérée?

Regrettant aussitôt ce mot imbécile qu'il prononce pour la première fois de sa vie.

Mais elle continue de sourire aimablement derrière sa voilette :

— Non-non, pensez-vous.

Il éponge la sueur qui perle à son front, moins à cause du grand soleil que de sa peur de ne pas trouver les mots qui conviennent (et même de ne pas trouver de mots du tout).

Aux Perches, on a toujours un peu d'air, même par des journées comme celle-ci. Il y avait quelques personnes là-haut, des couples qui se donnaient le bras, mais les parents Schultz n'étaient pas parmi eux et Roméo, à son grand étonnement, en éprouva quelque soulagement.

Mlle Marthe et lui n'étaient pas un couple qui se donnait le bras et il rougit en constatant cela. Peut-être que l'homme doit offrir son bras de toute manière? Ou bien est-ce réservé aux pères, frères, fils, oncles, cousins, parrains, époux, fiancés? Notre artisan se rendait compte qu'il ignorait tout de la galanterie. Il ne savait même pas s'il faut se mettre à droite ou à gauche des dames. Du coup, il faillit changer de côté précipitamment. Puis il se rendit compte brusquement qu'il avait dépassé la jeune fille et marchait en avant d'elle. Il s'immobilisa tel un automate, la nuque cuisante, attendant qu'elle le rejoigne.

— On voit bien que vous avez été élevé dans la montagne! dit Marthe sur un ton enjoué. Vous allez d'un bon pas!

— Excusez-moi, commença-t-il, je ne...

— Ma parole! je crois bien que je n'ai jamais rencontré quelqu'un qui avait autant le goût de s'excuser!

Le pauvre Roméo en restait tout interdit.

— Vous viviez vraiment dans une ferme tout seul avec vos parents? reprit-elle.

— Eh bien, c'est-à-dire... une de ces fermes isolées, oui.

— Vous ne deviez pas vous amuser tous les jours!

— Oh! vous savez...

— J'ai vu des fermes comme ça, quand nous habitions Gi. Je me suis toujours demandé comment les gens faisaient, surtout l'hiver.

— Eh bien, c'est une ferme, on a toujours à s'occuper. Maman me racontait des histoires. Je l'aidais dans la maison...

Il dit ce qu'il faisait avec maman.

Et voici à présent qu'il ne pouvait plus s'arrêter de parler à cette Marthe. C'était comme si elle avait été tout spécialement placée sur sa route pour qu'il lui raconte cette longue et malheureuse histoire qu'il n'avait encore dite à personne, pas même à Élysée Schultz, son meilleur ami.

Et les mots lui venaient facilement. Des phrases entières. Il n'avait pas besoin de les chercher dans sa tête. Ils se tenaient à sa disposition, comme les mots d'une récitation qu'on a apprise par cœur.

Il y avait eu autrefois tout cet amour et toute cette peine, derrière les brouillards de la montagne et sous les crépuscules violets. Il y avait eu le père, cette divinité grandiose, au cœur mauvais, et puis Maman, la petite flamme qui tremble et qui s'éteint. Il y avait eu la nuit mugissante et griffue, s'efforçant d'arracher le toit pour vous saisir, et le silence bleuté de la neige, et la lumière effritée des beaux soirs, et l'odeur des feuilles pourries quand la terre dit adieu aux années. Tout cela avait eu lieu jadis et il était l'orphelin de tout cela. Alors maintenant il lâchait son histoire, toute la vilaine affaire, la peur et le fusil. Et cette morte, là-haut, qui n'avait peut-être pas cru à son retour. Elle n'avait rien dit, elle avait gardé son silence. Comme une petite boule d'acier, dure et froide au creux de la main. Mais lui Roméo, qui la baisait à la nuque des fois, dans le milieu de la journée, ne pouvait plus se taire. Il décrivait toute la longue route, de Maman à ce jour-ci avec Marthe, sur une moins rude éminence, et il n'avait même pas conscience que cette route allait entre une femme et une autre et qu'il n'y en avait pas eu de troisième dans l'intervalle.

Mais c'est ce que Marthe, elle, comprit aussitôt et c'est ce qui la fit penser à des choses, cependant que l'artisan discourait encore et qu'elle était suspendue à ses lèvres, n'ayant jamais rien entendu de pareil. Une moitié de sa pensée se concentrait sur le conte du pauvre Roméo, mais l'autre moitié s'envolait au sommet de la montagne, traversait les brumes et partait à la recherche de la défunte. Car elle, Marthe, n'avait jamais envié les héroïnes des histoires; elle n'avait jamais envié le sort d'autres femmes réelles ou inventées; elle n'avait jamais senti qu'elle aurait pu être une de ces femmes, ni qu'elle ressemblait à l'une d'elles par tel ou tel détail. Elle croyait qu'elle était elle-même et que les autres étaient ce qu'elles étaient, et que c'était très bien ainsi. Mais cette fois-ci, elle avait l'impression, encore timide et confuse, de reconnaître dans la femme de la montagne une idée de femme qui, depuis très longtemps, résidait quelque part en elle, non à la façon d'un idéal, mais plutôt comme une sorte de fétiche ou de talisman. Et remarquez bien qu'elle n'aurait pas souhaité être cette femme, qu'elle n'aurait voulu de son destin pour rien au monde et n'aurait probablement jamais pu le connaître, ses réactions n'étant pas du tout les mêmes. Mais l'idée d'un tel genre de femme lui était douce, elle faisait naître en elle des sentiments de mélancolie qui ne lui étaient pas habituels.

Ainsi, sans savoir encore qu'il s'agissait d'amour, ce qu'elle aima en premier chez Roméo fut le souvenir de la dame, qui était une souffrance pour lui, mais qui parlait autrement au cœur de Marthe, c'est-à-dire paisiblement et de façon délicieusement triste.

Elle n'avait guère prêté attention à celui qui se présentait comme l'ami de son père, sinon pour s'étonner (et rire sous cape) de son manque d'assurance, de son trouble perpétuel, de ses bredouillements embarrassés. Mais celui qui avait été l'enfant de cette femme, la baisant dans le cou au plein milieu du jour, loin des villages, celui-là elle le regardait d'une façon différente. Remarquant en lui bien des traits de sa mère, elle le voyait tout à coup très étrange et cependant beaucoup plus familier qu'il ne lui était apparu jusqu'alors. Elle ressentait à ses côtés une bizarre émotion, tandis qu'il dévidait cette fâcheuse histoire de sa vie.

Aussi tressaillit-elle lorsqu'il s'arrêta tout à coup. Il avait vidé son sac et se retrouvait tout étourdi, la tête bourdonnante, penaud d'avoir parlé si longtemps et de n'avoir plus un seul mot à dire. Marthe aurait voulu l'écouter encore. Tout était plus facile lorsqu'il racontait; c'était comme si la dame était avec eux et leur servait d'intermédiaire.

Elle lui posa des questions, afin qu'il recommence à parler. Mais celui qui s'efforçait de lui répondre était le pauvre Roméo d'avant, le Roméo bafouilleur devant qui les mots semblaient fuir. Maintenant qu'il avait dit ce qu'il avait sur le cœur, il se sentait plus léger, mais non pas plus à l'aise. Il devait faire face à cette vérité, qui lui avait échappé tout le temps qu'il parlait : il avait pris la jeune fille pour confidente, alors qu'il n'en avait aucunement la permission, ne la connaissant pas assez pour cela. Et elle l'avait écouté. Elle avait entendu toutes ces choses laides de sa vie, qui sans doute l'avaient choquée et bouleversée.

Il avait tellement honte de lui qu'il ne pouvait plus supporter qu'elle le regarde. Il se détourna d'un mouvement vif, douloureusement conscient qu'il n'était pas plus convenable de lui présenter son dos que, tout à l'heure, de lui faire partager à toute force son déplaisant secret.

— Ecoutez, articula-t-il enfin d'une voix rauque, je n'aurais pas dû vous embêter avec ça.

Prononçant ces paroles, il se rendit compte avec un violent désarroi qu'il n'aurait pourtant fait partager ce secret à personne d'autre — et il souhaita rentrer sous terre.

— Pourquoi ? demandait Marthe.

Il ne bougeait plus. Il espérait qu'un miracle allait le transporter à des milliers de kilomètres de là.

— Vous pensez que je ne peux pas comprendre?

Il fixait la cime ondoyante des Perches, essayant de se persuader que la jeune fille ne l'avait pas interrogé, qu'il était venu seul en ce lieu, profiter en garçon d'un beau dimanche. Il ne pouvait deviner que la providence, ou je ne sais quoi, avait déposé au fond de l'âme tranquille et sans désirs de Marthe, incompréhensiblement, une petite graine de nostalgie. Un appel, oh! guère plus qu'un chuchotement, vers une image de femme frêle, tendre et accablée qui serait pour quelqu'un le début et la fin de l'amour.

Il attendit encore un peu avant de montrer son visage. Le vent lui apportait, croyait-il, l'odeur des cheveux de Marthe.

Ce fut un long été. Quand il venait rue Sur-l'Eau, désormais, il regardait Mlle Marthe. Il n'aurait pas voulu la regarder tellement, mais il ne pouvait pas s'en empêcher. La jeune fille lui rendait ses regards, à sa façon calme et décidée. Et Mémère souriait de les voir faire. Papy, bien entendu, n'avait pas remarqué le changement. Il ne s'était pas aperçu davantage qu'à présent, quand son ami parlait, il ne s'adressait plus seulement à Mémère et à lui-même, mais s'arrangeait toujours pour que Marthe soit mêlée à la conversation. Et Marthe avait cessé de vaquer d'une pièce à l'autre, quand le pauvre Roméo était là. Elle restait avec nous dans la cuisine, s'asseyant quelquefois, pendant que les pâtes cuisaient; disant son mot si elle le jugeait opportun.

Il y eut d'autres cakes, d'autres promenades aux Perches, toujours aux Perches, jamais ailleurs, et puis de petits bouquets. Il y eut les boutons-d'or, les anémones, les coquelicots; les coquelicots et les roses. Papy vit les roses. Il s'arrêta au milieu de sa phrase pour les contempler avec attention. Puis il regarda Roméo, qui faisait semblant d'être ailleurs, puis Marthe, puis Mémère (elles se ressemblaient beaucoup en cet instant précis : on aurait dit deux sœurs), puis Roméo et Marthe, puis il alla machinalement sentir les fleurs, mais on voyait bien qu'il réfléchissait à autre chose.

— Aha, fit-il.

Il commença à se mordre l'intérieur des joues.

Du coin de l'œil, Roméo surprit le froncement de sourcils de Mémère et la soudaine pâleur de Marthe.

Il en fut anéanti.

Tant que personne n'avait bronché, il avait pu s'abuser lui-même sur la véritable signification de ces hommages. Il s'était dispensé d'analyser son affection pour Marthe, devinant probablement que le résultat d'une telle étude l'aurait terrorisé et fait fuir loin d'elle. Vous ne le croirez peut-être pas, mais il parvenait aisément à s'aveugler, se racontant que ces fleurs n'étaient jamais que des fleurs, qu'il les apportait comme il aurait apporté autre chose, simplement parce que les dames apprécient les fleurs et que ça fait joli dans une maison. Et puisqu'on les acceptait tout aussi naturellement, il n'avait aucune raison de se croire coupable de quoi que ce soit. Alors, la fois d'après, il portait un bouquet un peu plus gros. Il aurait fini comme ça par offrir des jardins, avec la conscience la plus sereine du monde. Mais il avait suffi que Papy Schultz fasse « aha » pour que s'écroule ce bel édifice, le rassurant écran qu'il avait élevé entre ses pensées et ses actes.

Brusquement, il comprenait le langage de ses fleurs, et c'était comme un homme qui s'éveillerait pour voir qu'il a commis un crime durant son sommeil. Le pauvre Roméo constatait qu'il avait eu un comportement osé, qu'on était parfaitement en droit de lui demander des explications. Invité dans une maison, reçu comme un compagnon et un membre de la famille, il avait fait une cour sournoise à la fille. Il avait abusé de la générosité et de la confiance de son meilleur ami, du seul homme qui lui avait témoigné quelque chaleur depuis qu'il avait été brutalement séparé du réparateur de vaisselle ambulant, des années plus tôt. La bassesse de sa conduite l'accablait. On veut être bon et juste, ne pas rendre aux uns le mal que les autres vous ont fait — et puis voilà... « Aha. » Celui qui vous a tendu la main, que vous chérissez, fait « aha » et se mord l'intérieur des joues, et c'est à cause de vous.

Il entendit la voix de Mémère :

— En tout cas, pour un homme, vous pouvez vous vanter de savoir les choisir : elles ne sont pas trop ouvertes. Ça nous fait tellement plaisir, mais vous ne devriez pas faire de telles folies pour nous !

Roméo coula vers elle un regard humide de gratitude. Pour ce nous, il aurait voulu lui baiser les mains.

D'un mouvement sec, Marthe, le visage fermé, tourna les talons et sortit de la cuisine. Papy s'avançait vers le buffet, sortait les petits verres décorés et la bouteille de schnaps. Cependant, il ne trouvait plus rien à dire. Et Roméo aurait été bien en peine d'articuler un son. De sorte que Mémère fit tous les frais de la conversation.

Marthe avait disparu. On ne la revit même pas quand le réparateur de vaisselle prit congé.

— Marthe! appela Mémère. M. Roméo s'en va! Pas de réponse. Pas un bruit.

— Elle a dû sortir, remarqua-t-elle en rougissant.

Elle savait bien, et l'artisan le savait autant qu'elle, qu'on ne pouvait pas quitter le logement à l'insu des personnes qui se trouvaient dans la cuisine. Roméo rougit deux fois plus que Mémère en marmonnant sottement :

— Ça ne fait rien, ça ne fait rien.

Il devait aussi se reprocher d'avoir contraint Mme Schultz à ce pauvre mensonge.

Dehors, le soleil lui décocha une flèche d'or blanc dans les yeux. Il eut comme un étourdissement et dut aller s'appuyer à la margelle de la Petite Fontaine. Il vit son visage danser dans l'eau : c'était celui d'un petit vieux. Quelque chose se coinça dans sa poitrine. Il ferma les yeux et serra les mains sur le rebord de pierre. Il resta ainsi penché sur le bassin, écoutant la souffrance de son corps qui, du moins, éloignait le moment où il devrait s'occuper de cette autre souffrance qui s'était accumulée depuis « aha », durant cette terrible épreuve du schnaps et à l'occasion de sa piteuse sortie.

Au bout d'un certain temps, le nœud dans sa poitrine se défit, laissant une impression de chaleur qui s'étendit à tout son être. Il se redressa, rouvrit les yeux. Depuis qu'il la connaissait, et ça ne datait que de quelques mois, il aimait cette place de la Petite Fontaine qui, en deux siècles, n'avait pas dû beaucoup changer. Le plus drôle, c'est qu'elle avait l'air encore plus vieille que ça : on se serait cru au Moyen Age.

Roméo éprouva une sorte de tristesse soudaine de n'avoir pas vécu à cette époque. Un pigeon vint se poser à quelques pas de lui, picorant par terre quelque chose d'invisible.

— Hein, pigeon ? hein, mon vieux ? dit le réparateur de faïence.

L'oiseau l'ignorait. Roméo secoua la tête et soupira.

— Oui, fit-il encore.

Le nez en l'air, il examina les vieilles maisons. Avant de s'éloigner, il trempa un coin de son mouchoir dans la fontaine et se tamponna les tempes et le front, soulevant de l'autre main son chapeau. Il faisait un temps de canicule.

Tout un vol de pigeons s'abattit sur la petite place. « Ma parole ! songea-t-il. Ils me prennent pour un épouvantail ! » Il se mit à rire. Et pourquoi ne rirait-il pas ? Il était né, avait été chéri par cette Manuella ou quel que fût son nom, l'avait abandonnée, avait roulé du haut de la montagne dans le bourbier des villes, était devenu un de ces hommes dont la place pouvait sans inconvénient être occupée par un autre à n'importe quel moment. Par conséquent, il avait acquis le droit de rire de soi. Même les pigeons ne se préoccupaient pas de son existence et, de toute son âme, le pauvre Roméo leur donnait raison. Les pigeons font partie de la beauté du monde, ils s'envolent, ils glissent dans les airs. Les hommes s'enfoncent peu à peu dans le sol et peinent pour marcher. L'or blanc du ciel fait miroiter la sombre ardoise comme un étang. L'air blondit entre les murs qui ressemblent à la croûte d'un pain qu'on achète et qui est encore chaud. L'ombre et la lumière, par terre, sont séparées par des lignes bien nettes. Le silence émet un léger bourdonnement lorsqu'il se froisse contre les pavés. Les premiers bruits se sont arrêtés très loin, près du théâtre, sur le parvis de Saint-Christophe ou de l'autre côté de la place des Bourgeois. L'épouvantail vivant n'empêche pas les pigeons de flotter parmi la fonte du ciel et de se poser où ils veulent.

Oh! ce monde est beau. Il est plus beau que n'importe quoi d'autre au monde. Ce sont les hommes qui sont vilains. Tout noirs et ridés, jaloux et méchants. Le cœur vide. La poitrine habitée par un nœud de serpents. Ils parcourent la terre et griffent son joli visage, mais ils ne peuvent rien contre tant de beauté.

En remontant la Grand-Rue, on parvient à l'endroit où s'élève sur la gauche la porte de Brisach, construite par Vauban. Vous passez dessous et vous revenez en ville par l'avenue de la Laurencie, le tournant de la Fosse-à-Goudron et puis, si vous êtes du faubourg, la rue du Magasin et la suite. Il n'y a plus d'eau depuis belle lurette, dans les fossés creusés au pied des remparts de la vieille ville. Les gamins se poursuivent là-dedans, se battent avec des pierres; des souterrains commodes permettent d'aller voler les choux dans les champs de Perouse. Le 2 août 1873, par cette même porte de Brisach, le dernier Prussien avait quitté Belfort. Pendant cette guerre-ci, ils n'ont même pas pu entrer dans la ville; ils se sont contentés de lui faire cracher dessus par leur grosse Bertha depuis les bois d'Altenberg, à trente kilomètres de là. Sur le vieux pont-levis passent maintenant les lentes processions familiales du dimanche, roulant des landaus. Et puis Roméo, lorsqu'il revient de chez les Schultz et bénit l'étrange beauté de la terre.

Si les choses sont belles, les soirs et les matins, l'étoile solitaire, le vent parfumé de la pluie, ne vous demandez pas pourquoi. Il n'y a pas en nous assez de cette beauté pour que nous puissions vraiment la comprendre. Mais nous pouvons l'aimer, nous pouvons soupirer après elle quand de lourds nuages viennent à nous la cacher, ou les lugubres nuits d'hiver.

Roméo savait depuis toujours qu'il n'était pas digne de la comprendre. Car un seul être au monde l'avait été, et cette femme n'était plus. Depuis ce temps-là, lui-même n'avait fait qu'accroître son indignité. Et tout dernièrement encore, il s'était jeté à corps perdu dans l'abjection, trompant son unique ami, faisant hypocritement valoir des prétentions auxquelles rien ne l'autorisait. La terreur le gagnait tandis qu'il pensait à ce qu'il avait fait à Papy et à ce qu'il ressentait pour Marthe — cette espèce d'anxiété et d'énervement : c'était donc cela, le fameux amour dont on parle tant ? Etait-ce possible ?

Il était écrasé par l'énormité de sa découverte, là, le long du square de Brisach où vont seulement certaines personnes, des personnes seules et observant de biais. Ecrasé par l'énormité de la présomption qui était la sienne, d'avoir entrepris la conquête d'une femme. Cet amour n'était pas pour lui. Et pour Mlle Marthe, mon Dieu ! quelle humiliation que de se voir désirée par un misérable et rabougri recolleur d'assiettes du faubourg, un homme qui avait laissé mourir sa mère et qu'on avait déjà mis en prison rien que sur sa mine. Quelle honte ! Quelle dégoûtation ! C'était une grande chance pour lui, et une chance imméritée, qu'elle soit allée s'enfermer dans sa chambre au lieu de lui planter ses ongles dans la figure. Seigneur, qu'avait-il fait ? Où, dans quel obscur bas-fond de son âme, était-il allé chercher ces ambitions démesurées, cette audace monstrueuse ?

Il atteignit la Savoureuse sans avoir eu conscience de marcher. Sur le pont du Magasin, il faillit rentrer dans un militaire qui l'apostropha vulgairement.

Il s'arrêta au petit café près de la rue Jules-Grosjean, pour commander un demi panaché dont il but à peine un doigt. Sa gorge était comme bloquée. Il songea un instant à prendre quelque chose de plus fort, mais il y renonça : en plus de toutes ses tares, il n'allait quand même pas devenir un poivrot !

Il sortit du café et la patronne lui courut après pour lui faire régler sa consommation. Voici qu'il volait le monde, à présent ! Le pauvre Roméo avait envie de s'asseoir au bord du trottoir, d'enfouir son visage dans ses mains et de pleurer toutes les larmes de son corps. S'il ne le fit pas, peut-être, c'est parce qu'il longeait le mur du cimetière de Brasse et que cela eût été encore moins convenable ici que n'importe où ailleurs. Imaginez seulement que des gens se soient arrêtés pour lui taper gentiment sur l'épaule, croyant qu'il avait perdu quelqu'un : il n'aurait pas pu supporter cette marque de sympathie.

Cependant, près de la porte où, une vingtaine d'années plus tard, nous allions sortir, revenant de son enterrement, Roméo sentit une épaisse odeur d'arbre et ralentit le pas. Ces derniers mois, il avait appris à faire attention aux odeurs, à les prendre au sérieux. Il savait de quoi elles étaient capables. Et voilà que celle-ci, simplement parce qu'elle était anormalement puissante, lourde et profonde, faisait battre son cœur plus vite. Elle lui parlait. Elle parlait à la partie ténébreuse de sa mémoire. Il ne comprenait pas ce qu'elle disait, mais il comprenait qu'elle s'adressait à lui.

Il n'avait plus l'idée de pleurer. Il lui paraissait désormais qu'il n'était pas autorisé à s'apitoyer sur lui-même, pas plus qu'à se mépriser comme il venait de le faire. Mépris et compassion, ce sont des sentiments que les autres peuvent avoir à votre égard, mais vous, il ne vous est permis de les éprouver qu'à l'égard d'autrui. C'est affaire de dignité. On ne peut pas être soi et quelqu'un d'autre en même temps, ça serait trop facile. Il faut être soi uniquement et vivre avec ça coûte que coûte.

Il s'était arrêté pour contempler l'arbre qui exhalait un tel parfum. Ayant vécu hors des villes, il connaissait le nom de la plupart des arbres — c'est-à-dire que pour lui, aucun d'eux n'était seulement un « arbre » : c'était un chêne, ou un frêne, ou un saule, et chaque famille avait sa propre histoire. Je retournerai là-bas voir si l'arbre est un saule. De son vivant, le pauvre Roméo savait; il a su beaucoup de choses avant de devenir à son tour un morceau de notre savoir, et le remords de notre oubli.

L'arbre lui parlait avec son odeur. Celle-ci pénétrait jusqu'au fond de son âme et son âme tâchait de lui répondre avec ses discours d'âme, qui sont principalement le chagrin et la joie. Le chagrin et la joie venaient en Roméo. Mais le chagrin n'était plus un remords et la joie n'était plus un désir, c'étaient la joie et le chagrin de l'odeur, comme l'odeur était la joie et le chagrin de l'arbre.

Roméo hocha le menton. Quelqu'un qui l'aurait vu aurait pensé qu'il faisait oui avec la tête.

Quelqu'un ne se serait peut-être pas trompé.

Durant l'été, des Galeries Modernes avaient fermé le service de réparation de faïence. Sans doute que les gens cassent moins, quand il fait beau. En raison de cette fermeture, Roméo était au moins assuré de ne pas avoir à affronter Papy — son courroux ou pis, son silence indigné — si aucun d'eux ne le souhaitait. Habitant des quartiers très éloignés l'un de l'autre, ils ne risquaient guère de se rencontrer par hasard.

L'artisan était rentré apaisé de sa promenade, apaisé et pourtant sans espoir. Sans illusion non plus sur son propre compte. En un sens, il souhaitait ce qu'il redoutait le plus : voir Elysée Schultz débouler dans son échoppe et lui sortir ses quatre vérités. Il aurait eu plaisir à entendre un tel langage; son appétit de justice en eût été rassasié. Dans sa tête, lui-même s'appliquait à forger en termes cinglants l'humiliante diatribe qu'Elysée Schultz aurait pu concevoir. A force, il finit par connaître toute la tirade par cœur et il se la récitait à longueur de journée, penché sur son ouvrage, ou étendu sur son lit, rue de la Sablière, les yeux grands ouverts.

En même temps, il se disait que si jamais il devait un jour regarder à nouveau son ami en face, il en mourrait de honte; et pour éviter cela, il était prêt à déménager au Valdoie, à quitter la région, à courir l'aventure chez les nègres et les esquimaux.

Il ne voulait pas penser à Marthe, estimant que ses pensées avaient déjà fait assez de mal comme ça à la jeune fille. En revanche, il pensait souvent à Papy. Il pensait à quel point devait lui être odieuse l'idée de revoir celui qui avait profité de lui, s'était bâfré à sa table et l'avait trahi. Et pourtant, quand le jaune commencerait à se mettre sur les feuilles, quand on enlèverait le mica devant les fenêtres des trams, quand l'interminable pluie de Belfort pleurerait sur les derniers feux de l'été, les Galeries Modernes reprendraient les réparations de faïence et il faudrait bien qu'ils se rencontrent à nouveau : ils ne pouvaient quand même pas changer de métier !

Les Galeries payaient Roméo chichement et au forfait, afin de pouvoir lui faire raccommoder toutes les assiettes de la ville sans débourser un sou de plus, si elles venaient à se briser toutes en même temps. Pour quelqu'un qui n'avait pas peur du travail, c'était toujours ça et, plus d'une fois, cet apport avait aidé Roméo à finir ses semaines sans être obligé de jeûner le dimanche. Néanmoins, il fut tenté d'écrire aux gens des Galeries pour dire qu'il ne marcherait plus avec eux cet automne. Lorsqu'on est habitué à être pauvre, un peu plus de pauvreté ne fait pas une si grande différence. On serre sa ceinture d'un cran supplémentaire, et voilà tout. Faire de nouveaux trous dans une vieille ceinture est une des activités les plus économiques qui soient. Le réparateur de faïence aurait donc consenti d'un cœur léger le sacrifice de ces quelques sous, si l'idée ne lui était venue qu'au fond, ce beau geste qui prétendait épargner au père Schultz une obligation pénible, n'était qu'une lâcheté de sa part. « Avoue plutôt que tu as peur de lui et que tu essaies d'échapper à un juste châtiment ! », se dit-il. Et il rit amèrement, avant d'ajouter quelques qualificatifs bien sentis à la diatribe supposée d'Elysée Schultz.

Plusieurs jours passèrent ainsi, pendant lesquels il remua toutes ces idées sombres dans sa tête et eut plus de mille fois l'occasion d'observer que Marthe lui était complètement sortie de l'esprit.

Si je compte bien, on était en septembre 19. Des fois, chez nous, septembre est plus beau que le mois d'août. Il faut voir septembre place d'Armes, boulevard Carnot, rue des Rosiers. Il faut l'avoir vu à cette époque, simplement en tournant le coin de la rue. Aujourd'hui, septembre, ce n'est pas grand-chose. Il y a trop de maisons partout. Trop de gens qui seraient aussi bien ailleurs, mais ils restent là. Trop d'automobiles. Entre tout ça, c'est à peine s'il peut se faufiler, notre vieux septembre. Alors bonjour-bonsoir, il nous quitte déjà. On appelle encore ce mois septembre, mais il n'a plus qu'un lointain rapport avec les septembres que nous avons connus, l'étang des Belles-Filles était plus émouvant que jamais.

En septembre 19, il a dû faire beau pour Roméo, car c'était le mois de son amour. Rue Quand-Même, il n'y a pas tellement d'arbres, mais ils embaumaient le soir, cette année-là, ils embaumaient au moment où la terre rend sa chaleur au ciel avant de s'endormir. Il sortait sur le seuil de sa boutique, essuyant ses mains après un chiffon sec qu'il conservait à cet usage, plié sous l'établi. Il regardait bouger son ombre. On trouvait encore de petits jardins, derrière les grilles. Le soleil ne déshabillait pas ces dames. L'amour était pour la plupart d'entre nous une chose difficile et convenable. Quand nous faisions des rêves, nous ne voulions pas les mêmes choses que maintenant.

Vous nous regardez de haut, à présent. Vous regardez nos photographies d'un air ironique et incrédule. Mais nous vous aurions aimés, si nous avions su qu'après nous viendraient des gens capables de frivolité. Des personnes aux ombres gracieuses, marchant comme on va au bal. Nous vous aurions laissé le monde, en échange de l'autorisation de vous y voir évoluer.

Les jours rapetissaient. Le pauvre Roméo n'arrêtait plus de penser qu'il avait arrêté de penser à Marthe. Dans le grand désarroi de son âme, c'était une idée consolante et il s'y raccrochait.

Les Perches lui semblaient aussi inaccessibles que le sommet neigeux du Fouji-Yama. Il s'interdisait d'en vénérer le souvenir. La rue Sur-l'Eau était un empire de la Lune. L'enfer était ici.

— Vous me paraissez bien soucieux, cher garçon, fit remarquer Mme Puech. Il y a quelque chose qui ne va pas ?

Il ne trouva rien à répondre. Il baissa les yeux.

— Ne vous tracassez pas tant, dit cette charmante femme. Vous êtes encore jeune. Avant de vous faire du souci, attendez donc que ça en vaille vraiment la peine !

Elle eut un sourire qui avait quarante ans de moins qu'elle :

— Il sera toujours temps de regretter plus tard. Les regrets, c'est pour quand on a plus rien d'autre.

Elle avait fait de la blanquette. Roméo accepta son invitation à souper.

Il se tenait très droit sur sa chaise, silencieux, un fragile sourire au bord des lèvres, et Mme Puech le contemplait avec attendrissement, la tête un peu penchée.

— Vous me rappelez mon défunt mari, dit-elle. C'est curieux comme tous les hommes se ressemblent, quand on les regarde bien...

— Que faisait-il, M. Puech ? dit Roméo d'une voix embarrassée.

— Il faisait comme vous, il ne savait pas quoi me raconter.

De nouveau ce sourire.

— Il était timide avec moi. C'était un enfant sage que j'ai eu pendant vingt-trois ans. Le temps passe vite, vous savez. Vingt-trois ans, cela passe comme un jour, et qu'est-ce qu'on peut faire ? En vingt-trois ans, M. Puech n'a pas trouvé le moyen de me faire des misères. Je ne sais même pas s'il s'est habitué à moi, il avait toujours l'air si intimidé... Oh! on ne peut pas dire qu'il m'ait assommée de paroles, ça non! Il souriait en rentrant. Il ôtait son chapeau sur le palier, avant de passer la porte. Ma foi, je crois bien qu'il était amoureux fou de sa femme, cet homme-là! Faites des enfants, mon cher jeune homme, vous verrez ce que je vous dis. Faites de beaux petits garçons, n'est-ce pas? Faites-en le plus que vous pourrez!

Elle jeta de brefs coups d'œil autour d'elle en tapotant le peigne d'écaille qui retenait ses cheveux.

Les discours de Mme Puech effrayaient Roméo et le mettaient mal à l'aise. Lui qui avait accepté cette invitation dans le vague espoir de se changer les idées, il se sentait plus désemparé que jamais.

En guise de pousse-café, la logeuse versa de la liqueur de sapin dans de minuscules verres tout tarabiscotés. La liqueur de sapin, c'est la bouteille qui ressemble à un vieux morceau d'arbre à moitié brûlé, avec des restants de mousse séchées après l'écorce.

Mme Puech remplit les verres à ras bords et tendit très lentement le sien au réparateur de faïence, sans quitter des yeux la surface du liquide.

— C'est que je tiens à mon vieux tapis, par exemple. Il était à Maman, nous avons presque le même âge. Vous savez, c'est une liqueur de dame, comme on dit. Mais c'est encore ce que mon Basile préférait. C'est très sucré, on dirait du sirop. Alors, ma foi, à votre bonne santé, cher garçon. Que faut-il vous souhaiter?

Roméo devint écarlate et eut beaucoup de mal à maintenir son verre d'aplomb.

— Oh!... marmonna-t-il seulement.

Les yeux de la logeuse pétillèrent.

— Vous ne voulez pas me le dire, coquin! Eh bien, tant pis : je vous souhaite (son regard se fit grave et insistant)... je vous souhaite tout ce que vous voudrez!

— Pareil pour vous, madame, pareil pour vous. A la bonne vôtre!

Ce disant, il essaya de prendre un air jovial. Ils étaient assis côte à côte sur un petit canapé où elle l'avait mené par le bras, dans le coin qui faisait salon. Elle trempa ses lèvres dans l'épais liquide vert et cilla. Elle reposa son verre mais le reprit aussitôt et, renversant la tête en arrière, les yeux fermés comme une personne qui avale une purge, le vida jusqu'à la dernière goutte.

— Que voulez-vous que je souhaite à présent? fit-elle d'une voix absente, les paupières encore closes.

Tout doucement, elle se laissa basculer sur le côté, jusqu'à ce que sa tête touche l'épaule du pauvre Roméo. Immobile et glacé, son verre plein à la main, celui-ci, tel un mannequin de chez Bumsel, se raidissait dans une pose absolument grotesque, les bras détachés du corps et levés à hauteur de la poitrine, pour que la liqueur de sapin ne souille pas le précieux tapis râpé de Mme Puech, cette Mme Puech qui reniflait très discrètement contre son épaule, qui avait cru voir le bonheur hésiter devant sa porte, le chapeau sur la tête, et qui voulait que la terre soit couverte d'enfants.

— Il y a quelque chose qui ne va pas, madame? Il y a quelque chose qui ne va pas? murmurait le réparateur de faïence d'une voix nouée, pétrifié dans sa pose, blanc comme un linge.

Le lendemain, la première personne à se présenter à la boutique, rue Quand-Même, fut Elysée Schultz.

— Alors, on ne te voit plus beaucoup, mon vieux, qu'est-ce qui se passe ?

Il avait dit cela sur un ton dépourvu de toute conviction, en même temps qu'il franchissait le seuil de l'échoppe. Ça n'avait même pas l'air d'une question. D'ailleurs, dès que l'artisan ouvrit la bouche, il agita les mains :

— Je sais, je sais, fit-il d'une voix apaisante. Laisse-moi d'abord m'asseoir.

Il prit son temps pour s'installer, regardant tout autour de lui par-dessous ses sourcils. Roméo restait debout comme un homme qui attend son jugement.

— Tu vois, on a beau dire, mais on se fait vieux, commença le visiteur. Il faut croire qu'on n'échappe pas à ça...

Il fixa l'artisan en plein dans les yeux. La pomme d'Adam du pauvre Roméo fit un grand bond dans sa gorge.

— On croit toujours qu'on a bien le temps, continua Papy. On ne se prépare pas et quand les choses arrivent, on est pris au dépourvu. Tout va tellement trop vite !... Enfin, ça n'excuse pas, ça n'excuse pas, je comprends ce que tu as pu ressentir, mon pauvre vieux !

Abasourdi, Roméo était incapable de prononcer un seul mot. Mais le vieux parlait encore :

— Tout est de ma faute. Notre Marthe, vois-tu, je me rendais bien compte qu'elle avait grandi, mais pour moi, ça restait notre petite Marthe de toujours. Je la voyais encore comme une enfant. On est bête des fois, mon Dieu ! On ne se souvient plus de sa propre jeunesse. Et puis, il faut croire

212

qu'on devient égoïste quand on devient vieux. Mais on ne se rend pas compte non plus qu'on devient vieux. Les années sont tellement pareilles, au bout d'un certain temps, qu'on n'y fait pas attention. Tu es un type trop net pour que je te raconte des histoires, Roméo. Je sais bien ce que tu vas penser de moi, mais il faut que je te le dise là en face : quand j'ai vu tes roses, mon vieux, quand j'ai compris ce que ça voulait dire, eh bien, j'ai eu peur, pour te dire. Je ne sais pas ce qui m'a pris : j'ai eu l'impression que tu voulais m'ôter quelque chose. Je veux que tu le saches. J'aurais aussi bien pu t'envoyer un coup de poing, tu sais. D'ailleurs tu t'en es bien rendu compte. Alors voilà, je suis venu te demander pardon, parce que je sais comme tu es sensible, et je me suis conduit à la façon d'un sombre idiot. Et puis, ne le prends pas mal, mais il y a encore une chose que je voulais te dire. Comme une vieille bête que je suis, je n'avais jamais pensé à avoir un gendre. Mais si je dois en avoir un, Roméo, je ne crois pas qu'on puisse en trouver un meilleur que toi dans tout Belfort, et tu sais que je le pense vraiment. Je serai heureux, Roméo; je serai le plus fier des hommes si tu épouses notre Marthe. Et puis, et puis Ida m'a chargé de te dire qu'elle, elle avait toujours espéré que ça se terminerait comme ça et qu'elle t'aimait déjà comme un fils. Voilà (il s'essuyait les paumes après son gros pantalon de travail), voilà pourquoi je suis passé ce matin... Tu m'en veux toujours ?

Le réparateur de faïence fixait le vieux, bouche bée. Il ne sentait plus son propre corps. Il aurait aussi bien pu être un fantôme en train de flotter dans la boutique. Au bout d'un certain temps, il parvint à secouer la tête, écartant les bras dans un geste d'impuissance. Mais pas moyen de décrocher un mot. Une cliente entra inopinément pour le tirer de ce mauvais pas. La mine catastrophée, elle tenait dans chaque main la moitié d'une énorme soupière bleue. Roméo s'occupa d'elle tant bien que mal.

— Et Mlle Marthe, demanda-t-il lorsque la femme fut partie, qu'est-ce qu'elle en pense, de tout ça?

Papy fronça les sourcils et se racla la gorge.

— Eh bien justement! Tu connais les femmes... A te parler franchement, là, c'est aussi pour ça que je suis venu. Notre petite Marthe, ça ne va plus, depuis l'autre jour. Non, je ne sais pas ce qui se passe, mais ça ne va plus du tout. Elle est en train de changer : sa mère et moi, on finira par ne plus la reconnaître. Ne serait-ce qu'à cause de ça, Ida aimerait que tu retournes à la maison. On ne veut pas te forcer, remarque, après ce qui s'est passé. Mais si tu reviens, ça nous fera tellement plaisir. En voyant que tu es là, Marthe, elle va peut-être... enfin, se ressaisir, tu comprends?

Roméo ne comprenait pas. Mais il sentait qu'il ne pouvait pas dire non, malgré la terreur qui le submergeait à l'idée de se trouver à nouveau face à face avec la jeune fille.

Il promit d'aller rue Sur-l'Eau le soir même.

Sortant de chez les Schultz, vers 9 heures, il ne s'arrêta pas au bord de la Petite Fontaine. Il prit de l'autre côté, débouchant presque en face du musée puis tournant dans la Grand-Rue pour rejoindre le magasin Pfrimmer, la salle des fêtes, le palais de justice, la rue du Docteur-Fréry et le pont du stratégique. Un vent noir froissait les feuillages et faisait voler la poussière des trottoirs. Un ou deux enfants chaussés de patins à roulettes évoluaient encore sur l'esplanade du marché couvert. Roméo releva le col de sa veste et le resserra autour de son cou.

Il savait pourtant qu'il ne parviendrait pas à se réchauffer car le froid qu'il ressentait n'était dû ni au vent ni à la nuit. C'était un froid du cœur, âpre et cru. L'eau filait vite, sous le pont : il avait sans doute plu au Ballon et ça n'allait pas tarder ici non plus. L'artisan pressa le pas.

Mlle Marthe l'avait à peine regardé lorsqu'il avait fait son entrée. Et son joli bouquet, il avait fallu que ce soit sa mère qui l'ôte des mains du visiteur. La joie bruyante et factice de Papy n'avait rien arrangé : elle ne faisait que mettre en valeur les silences butés de la jeune fille, qui conserva pendant tout le repas le même visage absent, fermé à double tour.

Evidemment, c'est elle qui se leva de table la première :

— Je vous prie de m'excuser, mais j'ai encore à faire, dit-elle à Roméo en fixant son bouton de col. Ne vous dérangez pas.

Elle esquissa une sorte de petit salut en inclinant le buste et quitta la pièce sans lui avoir tendu la main. L'artisan ne s'aperçut qu'au bout d'un certain temps qu'il était resté planté à côté de sa chaise, sa serviette à la main. Ses joues le brûlaient. Il avait honte et se sentait plus coupable que jamais d'avoir osé faire le joli cœur avec Mlle Marthe. La sympathie d'Elysée Schultz et la commisération de son épouse lui pesaient affreusement. Il prit congé dès que ce fut possible.

Papy l'accompagna jusqu'à la porte de la rue.

— Tu vois ? lui souffla-t-il en jetant des regards inquiets en direction du plafond. Qu'est-ce que je t'avais dit ? Il y a vraiment quelque chose qui ne va pas, et il n'y a que toi qui peux nous arranger ça, Ida te le dirait comme moi.

Il fit semblant de ne pas remarquer l'expression qui se peignait sur les traits d'un pauvre Roméo. Il lui donna une poignée de main de la même sorte qu'aux enterrements. L'artisan s'éloigna sans avoir su quoi dire.

Il reçut la douche vers le Chpaniaque. D'abord des gouttes énormes et molles qui s'écrasaient avec un floc visqueux, faisant monter du trottoir des odeurs de terre, puis un vrai déluge qui ne se calma guère qu'aux environs de minuit.

Roméo demeura éveillé jusqu'à l'aube. Il écoutait le vent passer ses grosses mains sur le feuillage des arbres, tel un aveugle qui aurait perdu quelque chose dans les branches.

Dans l'interminable et pénible entrevue qu'il avait eue avec lui-même au cours de la nuit, il n'avait puisé aucun réconfort, mais il s'était bien promis de faire entendre raison à Papy. Pourquoi s'obstiner ? lui dirait-il. Mlle Marthe n'a aucune envie de m'épouser et je la comprends. Je n'ai jamais prétendu être un beau parti. Une jeune fille doit d'abord songer à l'avenir et je n'ai rien à lui offrir. Jamais je n'aurais dû l'importuner comme je l'ai fait et la mettre dans une situation aussi embarrassante. Elle m'en veut, c'est évident ! Ne parlons plus de tout cela. A la longue, peut-être, elle me pardonnera. Elle épousera quelqu'un de bien.

Cependant, quand Elysée Schultz fut devant lui, il paraissait si entiché de son idée que le réparateur de faïence, sans approuver pour autant sa façon de voir, n'eut pas le courage de le contredire. En fait, il ne dit rien du tout, écoutant son ami bâtir ses châteaux en Espagne dans un silence atterré. S'il avait naguère voulu garder sa fille pour soi tout seul, on aurait dit qu'à présent Papy était prêt à faire battre les montagnes pour la pousser dans les bras de l'artisan. Et de son côté, sa femme Ida faisait tout ce qui était en son pouvoir pour l'encourager dans cette voie. Elle se présenta rue Quand-Même un soir, avec des airs de conspiratrice.

— Mon pauvre Roméo ! dit-elle à voix basse, comme si Marthe risquait de les entendre. Il ne faut pas attacher tant d'importance aux caprices des jeunes filles ! Vous nous faites de la peine, à Elysée et à moi ! Ce n'est pas à vous morfondre que vous allez arranger les choses. Je sais bien, vous êtes si délicat ! Mais il y a des moments où l'on doit prendre le taureau par les cornes. Ne soyez pas si réservé ! Un homme doit montrer ce qu'il veut.

Roméo l'écoutait avec consternation. Il ne savait plus où il en était. D'un air humble et désolé, il secouait la tête, grimaçant malgré tout un sourire pour remercier Mémère de ses conseils.

— Je connais Marthe, dit-elle encore. Elle ne le sait peut-être pas, mais il y a longtemps qu'elle a fait son choix. Seulement, il ne faut pas faire tout le temps la tête du renard qu'une poule aurait pris. Ma parole, vous êtes aussi emprunté qu'Elysée lorsqu'il me faisait la cour ! C'est l'homme qui est le plus fort : les femmes veulent qu'il le montre !

Après son départ, Roméo resta longtemps dans sa boutique, à passer le gras d'un pouce sur les collages et les coutures qu'il avait faits afin que les objets cassés vivent encore un peu aux côtés des gens qui les aiment, avant qu'on les mette aux ordures pour toujours.

Les Schultz, dans leur zèle, essayèrent encore d'organiser deux rencontres fortuites de Roméo avec Marthe mais, les deux fois, le stratagème échoua de façon lamentable. De plus, Marthe se rendit très bien compte de ce qui se passait et, à la seconde tentative, prit la mouche. Elle cria à travers toute la maison qu'elle ne voulait plus jamais entendre parler de cet énergumène qui trouvait le moyen d'être à la fois un butor et un navet. Elle claqua la porte de sa chambre et la rouvrit aussitôt pour lancer d'une voix aigre :

— Et vous n'avez pas honte de jouer les entremetteurs ? Comme si j'étais... une chose à vendre !

Elle ne parut pas au souper. Les Schultz se regardaient par-dessus la poêle où Mémère avait fait réchauffer les nouilles du midi, coiffées d'un œuf cassé au dernier moment. Ils étaient incapables de parler de ce qui venait de se passer et plus encore de parler d'autre chose. Ils avaient reçu le ciel sur la tête, le joli paradis bien douillet qu'ils avaient construit en rêve pour la petite Marthe et le cher Roméo. Papy haussa les épaules. Mémère haussa les épaules. Ils se prirent la main. Les nouilles n'étaient plus assez chaudes lorsqu'ils se décidèrent à manger.

Le lendemain, ayant à faire une course dans le coin avec la voiture des Galeries, Elysée Schultz retourna à l'échoppe la tête basse. S'obstinant à réconforter Roméo, il tentait surtout de se persuader lui-même que les choses pouvaient encore s'arranger. Ses efforts étaient tellement touchants qu'une fois de plus, l'artisan n'eut pas le cœur de l'arrêter. Plus que jamais, cependant, il aurait tout donné pour qu'il ne soit plus question de cette affaire, que le nom de Marthe ne soit plus prononcé devant lui, qu'elle trouve un mari et parte s'établir au fin fond du Kamchatka. Pour un peu, il se serait mis lui-même en quête d'un prétendant. Oui, il l'aurait certainement fait s'il avait su le moyen d'entrer en contact avec des hommes jeunes, beaux, respectables et fortunés.

Quand vint l'hiver, on sentit la neige des jours et des jours avant qu'elle ne commence à tomber. Les Schultz ne purent se résoudre à prévenir Roméo que Marthe était allée danser deux dimanches de suite au Café Glacier, au bras d'un artilleur. C'était l'hiver à Belfort et ils gardèrent le silence, honteux de ce qu'ils faisaient, le cœur serré. Mais le hasard est moins délicat que nous, il n'a peur et il n'a honte de rien. Le dimanche d'après, un de ces dimanches de novembre brillant comme un sou neuf, Roméo se promenait sous les arbres du théâtre. Il tomba en plein sur le couple.

Marthe regardait vers la rivière. L'artisan suivait des yeux un enfant qui faisait rouler un cerceau devant le Café Central. Lui, descendait vers la place Corbis, Marthe s'engageait dans le faubourg de Montbéliard. S'ils n'avaient pas tourné la tête, ils auraient pu se croiser sans même s'apercevoir. Mais l'enfant au cerceau disparut à l'angle des deux faubourgs et l'attention de Marthe fut attirée sur une affiche du théâtre que lui désignait le soldat. Elle n'était plus qu'à trois ou quatre mètres de Roméo quand leurs regards se rencontrèrent.

Roméo vit tout de suite que la main de la jeune fille était enfermée dans le poing rouge de ce grand zèbre d'artilleur qui n'avait certainement pas inventé la poudre mais se donnait des airs de maréchal de France. Sur le moment, il n'attacha guère d'importance à ce détail. Sa panique était trop grande. Il avait déjà fait bien des cauchemars, depuis le drame du bouquet de roses, mais aucun d'eux n'était aussi horrible que ce qu'il était en train de vivre réellement ce jour-là. Il sentit ses cheveux se dresser sur sa tête. Son estomac fit un tour sur lui-même et lui remonta dans la gorge. Et comme si cela n'était pas suffisant, il avait l'impression d'avoir été surpris en train de commettre une mauvaise action. Il aurait voulu être foudroyé sur place, réduit en cendres, pour que soit effacé l'outrage fait à la jeune fille en la rencontrant avec ce militaire. Mais bien loin de se volatiliser, lui, l'avorton, éprouvait au contraire la sensation de grandir, de boucher l'horizon de Mlle Marthe, de faire sur son paysage une tache de plus en plus hideuse. Et le fait est qu'elle ne pouvait détacher du réparateur de faïence ses yeux remplis, à ce qu'il semblait à ce dernier, de dégoût et d'effroi.

Roméo s'était arrêté, ses jambes n'auraient pu le porter plus loin. L'instant d'avant, il priait encore le ciel pour être déposé comme par enchantement sur l'autre rive de la Savoureuse, ou aux Forges, ou de l'autre côté du Ballon. Mais à présent, il n'avait même plus la force de s'accrocher à une idée aussi désespérée que celle-là. Et Marthe avançait toujours, les yeux écarquillés; en réalité, elle ne marchait pas vraiment, elle était entraînée en avant par le poids de son canonnier qui poursuivait tranquillement sa promenade, n'ayant rien remarqué.

Elle passa tout à côté du pauvre Roméo. Mon Dieu! est-ce qu'il l'avait saluée, au moins? Il était dans l'impossibilité de s'en souvenir. Tout ce qu'il savait, c'est qu'il avait la figure bouillante et le dos glacé. Et puis ses jambes s'étaient remises à fonctionner : il se trouvait déjà près de l'actuel syndicat d'initiative. Entre ses omoplates, un fourmillement lui rappelait qu'il se passait là derrière quelque chose, oh! quelque chose... mais il ne devait surtout pas se retourner. Au bord du trottoir, regardant à droite et à gauche avant de traverser, il lui sembla voir la place Corbis pour la première fois. Plus rien ne lui était familier. Un nuage flottait à l'intérieur de sa tête.

Jamais il ne put se rappeler dans quelles conditions il avait rejoint son logement.

Mme Puech n'était pas chez elle. Alors il ne put boire en sa compagnie un peu de la liqueur verte qui fait sombrer le cœur dans sa peine, pour qu'il s'y noie une fois pour toutes. Il revoyait la grosse main rouge de l'artilleur et son air fat. Il se parlait à lui-même. « Cette histoire est finie, se disait-il. Cette fois, tu es débarrassé. » Quand il fit noir, il ne prit pas la peine d'allumer la lumière. Mme Puech revint. Assis au bord de son lit, Roméo écoutait les bruits de la maison, suivant par la pensée les moindres déplacements de sa logeuse, imaginant ses gestes et les expressions de son visage. Il souriait tristement. Il se représentait aussi la bouteille de liqueur de sapin (l'espèce de bûche), et puis les verres si petits. « Voilà, répétait-il dans sa tête. Voilà. » Il tendait à nouveau l'oreille. « Tout à l'heure, se disait-il, je vais me lever. J'irai vers elle. Nous parlerons ensemble des enfants, de tout ce qu'elle voudra. » Il se sentait le cœur immense et douloureux. « Je vais y aller », se disait-il encore. C'était une certitude. Il savait qu'il allait le faire — alors il ne le faisait pas. Ce soir, c'est la seule chose à faire, mais il reste assis.

Les vitres se sont couvertes de buée. Ce fut encore une longue nuit. Le lundi, à l'heure où l'on sort les gamelles dans les ateliers du D.M.C., quelqu'un ouvrit la porte de la boutique et, c'est étrange, le pauvre Roméo était tourné vers le mur du fond mais il sut tout de suite que c'était Marthe. Il le sut à l'instant même où le bruit de la porte parvint à son oreille.

Elle demeurait sur le seuil, la main posée sur le bec-de-cane. Et le pauvre Roméo attendait encore un peu avant de bouger la tête et de la regarder, il s'accordait ce dernier répit, mais il savait déjà qu'elle pleurait. Il savait cela aussi, voici brusquement qu'il comprenait toute chose. D'un coup, les ténèbres où son cœur avait erré pendant des semaines s'étaient dissipées.

Des larmes roulaient sur les joues de Marthe, ce matin-là.

— Vous êtes bête, disait-elle d'une petite voix. Pourquoi êtes-vous si bête?

Ce fut alors le temps de leur amour. Le premier vrai temps de leur vie, et puis aussi le dernier. Ils ne s'embrassèrent pas ce lundi, ni le mardi, ni les jours d'après. Ils attendirent le dimanche, qui doit être un jour plus beau que les autres et qui cette fois-là, en effet, fut plus beau que tous les jours de toutes les vies qu'on a connues. Ils montèrent aux Perches et quand ils furent seuls, ils n'eurent pas besoin de se demander s'ils allaient s'embrasser, ils s'embrassaient déjà. Et ils tremblaient de tous leurs membres, pressés l'un contre l'autre, mais ce n'était pas à cause du vent givré qui criait comme un fou par-dessus les Perches. Ils furent tendres et cette douceur de la tendresse fit couler une liqueur au milieu de leurs poitrines, la même eau que les larmes, mais plus lourde et dorée. Roméo regarda au fond des yeux de Marthe et vit que leur bonheur n'aurait pas de fin et que leur vie ne finirait jamais. Il le crut et à cet instant-là c'était la vérité. Il y a quelques secondes dans la vie où l'on est réellement immortel, mais on ne le reste pas, ne sachant pas comment s'y prendre.

Les amours de novembre ne sont pas moins belles que les autres. Elles sont seulement plus patientes. Les amoureux prennent des précautions. Les amoureuses ne parlent pour ainsi dire pas du tout. Tout cela est lent, paisible et très doux. On a tout l'hiver pour se retourner; on se retourne et le meilleur de la vie est passé. Il est là-bas derrière, il a ce regard nostalgique mais il vous regarde : vous êtes dans un endroit et lui dans un autre. Maintenant il ne reste plus qu'à finir la vie. Il faut la finir puisqu'on l'a commencée. On ne va pas mourir tout de suite, il y a un temps pour tout. Mais ce qu'on fait désormais, c'est finir, et finir n'est pas gai. Finir va toujours trop vite et pas assez.

Ils furent tendres aussi longtemps que possible. Ils ne se saoulaient pas avec la tendresse, ils la sirotaient à petites gorgées. Alors il en restait assez pour demain, et après-demain il y en avait encore. Marthe pensait à Roméo avec calme, pour économiser aussi le doux de cette pensée. Elle s'empêchait de penser à lui à certains moments, exprès pour que cette pensée demeure forte et bouleversante. Et lui, Roméo, vous l'auriez vu! Dans sa boutique, il passait la main longuement sur les choses, à pleine paume, les yeux à demi clos. Il n'était plus le même, il y avait un rayon de soleil qui éclairait son visage par-dessous la peau. Le sourire était son passe-temps favori. Il ne connaissait que trois chansons, dont une vieille, mais il chantait tout au long du jour.

Mme Puech était aux anges. Elle avait rajeuni de dix ans. Vous auriez pu croire que c'était elle, la fiancée! Elle riait lorsqu'elle rencontrait Roméo dans le couloir et le menaçait du doigt, les yeux brillants. Le soir, rentrant de chez les Schultz il retrouvait dans sa chambre un bout de tarte ou un flan qu'elle avait préparé pour lui.

— Oh! madame Puech! la grondait-il gentiment. Vous me gâtez!

Elle ne répondait pas. Elle éclatait d'un rire joyeux. Alors il se mettait à rire aussi. Il mangeait les friandises de sa logeuse, car il n'avait jamais faim mais une fois qu'il se mettait à table, vous ne pouviez plus l'arrêter. Dans une seule journée, il pouvait manger une miche entière, comme autrefois sur la montagne (mais alors c'était la femme, cette Manuella ou autre, qui cuisait elle-même le pain). Il pensait souvent à elle. Il lui parlait par la pensée, tout en poursuivant son ouvrage. Il s'imaginait qu'elle souriait aussi, là où elle était. Elle revenait, aussi près que reviennent les morts, afin d'assister au retour de l'enfant prodigue qui conduit une autre femme par la main. Quelquefois, Roméo avait la certitude que c'était elle, sa mère forte et fragile de la montagne, qui avait trouvé cette épouse pour lui. Marthe était un cadeau qu'elle lui faisait. Enfin, alors, il se sentait absous de sa fuite avec le criminel ambulant, l'homme des joyeux coups de pied au cul. Absous enfin de la mort solitaire de cette femme.

Au mariage, il regretta de n'avoir jamais appris à danser. On n'avait pas de quoi faire une noce à tout casser. Et d'ailleurs, ni d'un côté ni de l'autre, nous ne connaissions grand monde à Belfort, étant venus d'autres pays. Roméo fit venir Mme Puech, elle rit et elle pleura. Marthe invita son amie Zabeth, avec le mari de celle-ci. Finalement, Maximilien Schultz consentit à être de la fête. Il ne dit pas trois mots pendant tout le début du repas mais, au dessert, on n'entendait plus que lui. C'était Paris par-ci, Paris par-là. Il avait habité Paris et d'après lui, Paris ne ressemblait pas du tout à Belfort, ni comme mentalité, ni comme façons, ni comme rien. Bref, nous étions huit en tout.

Mémère avait bien pensé un moment au bon Dr Hamel de Gi, qui avait mis Marthe au monde et qui aurait été si content. Mais le docteur n'était plus. Il était mort pendant la guerre, si bien qu'à Belfort on ne l'avait pas su tout de suite. Papy apprit la chose par hasard de la bouche d'une personne qui avait habité Gi et qui travaillait maintenant aux Galeries. Le saint homme se savait condamné depuis longtemps, mais il continuait ses visites comme si de rien n'était. Du matin au soir et même une grande partie de la nuit. Pour un enfant malade, il aurait grimpé le Ballon tout seul à minuit, en plein mois de janvier. Personne ne l'entendit jamais se plaindre de quoi que ce soit. En fait, personne n'avait rien deviné, à part que les derniers temps, il maigrissait à vue d'œil et sa peau devenait comme un vieux papier. Il réconfortait les autres, ceux qui allaient être mal pendant un certain temps, puis sauter sur leurs pieds et courir. Lui, il savait qu'il allait partir pour de bon. La mort était en lui. Il savait où elle était, en quels endroits elle s'était mise et comment elle s'y prenait pour venir à bout de lui. Et son bureau était plein de livres qui racontaient avec des images et des mots latins la méthode de la mort, qui était une méthode très sûre et causant beaucoup de douleur. La plus petite morsure, le bon Dr Hamel savait ce que c'était : c'était sa mort qui le grignotait du dedans. Cependant, il écoutait toutes les plaintes des gens, même de ceux, c'était la plupart, qui étaient seulement malades du chapeau. Il ne faisait pas semblant. Il pensait avoir été mis au monde pour faire un certain travail, donc il le ferait jusqu'au bout. Il était aussi attentif aux misères qu'il l'avait toujours été, peut-être davantage. L'espèce de sourire qu'on lui voyait parfois, ce n'était pas pour se moquer, oh ! bien sûr que non, c'était un sourire qu'il s'adressait à lui-même parce qu'il allait bientôt s'en aller et ses malades seraient guéris. Sauf ceux qui avaient la même maladie que lui. Ceux-là, il les regardait dans les yeux. Il demeurait un peu plus longtemps à leur chevet, sans avoir rien à dire. A la fin, quand même, la douleur l'empêchait de sortir. Il est mort en juillet 18, il n'a même pas vu la fin de la guerre.

Maximilien Schultz fit danser Mme Puech, qui était sa cavalière. Il fit danser Zabeth, Mémère et la mariée, qui n'avait jamais appris non plus mais qui s'y entendait très bien, surtout la valse. Les enfants Schultz avaient de qui tenir : Papy était un danseur-né.

Ce pauvre Roméo, lui, c'était tout le contraire. Plus on lui montrait les pas qu'il faut faire, moins sa gesticulation ressemblait à de la danse. Ça n'avait aucune allure, on aurait dit qu'il avait un manche à balai sous sa chemise et des fers à repasser dans ses chaussures. Il fit rire toute la noce en se démenant et lui-même ne fut pas le dernier à s'esclaffer, imaginant combien il devait avoir l'air empoté.

On avait fait le repas à l'hôtel Thiers, c'était propre et très convenable. Dans un coin, il y avait un grand sifflet de garçon à l'air bêtasse qui ne faisait rien d'autre que de passer son torchon blanc d'une manche à l'autre, penchant la tête pour ne rien perdre des blagues racontées par l'oncle Maximilien et se faisant rabrouer parce qu'il était toujours dans les jambes de la patronne lorsqu'elle apportait les plats. Ce zigoto s'appelait Kramsky mais, à cette époque, nous ne le connaissions pas encore. Il venait de débarquer à Belfort et ne s'était pas encore mis à couper le bois pour les gens du faubourg. Lui se souvint longtemps de cette noce, pour la bonne raison que Papy lui glissa le plus gros pourboire qu'il ait reçu dans sa vie de garçon-serveur — une vie qui d'ailleurs ne dura pas trois semaines, au grand soulagement des clients de l'hôtel Thiers.

Le soir, personne n'avait faim. L'oncle Maximilien conduisit les jeunes mariés dans sa voiture jusqu'à leur logement de la rue d'Aspach. C'est alors qu'un tout petit homme éleva Marthe dans ses bras, on aurait dit un pingouin emportant une gazelle, et elle ne fut plus jamais jeune fille, mais ils eurent du bonheur un certain temps. Marthe franchit le seuil suspendue dans l'espace, ce qui veut dire qu'on devient femme d'un seul coup, d'abord on ne l'est pas encore puis brusquement on l'a toujours été. Ce qui veut dire aussi qu'une femme ne vient pas chez elle, elle y est mise par un homme qui l'a prise à ses parents. Et puis ce qui veut dire qu'on est aimée très tendrement, et maintenant, c'est une autre forme d'amour qui va prendre place, c'est maintenant que cela doit avoir lieu. Une seule chose peut vouloir dire beaucoup d'autres choses, c'est parce que l'amour multiplie la vie. Quand l'amour habitait rue d'Aspach, la vie était nombreuse comme les étoiles dans le ciel, et nous étions heureux.

— Pourtant, tu vois, dit Gentil à Théo, désignant le mur presque noir, on ne peut pas dire que c'était gai de loger là. Et encore ça, le dehors,

ça n'est rien : tu aurais vu l'intérieur ! Le couloir !
L'escalier ! Et le logement, avant qu'ils ne l'arran-
gent ! Zabeth m'a dit qu'à part les fenêtres et une
espèce de parquet par terre, on aurait cru une
cave — d'ailleurs, il y avait de la poussière de
charbon après les murs de la chambre, tu imagi-
nes !

Théo contemplait ce mur où la tristesse des
années avait mis comme une suie spéciale, un peu
beige et qui ne renvoyait pas les rayons du soleil.
Là avait commencé sa vie, alors qu'il n'était pas
encore né.

— C'est le loyer qui les avait décidés, poursuivait Gentil. C'était encore trois fois trop cher
pour ce placard puant, mais c'était dans leurs
moyens. Et puis l'endroit convenait : ils pouvaient
tous les deux se rendre à leur travail à pied et
c'est toujours un avantage. Ta mère n'avait que le
chemin de fer à traverser. Ton père prenait la rue
Voltaire et suivait tout droit. Ça n'était pas aussi
près que rue de Toulouse, mais, quand on vient
de se marier, on n'hésite pas à faire des kilomètres.

Théo demandait quel étage c'était, quelle fenêtre.

Gentil se souvenait de tout ça. Il aurait pu en
dire et en dire. Il se souvenait d'un tas de choses,
mais il ne pouvait pas tout raconter à Théo. Et à
lui-même, aussi, il y avait certaines choses qu'il ne
se disait pas.

Lorsqu'il était rentré du Tonkin, il avait vu
Marthe dans la cuisine de sa sœur et son cœur
avait battu la breloque, pendant qu'il gardait sa
casquette à la main. Il avait aperçu Roméo un
jour : ce type-là ne lui avait pas fait grande
impression. Gentil l'avait trouvé bien vieux et
bien emprunté pour une femme aussi lumineuse.

Et il ne parlait pas davantage qu'elle, mais lui, s'imaginait Gentil, c'est parce qu'il n'avait rien à dire. Gentil avait beaucoup changé, mais pas encore au point d'écouter à travers le silence. Et puis il était trop inquiet de lui pour s'embarrasser des pensées d'un autre homme.

Ainsi devint-il amoureux de cette Marthe, songeant d'abord à marcher au côté d'elle, à porter ses paquets, ne songeant pas encore que cela était les premières songeries de l'amour. Voyant les jardins, il éprouvait un pincement au cœur, ce qui n'est pas normal, les jardins des cités ne sont pas si beaux que ça.

Il y eut bien des jours couleur d'abricot, un rien lui causait une émotion extrême. Zabeth riait de lui, le croyant lunatique, fiévreux, du fait de la colonie. Le beau-frère ne riait pas; il ne riait de rien, c'était un homme estimant toujours que tout était ordinaire, car ce qui n'est pas ordinaire est source de tourment. Les trois s'entendaient bien. Ils vivaient ensemble comme si c'était la seule façon de vivre. Les jours prenaient leur temps pour finir, ils n'étaient pas pressés de basculer derrière le Salbert. Nous n'étions pas pressés non plus, on venait seulement d'achever cette guerre.

Le plus souvent, Marthe ne venait pas. L'ancien marsouin enfonçait sa casquette et partait dans Belfort. L'habitude des longues promenades lui vient de ce temps-là. Il retint les noms des rues sans le faire exprès, simplement parce qu'il prenait son temps et aimait les choses banales plus que de raison.

L'amour de Gentil fut un amour pesant comme un caillou dans la poche, un morceau de pavé qu'on a placé là en allant faire le piquet de grève à la porte de la Société Alsacienne, par un de ces jours sombres où ils pourraient aussi bien décider de tirer sur nous. Plus il allait de rue en rue, plus il sentait le poids de cet amour. Il n'avait pas encore reconnu l'amour mais, le poids, il l'éprouvait dans toute sa pesanteur, sans un moment de répit.

Il allongea le pas et revint après la nuit de ses balades, espérant un soulagement. Ce fut peine perdue. Seulement, quand Marthe était là, le poids s'en allait. C'est-à-dire qu'il le tirait en haut au lieu de l'écraser par terre. Aussi finit-il par comprendre ce que ce poids était, du seul fait qu'il n'avait plus qu'une envie, c'était de voir cette Marthe, de savoir qu'elle allait venir et d'attendre caché derrière un journal, les intestins noués. Et alors il aurait pu prendre le monde à deux mains et le soulever par-dessus sa tête pour le poser devant cette femme. Allant par les quatre chemins, il rêvait qu'il était avec elle. Il rêvait qu'il restait avec elle dans la nuit et n'éprouvait aucune honte.

Il avait examiné attentivement ce désir, le jugeait non pas malhonnête, mais très fort et très beau, ainsi qu'une chose qui n'appartient plus à l'univers du bien et du mal, flotte au-delà comme un de ces oiseaux chatoyants des Amériques. Ce désir lui semblait une prière et une célébration; il ne pouvait être que pur, étant d'inspiration sacrée et non point le simple élan de la chair. Gentil se mettait aux aguets de son désir, dans un état de crainte et de soupçon, et pourtant il devait bien finir par admettre que ce n'était pas la chair qui le nourrissait : l'illumination de la chair n'était qu'un reflet très atténué et lointain de la fournaise ardente allumée dans son âme. Ce désir était une grâce, qu'un homme n'a pas le pouvoir de refuser, quand bien même aurait-il déjà topé avec le diable (ce qui n'était pas du tout le cas de Gentil). Celui-ci se considérait comme une personne élue, il était éperdu de reconnaissance. Il aurait pu marcher toute la nuit sans ressentir la moindre lassitude.

Et comme il ne marchait pas aussi longtemps, il dormait mal, hanté par cette Marthe, par cette exquise et sobre clarté qui, selon lui, émanait de la jeune femme. En ce temps-là, Marthe n'était pas bien épaisse, mais elle avait déjà les hanches larges. L'esprit de l'ancien marsouin était obnubilé par ce mélange d'étroitesse et de largeur. Ça et puis la courbe de la joue, telle qu'il l'apercevait depuis sa chaise, lorsque Marthe venait chez Zabeth et faisait un certain mouvement de la tête qui envoyait les cheveux en arrière. On aurait dit qu'un rideau était tiré, dévoilant ce trésor l'espace d'un éclair, avant que les cheveux ne reprennent leur place. Gentil en avait le souffle coupé.

Alors Marthe cessa de venir. Pendant deux semaines, elle ne se rendit pas chez sa meilleure amie Zabeth. Ce n'était qu'une circonstance de la vie, il n'y avait pas d'intention délibérée là-derrière. Mais Gentil, au point où il était rendu, ne pouvait pas supporter cette absence, ni la considérer comme un simple hasard. La première semaine, pendant l'heure qui suit la fermeture du D.M.C., il se contenta de tourner comme un ours en cage dans la maison de sa sœur, ne disant pas un mot à table car il ne pensait qu'à une seule chose et en parler eût été se trahir. Donc il se taisait, mangeait sans faire attention à ce qui était dans son assiette et allait décrocher sa casquette du portemanteau. La deuxième semaine, il n'y tint plus. Au lieu de rentrer directement de l'usine rue de Wesserling, suivant son habitude, il se mit à faire les cent pas devant Saint-Joseph, qui était le coin stratégique pour rencontrer Marthe à la sortie de la filature.

Pas de Marthe. Vous imaginez toutes les idées qui pouvaient lui traverser la tête...

Le lendemain, même chose.

Le surlendemain... Le surlendemain, il se dit : « Peut-être bien qu'elle traverse au passage à niveau et qu'elle arrive par la rue de Mulhouse. Je vais aller me poster au coin de la rue Voltaire. » Là-bas, à peine tendait-il le cou pour voir ce qui se passait vers le passage à niveau, qu'il crut apercevoir Marthe en train de franchir le portillon.

Il recula précipitamment la tête.

En réalité, il ne s'était pas du tout préparé à accoster la jeune femme en pleine rue. D'abord, qu'allait-il lui raconter ? Déjà qu'ils se causaient à peine quand ils se voyaient chez Zabeth ! et comment justifierait-il sa présence rue de Mulhouse, dans le bout qui ne mène qu'aux usines, à l'heure où les usines ferment leurs portes ?

Il fut pris de panique. Ses manières d'espion lui parurent tout à coup un manque de respect à l'égard de Marthe aussi bien que de lui-même. Honteux, il prit ses jambes à son cou et détala en direction de Saint-Joseph. Pour être sûr que la jeune femme ne le verrait pas en passant devant la rue Voltaire, il s'engouffra dans le jardin de la cure et y resta un bon quart d'heure.

La nuit, bien sûr, il ne fit que ruminer ce qui s'était passé, se maudissant de s'être abandonné à de tels enfantillages. Car son désir n'était pas un désir d'enfant. Ce qu'il voulait n'était pas des frôlements de mains et des regards doux, c'était un fils de cette femme. S'il ne l'avait pas compris auparavant, il le réalisait à présent d'une manière parfaitement nette. Les sottises qu'il venait de faire avaient au moins servi à l'éclairer sur ce point. Tout était limpide, désormais. Tout était simple. Non pas facile, oh! certes non. Mais contenu dans une seule idée, dans un seul mot : un fils. Et les fils ne s'obtiennent pas en allant faire le zigomar au coin de la rue Voltaire et en se cachant derrière les arbres du curé. Ils ne s'obtiennent pas davantage en épiant le rond d'une joue au fond d'une cuisine ou en enfilant les rues de Belfort jusqu'à une heure avancée de la nuit. Voilà du moins qui était sûr. Gentil savait où l'entraînait le poids de son amour. Il ne restait plus qu'à tirer les conséquences de ce savoir. Cela était le dur, le douloureux, le mauvais. L'ancien marsouin savait que son amour était toute grâce et pureté, mais il ne pouvait ignorer pour autant que Marthe était femme et mère d'enfant. Si ça n'avait été que de lui, il aurait renoncé à la voir pour toujours. Seulement il lui semblait qu'il avait à rendre compte de cet amour à une autorité supérieure, que c'était une chose précieuse qu'on lui avait confiée et qu'il n'était pas libre de s'en débarrasser.

La passion peut prendre des formes différentes. Chez Gentil, la passion avait pris la forme d'une loi, d'un commandement. De telle sorte que s'il n'obéissait pas, il commettait une faute très grave — plus grave que de voler la femme à quelqu'un.

Et d'ailleurs, était-ce vraiment un vol ? L'ancien marsouin avait une fois rencontré le dénommé Roméo : c'était visiblement un de ces hommes qui ont une femme parce qu'on a une femme, mais dans le fond ils s'en moquent. Celui-là ne se rendait même pas compte de son bonheur. Du reste, peut-être qu'il n'était pas heureux avec Marthe. Ça existe, des gens comme ça : tout ce que la vie leur offre de plus beau, c'est comme de donner des perles aux cochons. Et même s'il était un peu heureux, un peu reconnaissant de sa chance, il ne pouvait être aussi toqué de Marthe que Gentil. Il ne pouvait avoir en lui autant de soupirs, autant de ferveur, autant d'adoration, autant d'extravagance — autant d'amour, disons le mot — sinon, bien sûr, ça se verrait. Il faudrait forcément que ça paraisse et qu'on s'en aperçoive. Au moins lui, Gentil, n'aurait pu manquer de s'en apercevoir.

Or, la loi de l'amour est que celui qui aime le plus a tous les droits, parce que c'est celui qui donne le plus de soi-même. Il ne s'agit pas de prendre, mais de donner. Et celui qui ne donne rien n'a pas le droit de garder. C'est la simple justice. Il ne serait pas juste qu'une Marthe, ou n'importe quelle autre jeune femme inspirant un amour ardent, ne puisse profiter de cette ardeur, ne connaisse durant toute son existence qu'une adoration distraite et de flasques étreintes, venant d'un homme qui pense à autre chose. Considérant pareil désordre, le diable en rit dans son enfer, il se bat les cuisses du bois de sa fourche. Gentil imaginait ce terne Roméo, rentrant le soir, racontant en long, en large et en travers ses aventures avec de vieux pots de chambre fendus et ne caressant pas cette Marthe, ne bafouillant pas des folies et des horreurs merveilleuses, à genoux tel un pénitent, accroché à ses hanches, les lèvres barbouillées d'extase, l'œil à la retourne, contemplant déjà le paradis terrestre. Il l'imaginait disant : « Voilà gnagnagnagnagnagna, j'ai gagné cent sous, et cent sous plus cent sous, ça fait dix francs, gnangnangnan. » Il l'imaginait frileux, bonnet de nuit, ayant peur de tout, mais ne craignant pas la terrible clarté de sa femme, ne craignant pas l'instant sublime où il pourrait pétrir sa beauté à pleines mains. On ne vole pas un tel homme : c'est lui qui laisse aller son bien à vau-l'eau. C'est lui qui se détourne d'un trésor pour aller couver des rognures et refaire à la chandelle ses comptes d'apothicaire. Contre ce gâchis, Gentil se sentait animé d'une sainte colère. Enlever Marthe à ce pisseux, c'était comme partir en croisade. S'il hésitait à le faire pour lui-même, il devait le faire pour elle. On l'avait désigné tout spécialement pour être l'instrument de cette délivrance.

Il y pensa toute la matinée du lendemain. Vers midi, sa décision était prise. Il s'arrangea avec un copain de la manutention qui avait un long jardin sur la pente des Forges. Il lui laissa un gros billet, quasiment la paye d'une semaine, en échange d'un bouquet de fleurs comme aucune femme n'en avait jamais reçu, pas même la reine de Belfort. Ce n'était pas un bouquet, c'était une gerbe. Le copain avait couru à son jardin à l'heure du repas, le gros billet plié en huit au fond de sa poche, et il avait arraché de la terre tout ce qu'il avait pu. Il voulait que Gentil en ait pour son argent, alors c'est tout juste s'il n'ajouta pas les rames de haricots et les lattes de la gloriette. Avant de retourner à l'usine, il passa chez lui prendre un vieux porte-parapluies, un cylindre de trente centimètres de diamètre, haut d'un mètre, qui servit de vase pendant l'après-midi, après qu'on eut fait couler de l'eau dedans.

Dès que la sirène retentit, l'ancien marsouin empoigna sa brassée de fleurs, la pressa toute dégoulinante contre sa poitrine et marcha en direction de la rue d'Aspach. Son esprit était libre et paisible : il savait ce qu'il allait dire et ce qu'il allait faire. Les fleurs, c'était l'entrée en matière, c'était pour lui éviter de tourner autour du pot. Cela se passait par un soir délicat, un peu jaune et un peu mauve, les toits étant bordés d'un liséré d'or. Il n'était pas arrivé à l'angle de la rue de Mulhouse qu'il vit Roméo sur le trottoir d'en face, nez au vent, s'apprêtant à tourner dans la rue d'Aspach.

Il ne l'avait rencontré qu'une seule fois, mais il le reconnut tout de suite. Il le reconnut et pourtant, ce n'était pas le même homme. Ce n'était pas ce même homme contre qui il s'était emporté toute la nuit et une partie de la journée. Ce n'était pas l'être morne, et fade, et tremblant, et distrait, et plein d'eau dans les veines, dont il avait prononcé la condamnation au nom du droit des femmes lumineuses à être idolâtrées. C'était un homme qui allait d'un pas sûr, les yeux pétillants de joie, tout exalté, et qui répandait lui-même en ce moment une clarté aveuglante, si aveuglante que Gentil, lorsqu'il en fut frappé, faillit être projeté en arrière. Et ce petit homme, lui aussi, ce petit homme heureux et frétillant, tenait un bouquet. Mais ce n'était pas une gerbe ruisselante qu'il faut porter à deux bras, ce n'était pas une meule de fleurs qu'on abreuve avec un porte-parapluies — au vrai, ce n'était même pas un bouquet : seulement une seule rose rouge, ou plutôt grenat, avec des reflets pourpres, avec des reflets noirs, la plus belle des fleurs dans la main du petit homme, un certain soir de la vie, entourée d'un morceau de papier blanc et tenue bien droite telle une bougie. Il souriait à cette rose et Gentil eut le sentiment que la rose souriait au petit homme. Alors il eut d'un coup la révélation qu'il avait passé la nuit à se mentir, qu'il était tombé dans le péché d'illusion, qu'on peut commettre sans avoir besoin de croire qu'un dieu ou un autre existe au ciel. Sa passion lui fut aussitôt un tourment, un miroir où il se voyait plein de couleurs sombres, peinturant l'état de son âme. Il

236

pouvait s'épargner la peine de jeter un coup d'œil à ses fleurs à lui. C'était bien sûr qu'elles ne lui souriaient pas. Elles se considéraient déjà comme mortes entre ses bras, et n'avaient pas été heureuses de mourir à cause de lui. Ce qu'il serrait contre son cœur n'était guère plus qu'une charge d'herbe, un tas de foin coupé. Là-bas, la rose grenat chantait la vie qui recommence, qui sans cesse recommence à commencer. Tout son parterre décapité, ici, ne parlait que d'agonie. Gentil écoutait ce beau chant et cette malheureuse parole. Il comprenait que c'était le petit homme et non lui qui jouissait de la vraie grâce de l'amour. L'exquise clarté de Marthe éclairait cet homme-là. A moins encore qu'elle ne vînt de lui, de sa lumière à lui. Tandis que Gentil, ça n'était pas grand-chose en fait d'homme et d'amoureux. Ça n'était qu'un bourreau des jardins, un personnage concupiscent qui se racontait des mensonges dans le noir pour faire sans remords la cour aux femmes mariées. Lamentable courtisan, qui croyait se consumer d'amour et n'avait pas été capable de faire venir la plus petite étincelle de cet amour dans un bouquet assez fourni pour manifester l'amour de tout un régiment...

Roméo disparut dans la rue d'Aspach sans avoir remarqué Gentil et sa gerbe. Comme la veille au soir, l'ancien marsouin fit demi-tour mais, cette fois, avec ou sans gerbe, il ne reviendrait plus. Il ne reviendrait plus délivrer Marthe d'un amour qu'il croyait tiède, mais qui était cent mille fois plus brûlant que le sien, puisqu'il pouvait faire sourire une seule fleur et en réduire je ne sais combien d'autres à l'agonie.

Sur le chemin du retour, il n'y avait pas de ciel. Ce n'était plus ni le jour ni la nuit. Un fantôme glissait contre le mur de la cure, c'était Gentil. Il posa ses fleurs sur une des marches qui montent au parvis de l'église, à peine conscient de ce qu'il faisait. Si le diable ne les a pas prises, ayant du goût pour ce qui se fane, celui qui les trouva n'en parla à personne. Et Gentil non plus ne confia cette histoire à quiconque. Il vit naître Théo, qui n'était pas son fils, et un jour, après la mort du petit homme, il l'amena devant une maison qui lui apparaissait souvent pendant ses mauvais rêves mais aussi dans ses pensées douces. Il évoqua le passé, les faits et gestes d'autrefois, mais de ceci, il ne put rien lui dire. Il mit toute une vie à se taire car les fleurs qui sèchent entre les parois du cœur ne s'en vont plus jamais. Le cœur va, cependant. C'est pourquoi sa clarinette avait tant de choses à raconter, encore bien des années plus tard, et les femmes qu'on a su aimer l'écoutaient toujours, cherchant à deviner. Il en embrassa beaucoup et n'en maria aucune et fut adoré d'elles et ne brisa le cœur d'aucune et ne put en aimer vraiment aucune et aurait pu mourir pour elles.

GENTIL

histoire du numéro

Ainsi Gentil était revenu, prenant son temps. Parce qu'il nous aimait mais il lui restait cette nostalgie des voyages. Il avait vécu dans une famille, près de Montpellier. Il avait fait la vendange. Ils lui avaient servi de leur vin nouveau; il pouvait en reprendre sans demander, autant qu'il avait soif. Et même sans soif on buvait, parce que le vin est comme le soleil : c'est une chose qui est là et ce serait pitié qu'on n'en fasse pas usage.

Gentil était bien, un jour il partit. On a quand même un seul chez soi. Ailleurs est un endroit pour voir; mais pour habiter, c'est chez nous. Il passa la ligne. Comment on s'y prend, ça n'est pas si compliqué. On donne des sous à un passeur. Quand la patrouille arrive, vous vous couchez dans l'herbe. Les gendarmes boches passent en regardant droit devant eux et ils tiennent le museau des chiens, alors la bête ne peut pas montrer qu'elle vous a senti. Quand la patrouille s'éloigne, vous franchissez la ligne; le passeur vous serre la main. Un soir, vous finissez bien par arriver à Belfort. « Ils sont rue de l'Yser », dit Zabeth. La rue de l'Yser, c'est un endroit qu'on connaît.

La première chose que fait Théo, c'est d'aller

chercher la clarinette, puisque son ami la lui a confiée avant de partir.

Gentil a son sourire d'autrefois.

— Pas maintenant, dit-il. Quand il me la faudra, je te la demanderai.

Il savait déjà tout. La mort de Roméo. La serrurerie Breschbuhl. Agathe à Bavilliers. La fermeture des dancings. Fermeture n'est pas le mot. C'est seulement qu'on ne va plus danser et qu'il n'y a pas de musiciens sur l'estrade. Quand les Boches étendent leur croix gammée sur le château, comme une lessive de brutes et de bandits, vous n'avez pas le cœur à ça. S'ils veulent qu'on s'amuse au Luxhof, ou au Bristol, ou à la Maison de la Bière (près du Kursaal transformé par eux en magasin de vivres, alors que nous n'avions plus rien à manger), qu'ils y aillent avec leur sacrée musique de poupées mécaniques et qu'ils s'empoignent, qu'ils se tiennent le menton, les noirs et les vert-de-gris, les colliers-de-chien et les casquettes à tête de mort, qu'ils tournent enlacés eux d'abord, levant leurs bottes à hauteur de leur figure comme ils font, et qu'ils transpercent le plancher et se noient dans le feu de la terre. Pour nous, c'est deuil. C'est silence et misère. On se respecte, on demeure raide comme un qui n'a même pas appris que la danse existe, et s'il l'apprenait il ne comprendrait pas de quoi il s'agit.

Ce que Gentil ne savait pas encore, il l'a su tout de suite car Théo lui a tout raconté. Excepté le fait qu'un Louis venait dans le lit de sa sœur et s'enfilait sous sa chemise de nuit, dont il restait ignorant. Son récit fut très complet. Ç'a été tantôt dans la cuisine, tantôt sur le trottoir, tantôt chez Zabeth, où les leçons de musique avaient recommencé. Il énumérait à Gentil les fameuses péripéties de ces deux années — presque trois à présent, septembre sera bientôt là.

Gentil sut pour Léon et Larbi et le grand Siboulet, souhaitant beaucoup connaître ces oiseaux-là.

Il sut pour Kramsky et se frappa les cuisses, sacré Kramsky !

Il sut pour la colère de Théo, et posa seulement la main sur l'épaule du garçon, lui montrant qu'il le considérait comme un homme (à qui un homme ne dit plus de mots d'estime ou de compliments). Cette main, Théo continua d'en sentir le lourd et le chaud après que Gentil l'eut enlevée.

Ce dernier a su pour la gamelle. C'était bête, cette affaire, mais Théo ne voulait rien lui cacher.

Il sut pour la lecture et, bien que lui-même n'avait jamais lu que *La République de l'Est,* désapprouvant du reste ce qui était marqué, il dit à Théo qu'il devait lire le plus qu'il pouvait.

Puis Théo hésita et baissa les yeux. Mais finalement, Gentil sut aussi à propos de Robert Lamiral.

— Lamiral... Lamiral ? murmura l'ancien marsouin. Oui, je crois voir de qui il s'agit.

Une ombre obscurcissait son front tandis qu'il voyait Robert Lamiral en dedans de sa tête. Ce fut tout. Gentil revint sur le sujet de la musique. Comment on doit entendre la note dans sa tête et c'est ce qu'on entend qui doit sortir de la clarinette, comme si on continuait d'entendre et non comme si on avait fabriqué la note soi-même.

— Ne joue pas, disait-il, écoute. Ça n'est pas toi qui fais la musique, de toute façon; elle est déjà là. Ouvre bien les oreilles.

Alors voici Théo qui entre dans sa quinzième année. Il avait vu quatorze fois l'été et lu presque autant de livres. Il avait lu *Croc-Blanc* et *Le Loup des mers* et *L'Amour de la vie,* qui étaient tous les livres de Jack London qu'on trouvait dans la bibliothèque de l'école, à Bavilliers. Il avait lu *La Prairie* et *Le Dernier des Mohicans, Le Capitaine Fracasse, Moby Dick* qui était gros comme deux livres, *L'Homme qui rit, Germinal, L'Ile au trésor.* Il avait lu quelque chose appelé *Le Paysan de Paris,* n'ayant ni queue ni tête mais étant fort beau (c'est le grand Siboulet qui lui avait fait prêter ce livre par Léon). Et puis quoi ? Et puis *Le Père Goriot;* ce père Goriot était un vieux riche qui était devenu malade à cause de son argent.

Théo semblait un jeune homme. Il n'était pas très grand, son père ayant été petit par la taille, mais il était plus grand que son père. Il était moyen, avec des épaules et un menton carrés. Il était solide. Il aimait boire un coup.

La période de son apprentissage allait finir. Il savait toutes les choses que doit savoir l'ouvrier serrurier. Si Robert n'avait pas le temps de faire une chose, il pouvait la faire à sa place et bien malin qui aurait vu la différence. M. Breschbuhl lui souriait d'une manière qui veut dire quelque chose. Le matin, il continuait d'être là le premier, mais la patronne n'était plus à son carreau, à guetter s'il venait bien à l'heure. Il aurait pu entrer seul au Chpaniaque, les hommes au comptoir ne se seraient pas retournés. Par la taille du corps et le savoir des mains, il avait acquis le droit de se tenir avec eux au coude-à-coude, de n'expliquer à personne pourquoi il était là, et si quelqu'un posait la question, il lui était permis de ne pas répondre et même de proposer la bagarre. Théo était devenu assez grand pour ne pas avoir forcément le dessous dans une bagarre avec un client du Chpaniaque. Il attendait le jour de sa première bagarre, sachant qu'il doit arriver. Même Gentil devait se battre quelquefois. Une fois, Théo l'avait vu taper avec un tabouret sur la tête d'un tas de voyous, dans la salle du Bristol. L'image était restée gravée dans son esprit, encore qu'il fût à moitié endormi quand l'événement s'était produit, une demi-douzaine d'années plus tôt. Papa était encore là, il était avec nous, et peut-être bien qu'il s'était bagarré lui aussi — c'était le soir où il était tombé de tout son long dans le couloir et n'avait plus bougé. Tant que sa première bagarre ne venait pas, Théo sentait la force s'accumuler au bout de ses deux bras, ses poings finissaient par être la chose la plus lourde et la plus vibrante de son corps. Le jour où il faudrait s'expliquer, il serait fin prêt.

Il aurait bien aimé s'expliquer avec les Boches, par exemple. Ces salauds-là commençaient à nous taper sur les nerfs. Et c'est qu'ils devenaient mauvais, avec ça ! Non contents de nous affamer, de nous emmerder dans les rues, on aurait dit que chaque jour, ça les démangeait un peu plus de nous tomber dessus et de nous ratatiner. On s'est bien amusés le jour où Kramsky, qui en avait assez de jouer à l'évadé, probablement, est allé parler hanneton à une des sentinelles du Kursaal — et ma foi, à voir ses hochements de tête frénétiques, on aurait bien cru qu'elle comprenait, la foutue tête carrée ! Alors ce vieux Kram reprenait de plus belle, vous pensez ! et nous, il fallait qu'on se tourne, qu'on se morde les joues et qu'on se cache la figure dans la main. Cependant, ça ne nous faisait pas oublier tout le reste et c'était vraiment une trop petite vengeance. On pouvait se payer la tête de l'ennemi, c'est sûr, on avait assez de cran pour ça, mais ça ne nous remboursait pas de toutes les saloperies qu'il commettait. La Résistance commençait de leur tirer la queue par-derrière, aux Boches, alors ils se fâchaient.

Leurs camions venaient à l'aube dans une rue, on arrêtait Untel ou Untel. Il paraît qu'ils leur faisaient des supplices à la Gestapo. Nous n'allions quand même pas nous croiser les bras. Ils en voulaient aux juifs, aussi. La milice se mettait avec eux pour que la vie des juifs ne soit plus tenable. Ça empirait tout le temps. Et la T.S.F., c'était le plus pire de tout. Les Boches, au moins, c'étaient nos ennemis de toujours, mais la radio de Vichy, ça nous donnait honte, parce qu'ils étaient français comme nous.

Un matin, ils ont embarqué le cordonnier Goldenberg. Il n'avait rien fait, le cordonnier Goldenberg. On le savait bien, on l'avait toujours connu. Riri Goldenberg avait été en classe avec Théo. Quelqu'un avait jeté un pavé dans sa vitrine, à l'époque, mais on n'y avait pas trop fait attention, il y a des malveillants partout. Maintenant, ça n'était plus des malveillants; c'était la Gestapo. Seulement, la Gestapo ne pouvait pas faire grand-chose, si elle était toute seule. C'étaient des fumiers qui l'aidaient. C'étaient des fumiers qui allaient dire je ne sais quoi à la Gestapo, et ils tiraient le cordonnier du lit avec sa femme et Riri et ils les faisaient grimper dans un camion, en vêtements de nuit, leur bourrant les reins avec leurs crosses de fusil. Il y avait des mouchards. Des gens qui vous mouchardaient d'être juif, ou d'écouter la radio du grand Charles, ou d'avoir une tête qui ne leur revenait pas. Et la Gestapo enfonçait votre porte dans le petit matin. Les voisins auraient donné tout ce qu'ils avaient pour être sourds à ce moment-là.

Thoé, apprenant ça, le sang lui bouillait. Il en causait avec Gentil, blanc d'une colère différente, mais aussi grande que son ancienne colère d'enterrement.

— Qu'est-ce qu'on va faire ? criait-il. (Il ne criait pas, le cri restait dans la poitrine et la faisait résonner curieusement.) On est des hommes, Gentil, qu'est-ce qu'on va faire ?

Son ami lui prenait doucement la clarinette des mains, on ne mêle pas un instrument à ces gestes-là.

— Toi, Théo, disait-il posément, toi, tu ne vas rien faire. Chacun sa part. D'autres vont régler ça : leur moment est venu. Toi, tu te gardes pour après. Il nous faudra des hommes neufs, quand les Boches seront partis. Je sais ce que tu ressens. Je sais bien ton envie, va; tu crois que je ne te connais pas ? Mais il y a, vois-tu, un ordre dans la vie. Un numéro pour faire certaines choses. Quand ton numéro sortira, tu n'auras pas le droit de reculer. Maintenant, il ne t'est pas permis d'aller en avant.

— Mais on ne va pas se laisser faire, Gentil ! Je ne suis pas un gosse !

Il s'étouffait d'indignation et d'impatience.

— Je sais ce que tu es, mon Théo. C'est à toi que j'ai confié la clarinette, non ? A toi et à personne d'autre. Et pourtant, tu ne seras probablement jamais un vrai musicien. Mais tu es quelqu'un qui sait garder la clarinette d'un autre — c'est peut-être encore plus rare.

— Il faut se battre, Gentil. Il faut les empêcher !

— Bien sûr, qu'on va les empêcher. Les hommes d'ici savent ce qu'ils ont à faire. Et toi, Théo, il y a une tâche qui t'incombe, camarade. On ne fait pas la tâche qu'on veut. Ce n'est pas la foire d'empoigne, chacun fait ce qu'il a à faire.

— Il faut tuer les traîtres, gronda Théo. Il faut les tuer tous !

Gentil demeurait calme.

— Il y a des gens pour tuer, dit-il. D'autres sont chargés d'un autre travail. Si ton travail est d'attendre qu'on t'appelle, attends. Ce qui compte, ce n'est pas ce que tu veux, c'est ce qui sert.

— Qui sert à qui?

— Qui sert aux gens qui vivront, parce que ceux qui vont mourir, on ne peut plus rien y faire. Leur numéro est sorti. Mais crois-tu donc que la terre va s'arrêter de tourner pour autant? Certains numéros seront appelés plus tard, quand les tueries seront finies, parce qu'il faudra faire alors des choses encore plus difficiles que de risquer sa peau. Ne crois surtout pas que tu as la meilleure part, mon Théo. Si tu crois cela, tu te trompes. N'importe qui peut être un arbre qui reçoit la foudre, mais ce qui compte, c'est l'arbre qui porte des fruits.

— Mais si on y va tous ensemble, plaida le garçon, ce sera plus facile!

— Oui, mais justement. Tu as le numéro des actions difficiles. Tu ne dois pas te défiler.

Théo se tut et réfléchit.

S'il fallait croire quelqu'un, il était toujours prêt à croire Gentil. Malgré tout, il lui paraissait dur de ne pas aller tout de suite démasquer les traîtres et leur faire sentir leur douleur. Il lui importait peu d'être l'arbre aux fruits : tout ça n'était pour lui que des mots de Gentil, qui devaient avoir un sens mais il ne devinait pas lequel. Il n'aurait pas détesté être l'arbre qui s'abat sur les ennemis, tuant net plusieurs d'entre eux. D'un autre côté, il se souvenait que dans tout ce que son ami lui avait dit, il avait toujours eu raison. Et puis, même chez nous, on n'est pas encore son propre maître à quatorze ans. Il vous faut quelque chose comme un père, et si on n'en a

246

plus, Gentil était ce qui remplace le mieux. Finalement, Théo décidait qu'il écouterait Gentil, mais il aurait voulu savoir pourquoi.

Ce coup-là encore, l'ancien marsouin appuya la main sur son épaule, alors Théo comprit qu'on lui avait parlé tout à fait sérieusement.

— C'est que je ne veux pas être un lâche, bougonna-t-il.

— Mais non, dit Gentil.

Il avait son sourire. Ce sourire, vous savez bien.

Dans quelques dizaines d'années d'ici, les tristesses seront finies, je ne serai plus là pour les dire. Vous irez sur ce même faubourg, vous qui n'êtes pas encore nés quand je parle, et vous marcherez d'un air que pas un d'entre nous n'a osé avoir pour marcher. Pour vous, il s'agira seulement d'aller ici ou là, comme on irait ailleurs ou autre part, à Belfort autant qu'en Chine ou au Pérou. Nous, c'était une chose différente. Le faubourg était, comment dirais-je ? — le chemin de notre vie, qui va de l'enfance à la mort. Et non seulement on n'en connaît pas d'autre, mais on ne peut pas en connaître. Ce n'est pas une route, c'est la destinée. Ce n'est pas un endroit, c'est nous. Nous avons nos habits de tissu et puis un peu plus loin nos habits de pierre, les trottoirs et les murs : voilà ce que notre faubourg était.

D'autres modes viendront, personne ne voudra plus vêtir ce vieil habit. Nous l'avons souhaité de tout notre cœur : qu'il naisse chez nous des gens coquets; nous, nous n'étions pas capables. Je nous revois — quelles dégaines c'étaient ! On faisait le cauchemar des épouvantails, on était bien. Nos vêtements de pierre cachaient que nous étions nus de naissance. Un jour les gens ne naîtront plus ainsi. Ils n'habiteront plus des habits mais de vraies maisons, c'est-à-dire qu'ils pourront les quitter sans découvrir leur peau. Sans s'exposer. Ce seront des gens de partout, ils auront des rues qui s'en vont, au lieu de tourner les unes dans les autres. Si telle rue a un numéro, au lieu d'un nom, on dira que c'est plus pratique pour le facteur. Tout deviendra pratique. Tout sera tellement pratique, à la fin, que personne ne servira plus à rien. Alors ils s'assiéront sur leur cul, ceux qui ne sont pas encore nés, et ils dépenseront leur temps à de jolies choses. Nous sommes tellement loin de tout ça, nous autres, qu'on ne peut même pas imaginer ce que ça pourrait être. C'est comme le paradis : on a envie que ça existe et au bout de trois minutes qu'on y songe, on ne peut pas s'empêcher de penser : « Quand même, qu'est-ce qu'on doit s'emmerder là-haut ! » Les curés eux-mêmes ne savent pas quoi dire. Ils disent qu'on ne peut pas du tout avoir idée, que ça n'est pas ci et pas ça. Bon. Mais ce que c'est, alors, vous n'êtes pas plus avancé ! Il faut bien, pourtant, que ceux d'après nous aient plus de chance que nous n'en avons eue.

— L'homme se fait petit à petit, disait Gentil. C'est pareil que pour un morceau de musique : il faut attendre la fin pour savoir ce que ça vaut. Depuis quand existe le monde, ça je ne saurais pas te le dire (je n'y étais pas, hélas !), mais quelque chose me dit qu'on n'est encore qu'au début de l'homme. Tant mieux : comme ça, il y en aura encore beaucoup. Quand l'homme sera parfait, qui sait ce qui se passera ? Peut-être qu'il ne saura plus mourir, ni faire d'enfants ? Alors, forcément, il se mettrait à redescendre la pente : qui sait si ça n'est pas ça, aussi, qui nous attend ?

On s'en va du côté de la ville, direction le Fourneau, par un dimanche d'automne un peu bleuté. Encore une sorte de bleu. C'est le jour choisi pour que l'ancien marsouin fasse enfin la connaissance de Léon et Larbi, car si l'on a des amis, on aime qu'ils soient amis entre eux.

On s'est donné rendez-vous, non pas dans l'espèce de cave empourprée, parmi les décombres du théâtre à Tarzan, mais au square du Souvenir. On a dit : devant le monument aux morts. C'est ce qu'il y a de plus voyant. C'est une forte femme en chemise, qui a des ailes, menant les armées. Les vieux Belfortains, qui ne manquent pas de malice, avaient dit en la voyant : « Tiens ! la grosse Bertha... »

Larbi n'avait plus son turban. Il porte un vieux chapeau noir qui fait des reflets verdâtres. Et si Théo n'avait plus la tournure d'un gamin, vous auriez facilement donné dix-huit, vingt ans au jeune Léon, coiffé d'un mou, lui aussi, et fumant la cigarette au bout d'un tuyau en corne. Je vous demande pardon !

On a été dans un petit bistrot, chez Maurer, sur le quai.

Un Byrrh pour tout le monde, sauf pour le caporal.

On a causé.

Il n'y a pas eu besoin de faire ami. Vous avez des amitiés qui sont comme décrétées avant qu'on se rencontre. Une fois qu'on se voit en face, on n'a plus qu'à trinquer comme si on se quittait de la veille. On n'a pas à se tâter du bout des mots, prêt à rentrer dans sa coquille. Les mots qui font la corne d'escargot, c'est une chose bien embêtante. On sort la corne deux ou trois fois, pas plus. Après on s'arrête, si ça n'a pas marché. On ne sera jamais amis.

Montre-moi tes cornes autrement je te tue. On se tue encore mieux en les tenant cachées.

Ils ont parlé des voyages, des batailles, des pays. Ils ont baissé la voix pour faire venir la question des Boches, on ne sait jamais.

Léon dit, penchant la tête de sorte que sa bouche se trouvait derrière le bord de son chapeau :

— Avec les sabotages, à présent, il va avoir à s'occuper un peu, l'Occupant !

— On n'a pas fait assez l'autre fois, gronde Larbi. Je dis toujours ça n'est pas assez. Ils retournent chez eux et ils attendent d'être forts de nouveau. Tu as vu ?

— Eux, c'est encore rien, dit Théo. Mais c'est les traîtres...

Léon releva la tête, les yeux plissés dans l'ombre du chapeau :

— Leurs jours sont comptés.

Il ferma le poing et fit le geste de donner un tour de vis.

— Crac ! dit-il.

On avait l'impression d'entendre craquer le cou des mouchards de Belfort.

Les yeux de Théo lançaient des éclairs. Il était penché en avant, comme s'apprêtant à bondir sur quelqu'un.

Gentil lui passe le bras autour des épaules.

— Holà ! souffle-t-il d'une voix apaisante. Holà !

— Ne restons pas ici, a dit Léon.

Son idée, c'était d'aller dire bonjour au grand Siboulet. Le dimanche, il est toujours à la maison. Ça se trouve à deux pas. Rue Emile-Zola, un appartement bourgeois dont sa femme avait hérité (ce n'était pas le seul : la femme au grand Siboulet était quelqu'un qui hérite). Va pour ce bonjour, pensa Gentil. Ce dimanche serait le jour des nouvelles figures. On n'en rencontre jamais trop de bonnes dans la vie.

Ils sonnèrent et l'on mit trois longues minutes à leur répondre. Ils se regardaient en silence sur le paillasson, vaguement inquiets, quand Simone Siboulet vint ouvrir la porte.

Elle ouvrit d'une bizarre manière, regardant de biais sa visite et paraissant hésiter à repousser le battant en avant, ce qui n'était guère l'habitude d'une personne aussi hospitalière. Elle restait dans l'ouverture. Ses yeux allaient à présent rôder du côté de Théo et de l'ancien marsouin; ils posaient la question que sa bouche ne voulait pas prononcer.

Léon comprit enfin.

— C'est lui Théo, qu'on vous a parlé avec vot'mari, dit-il. Vous voyez? Et voici M. Gentil.

Les dents de Gentil éclairaient tout le palier.

— Gentil, corrigea-t-il. Seulement Gentil.

Curieusement, ce nom de Gentil semblait dire quelque chose à la femme. Elle découvrit ses dents, elle aussi, libérant en même temps le passage.

— Entrez, souffla-t-elle. Entrez vite!

Dans le logement, pas un bruit.

Elle les arrêta au milieu du couloir, d'un geste de la main tendue en arrière.

— Attendez! dit-elle (à voix basse toujours). J'y vais d'abord.

Elle toqua d'une certaine façon à une porte, entra et referma derrière elle.

Quelques secondes plus tard, elle réapparaissait, rayonnante :

— Je vous en prie, messieurs! (A voix haute, cette fois.)

Le grand Siboulet n'était pas seul. En fait, ils étaient sept là-dedans. Ils se tenaient debout les sept dans un nuage de tabac, n'ayant pas cru bon d'entrouvrir la croisée. Théo n'en avait jamais vu aucun dans Belfort. Il reconnut le grand Siboulet parce que c'était le plus grand. Les autres étaient de toutes les tailles. Quatre étaient nu-tête. Les deux derniers avaient gardé leur casquette. Ils en pincèrent la visière entre le pouce et l'index quand on entra; pour être polis. Sauf le petit chauve à lunettes, qui clignait des yeux en les observant, tous devaient être des ouvriers.

Théo remarqua qu'il n'y avait pas de cartes sur la table, pas même de verres. Il lança un coup d'œil du côté de Gentil.

L'ancien marsouin était en train de serrer la pince au grand Siboulet, et ce qui étonna Théo, c'est qu'ils se disaient leurs noms, mais ils avaient un petit sourire qui vous faisait penser que ça n'était pas la première fois qu'ils se rencontraient.

A ce moment le grand Siboulet s'empara de sa main :

— Alors, c'est toi le fameux Théo, hein? Et les gamelles, ça roule?

Il pompa vigoureusement le bras du garçon, tout en se tournant vers ceux qui étaient là quand nous sommes entrés.

— Vous connaissez mon copain Larbi et cette arsouille de Léon, la terreur du Fourneau, dit-il. Ils nous amènent Gentil des Cités, et le camarade Théo, apprenti chez Breschbuhl si je ne me trompe...

— Breschbuhl? fit un homme en levant un sourcil.

— Rue de la Marseillaise, précisa Théo.

— Je connais, dit l'homme.

Le grand Siboulet continua les présentations.

— Paul Frêne, il travaille au garage avec moi...

Doucelance et Terzian, du chemin de fer... Voici Charbonnier...

Théo vit que les coins de la bouche à Gentil se relevaient et qu'une lueur s'allumait dans son œil, tandis que l'ancien marsouin murmurait : « Ah, Charbonnier ? »

— Charbonnier ! fit l'autre, sans cligner de l'œil mais avec l'air qu'on a quand on le fait.

Tous les autres souriaient en paraissant songer à la même chose, y compris Mme Siboulet. Théo sourit avec eux, il ne voulait pas se mettre à part.

— Morel, reprit le grand Siboulet en désignant le chauve, caissier à la Banque de Mulhouse. Et celui-là, c'est Müller, dit Tête-de-Mule, il est à la Ville.

Une fois que toutes les mains ont été serrées, on s'assied.

— Tu nous sers quelque chose ? dit le grand Siboulet.

— Ça vient ! répond joyeusement la voix de sa femme, qui est déjà partie dans sa cuisine.

C'étaient des petits verres de distillée. On but comme boivent les nôtres. Il y a une façon pour boire la blanche, une façon pour boire un bock, qui ne sont pas les mêmes. C'est des choses qui se savent, ça ne s'apprend pas. Un type qui aurait besoin d'apprendre, il n'est pas né chez nous. Il faut avoir vu faire depuis tout petit. On vous connaît à ces façons, alors c'est important.

Selon Théo, la distillée était fameuse. Il le marqua par un petit mouvement du menton et des lèvres, en reposant son verre vide. La distillée est surtout fameuse parce que c'est de la distillée; c'est ça qui est fameux, pour Théo, tourner la langue autour d'une boisson d'homme. Si l'on propose une nouvelle tournée, ma foi, ça ne sera pas de refus! Larbi, lui, ne veut que de l'eau du robinet.

Il ne s'est plus dit grand-chose. Morel est parti le premier; sa femme attend un gosse. Tête-de-Mule s'est levé en même temps que les deux gars du chemin de fer, les porteurs de casquette.

Chacun saluait le grand Siboulet de la même manière. Pas comme un copain. Plutôt comme quand on va féliciter un marié à la sacristie, l'air gai en moins. Ça encore, ça intriguait beaucoup Théo. D'autant que lorsqu'ils nous disaient au revoir à nous, ça n'était pas du tout pareil. Ça avait l'air — comment dire? — moins officiel. On avait un respect pour le grand Siboulet, qui n'était pas seulement l'estime que deux ouvriers se montrent.

Quand Charbonnier s'approcha de nous à son tour, Gentil lui frappa les deux épaules de ses mains :

— Ah! Charbonnier! répéta-t-il, quoique le ton était différent de la première fois.

Vous auriez dit qu'il n'arrivait pas à y croire.

La femme au grand Siboulet nous dit de revenir quand on voudrait.

— Ça va de soi! s'écria le grand. S'ils ne reviennent pas, c'est là qu'ils auront de mes nouvelles, plutôt!

— Alors salut! dit Gentil. Au revoir, madame, et merci pour le petit verre. C'est que ça devient précieux, de ce temps, ces choses-là.

Avec Léon et le caporal, on décida qu'on se retrouverait dimanche prochain. Ça se voyait que nous étions contents les uns des autres.

— Tu le connaissais, Charbonnier? demanda Théo à Gentil, alors qu'ils traversaient le petit square du Docteur-Fréry.

— Jamais tant vu! fit Gentil. (Mais il avait, disant ça, un sourire spécial.)

Le garçon comprit que pour le moment il ne servait à rien de lui poser des questions. Quand son ami aurait décidé de lui parler, il lui parlerait. En attendant, Théo devait rester à sa place. Respecter un silence est aussi une chose d'homme, par conséquent il se tut jusqu'à ce qu'on se sépare, au coin de la rue du 14-Juillet.

Théo trouva toute la maisonnée en émoi. C'est-à-dire les femmes : Maman, Mémère et Agathe, montée à Belfort puisqu'on était dimanche. Papy, lui, n'était pas en émoi : c'était lui qui causait l'émoi des autres, n'ayant plus sa connaissance depuis un bon moment. Tout à coup, il avait piqué du nez sur son *Messager Boiteux.* Mais ce n'était pas pour dormir. Il n'avait pas l'allure de quelqu'un qui dort.

Agathe avait jeté un cri. Mémère se retourna (elle était en train de briquer le dessus de la cuisinière) et, voyant cette allure de Papy, la peau de son visage devint instantanément non point seulement pâle, mais vous auriez dit transparente. Maman aussi, le sang se retira de son visage, en même temps que la peau de ses tempes était tirée vers le haut.

Toutefois, Papy n'était pas mort. Il respirait. Pendant un long moment, alors que les femmes demeuraient pétrifiées, sa respiration fut la seule chose qu'on entendit, semblant de ce fait plus forte qu'elle n'était en réalité.

— Il faut aller chercher Corbon, dit Maman.

Corbon avait sauvé Papa. En tout cas il l'avait fait durer jusqu'à ce que le pauvre Roméo engage sa tête dans le nœud coulant formé par la ceinture de la robe de chambre. Peut-être qu'il l'aurait sauvé pour de bon, autrement. Maman avait une confiance illimitée en Corbon, la même chose que sa mère vis-à-vis du bon Dr Hamel de Gi.

Seulement voilà, confiance ou pas, il était sorti, Corbon. Il ne pouvait quand même pas être sur la brèche vingt-quatre heures sur vingt-quatre. Il était sorti. Il reviendrait ce soir pour le souper, avait dit sa fille à Maman. Elle avait dit encore :

— Dès qu'il rentre, je vous l'envoie. Soyez tranquille, comptez sur moi.

Soyez tranquille, c'est vite dit. Et s'il y avait eu quelque chose d'urgent à lui faire, à Papy? Mais, d'un autre côté, Maman ne voulait pas faire appel à un docteur qu'on ne connaît pas. Tous ne sont pas aussi consciencieux. Et s'ils ne savent pas qui vous êtes, ils font tout ce qu'ils peuvent, mais ils n'iront pas tenter l'impossible. Du moins certains. Et quand on ne sait pas à qui on a affaire...

En prenant mille précautions, on avait porté Elysée Schultz sur son lit, Mémère l'appelant de temps en temps d'une voix câline et gracieuse comme si elle voulait aguicher sa connaissance, afin qu'elle revienne au vieil homme, étant sous le charme :

— Papy... mon petit Papy... Papy...

Mais la connaissance était dans l'esprit de Papy et l'esprit de Papy n'était pas avec nous. Il était retourné faire la guerre de 14.

Une fois, sur une colline, un homme court entre des balles de mitrailleuse. Ses pieds glissent dans une pâte jaune, qui fait un chausson jaune autour de ses souliers. Le ciel coule sur son casque. C'est un ciel comme un torchon qu'on a mis dans les lavabos et qu'on n'a pas eu le temps de changer. On ne fait pas toujours ce qu'on veut. L'homme qui court vomit sur sa barbe tout en courant. Il n'arrête pas de courir et de vomir. Tout à l'heure, il a buté dans une chaussure, le pied était encore à l'intérieur. Alors il court entre ces balles. Il ne va nulle part, mais il se dépêche : il n'y a rien d'autre à faire. Il vomit. Il court. Ça durera ce que ça durera.

Il grimpe en haut de cette colline, qui n'est pas une colline mais une pente que les obus ont faite en cassant des prairies. C'est un homme qui court en avant, on ne peut pas lui donner d'âge. Et quand il sera en haut, il ne sera pas plus avancé, au contraire. Il aura seulement moins de place pour passer entre les balles et ces balles qui allaient n'importe où auront subitement envie d'aller dans un endroit particulier qui sera lui, un homme courant pour rien à un moment quelconque d'un certain jour d'hiver. Il se dépêche encore plus, il voudrait être à la place de ces Boches.

Quand on sait sur quoi on tire, quand on voit quelque chose, c'est déjà beau. L'homme connaît ça : on se sent rassuré. On voudrait tuer les obus, la boue jaune, l'intolérable souillure qu'est devenu le ciel, tout cet intolérable enfer de la bataille et du mauvais temps, mais si l'on peut tirer dans des hommes, ma foi, ça n'est pas grand-chose, mais on est un peu soulagé.

Le voici en haut, cet homme qui court et vomit sur sa barbe, en haut de cette espèce de colline des obus. Il passe encore un petit moment à travers les balles, puis ce sont les balles qui passent à travers lui, chacun son tour. Il croit qu'il court, mais il est mort. Ses yeux sont dans la tête d'un homme qui continuerait de courir entre les balles, mais sa vraie tête est enfoncée dans le limon détrempé, on ne voit plus que l'arrière du crâne. Son casque s'est détaché. Ses pieds sont accrochés après l'arête de cette colline, il pend la tête en bas devant les mitrailleuses des Boches. On est le soir ou bien c'est un matin.

A cette époque de la guerre, dans cet endroit nommé Belrupt, les territoriaux ramassent les morts. L'un est portier dans un hôtel, à Nice; son camarade est alsacien, il habite à Belfort, conduisant le camion d'un de ces magasins où l'on vend de tout. Ils se parlent dans la cagna, ils se montrent les lettres. Puis le canon s'arrête et l'on va chercher les morts. Schultz est le plus fort, c'est lui qui prend les épaules. Fabiani met les jambes sous ses grands bras de singe. Et en avant.

Mais c'est en arrière que ça va, pour la connaissance qui est dans l'esprit de Papy. A nouveau, sur une colline, il était une fois un homme qui court entre les balles de mitrailleuse, ses pieds glissent dans une pâte jaune.

Maman (on aura reconnu l'ancienne jeune fille Marthe, une bonne vingtaine d'années plus tard) a pris Théo à part dans la cuisine.

— Ecoute, dit-elle, je n'ai pas trop bon espoir quand même. On ne sait jamais. Tu devrais prendre la bicyclette d'Agathe et aller prévenir ton oncle. Attends! je te fais un billet, pour si des fois il n'est pas à la maison.

Elle met un certain temps à trouver un papier. Elle griffonne quelques lignes au crayon-encre et le donne à Théo. Théo est déjà en bas de l'escalier.

Une nouvelle fois, il file comme le vent sur la bécane à sa sœur, mais dans l'autre sens, du faubourg vers la ville, où Maximilien habite. Il ne fait pas la course avec le tram, aujourd'hui, pourtant il en met un fameux coup. Une grande tache rousse s'est posée sur la place Corbis, étant la nuit qui vient. Théo ne ralentit pas son allure; il est rue Stractmann en moins de deux.

Hop! il saute du vélo. Hop! il bondit dans l'escalier sans même prendre le temps d'allumer la minuterie.

Sonnette. Driiiiiiiiiiiiiiiiiiig! A réveiller toute la baraque.

On aurait dit que l'oncle attendait derrière sa porte. Théo avait toujours le doigt en l'air que Maximilien Schultz se montrait sur son seuil.

Apercevant Théo, il fronça le sourcil.

— Alors, ronchonna-t-il, qu'est-ce qui se passe? Tu ne peux pas sonner comme tout le monde?

D'une voix entrecoupée, à cause de l'effort qu'il a fait, Théo explique ce qui l'amène.

— Ah! bon sang! dit l'oncle d'une voix lasse et ennuyée. Ah! nom de nom!

Il répète, faisant un geste de la tête pour inviter le garçon à entrer : « Bon sang! »

— Et alors? fait-il. Comment c'est arrivé, à la fin?

Ma parole! au ton qu'il prend, vous jureriez qu'il soupçonne Théo d'y être pour quelque chose...

Théo dit tout ce qu'il sait. D'ailleurs, il ne sait rien. Il a déjà tout dit sur le palier.

— Enfin, comme ça? rouspète Maximilien Schultz. C'est tout de même formidable!

Il lui faut un coupable, apparemment. Pour le faire bisquer, Théo a envie de lui suggérer que ce sont les bolcheviks. S'il ne s'agissait pas de Papy qui n'a plus sa connaissance, il le ferait. Il nous énerve, l'oncle Maximilien, à la longue, avec ses grognements perpétuels.

Et le voilà qui recommence :

— Bon, je vais voir ça. J'enfile un vêtement. Reste ici, toi, bon sang!

Il plante Théo dans le couloir et disparaît au

fond de l'appartement. Le couloir est si long qu'on n'entend même pas ce qu'il fabrique là-bas.

Théo regarde autour de lui. Il y a bien long-temps qu'il n'est pas venu dans cette maison. Tiens, voici la porte de la salle à manger, ouverte sur sa droite. Il avance jusque-là. Il reconnaît les meubles près desquels il allait se tapir, espérant que la tante Mathilde ne l'appellerait pas, mais elle l'appelait toujours et il devait entrer dans cette odeur d'éther et de chair fade de sa chambre, traînant les pieds, louchant en chien battu vers la forme étendue dans le noir, car on n'ouvrait plus ses volets.

La chambre de la tante, c'était cette porte. Cette porte largement entrebâillée et, voyez-vous comme c'est drôle, tout de même, mais on dirait bien que les volets sont toujours tirés, qu'ils sont restés tirés depuis que Mathilde est morte.

Théo approche de ce rectangle sombre, il a oublié ce qu'il était venu faire chez l'oncle Maximilien. Il revit soudain dans les anciens jours de son enfance, qui sont une époque plus vieille que l'homme de Cro-Magnon. Il la revoit, Mathilde. Il revoit ce mannequin de cire à bougie, une chandelle de femme, plus qu'à moitié éteinte. Elle disait ce que fut sa vie, elle ne savait parler que de ça. Et puis : « Viens, on va trinquer. » Ça finissait tout le temps comme ça. Et l'odeur. Et l'odeur ! On ne peut tout de même pas s'empêcher de respirer des heures entières. Ce regard fixe et un peu absent. « On va trinquer pendant que ces dames ne nous voient pas. » Et le rire, le rire de tante Mathilde, son rire de petite fille.

(...)

Théo est parvenu devant la porte à moitié ouverte. Ça ne sent plus du tout comme autrefois.

Mais ça sent aussi des odeurs qui vous tournent la tête, seulement ce ne sont plus les mêmes.

Avec deux doigts, le garçon repousse légèrement le battant, pour voir la chambre en plein.

Le battant pivote et se dissout dans les ténèbres.

Bientôt, les yeux se font à l'obscurité. Ils sont guidés par les odeurs pour connaître les choses. Les choses sortent tout doucement de cette nuit, ayant encore sa couleur sur elles, qui se met à fondre tout doucement. Elles s'avancent à votre rencontre et voici :

— les œufs, les casiers d'œufs frais, une apparition blême, flottant jusqu'au plafond;

— les grands salamis roulés dans une farine un peu violette;

— l'or vieux et gras des mottes de beurre, les fromages empilés;

— bourrés à craquer, les sacs de pommes de terre, hauts d'un mètre;

— des bocaux de toutes sortes, haricots, abricots, mirabelles, roll-mops;

— des caisses tout hérissées de bonnes bouteilles;

— des échalotes, des gousses d'ail attachées par paquets d'une douzaine;

— les grandes boîtes carrées de fer-blanc, portant des réclames de biscuits;

— une tour fabriquée avec des tablettes de chocolat;

— une autre tour à côté : ce sont des miches de pain;

— des pyramides, des pyramides de boudin (voyez ce sang noir sur le blanc des assiettes);

— d'impénétrables petits sacs, motus et bouche cousue;

— des logements jaunes, pour les sardines sans tête qui baignent dans l'huile;

— des jattes, des jarres absolument mystérieuses, des pots de grès de toutes formes et de toutes tailles, des vases, des terrines, des cartons, des cornets, d'autres sacs encore — rien n'est marqué dessus, mais ce parfum granuleux et marron, d'où voulez-vous qu'il vienne?

— d'autres fromages, d'autres sachets, des liqueurs de ministre;

— des jambons suspendus au crochet qui servait autrefois à tenir le lustre, d'énormes jambons immobiles, aux chaudes couleurs mates, d'où émanait la principale odeur, celle d'étable et de festin qui tournait la tête.

On devinait encore, parmi tous ces trésors, le poivre et les moutardes, les confitures, la cannelle et le sucre, les bâtons de vanille, les petits paquets roses de levure alsacienne, le riz, les pâtes, la farine, les pois secs, le bois de réglisse, les caramels, la guimauve, les gendarmes.

Et Théo se tient devant, sur le bord de la caverne d'Ali Baba, incapable de faire un mouvement, incapable d'avoir une seule pensée, ressentant seulement le vertige de toutes ces marchandises et de leurs odeurs, ces odeurs enivrantes dans quoi elles continuent de mariner et de se confire. Le matin même, vous lui auriez laissé entendre qu'il restait dans toute la France la moitié autant de bonnes choses à manger, il aurait hésité à vous croire, sachant bien ce qu'on mangeait à la maison depuis l'hiver 40, et pareil dans toutes les maisons du faubourg (les patates chez Breschbuhl, c'était déjà un luxe). Quand on rêvait de nourriture, même, c'était une chose à la fois — mettons un poulet rôti, ou bien un beau seau de crème fraîche. Alors toute cette débauche, ces entassements, c'était quelque chose que pas plus l'esprit que le ventre ne pouvait digérer. C'était tout simplement quelque chose d'impossible, et ce qui est impossible ne doit pas exister. Donc ça n'existait pas. Mais c'était là. Ça avait poussé à la place de tante Mathilde. Ça n'était pas enfermé à Vichy, dans un placard à Pétain et sa clique, pour qu'ils fassent la bombe en cachette pendant qu'on se met la ceinture. C'était chez quelqu'un de Belfort, une personne que Théo connaissait puisqu'en réalité c'était son oncle. Donc ça n'était pas possible. Et c'est là devant.

— Non mais, dis donc... Non mais, qu'est-ce que...? Nom de Dieu, mais qu'est-ce qu'il fout là, nom de Dieu? Non mais ça m'espionne, à présent? Merde! Petit voyou!

Evidemment, il n'a pas entendu revenir l'oncle, Théo. Une fanfare aurait déboulé dans la pièce, ce n'est pas sûr qu'il aurait seulement tourné la tête. Un miracle, ça vous occupe suffisamment l'esprit.

Maximilien agrippe Théo par l'épaule et le tire brutalement en arrière.

D'abord, le garçon jette sur lui un regard distrait, encore plein de victuailles. Puis il remarque cet air bizarre de l'oncle qui fulmine, et en même temps on dirait qu'il a peur. L'oncle retire sa main de Théo. C'est lui qui détourne les yeux. Il examine un saucisson pour engueuler son neveu. Il bafouille, il est rouge comme une écrevisse. A la fois il crie et sa voix est mal assurée.

Théo le regarde. Il comprend d'instinct que s'il persiste à le regarder ainsi, bien droit, les cris de l'oncle vont s'effilocher. Son visage va devenir de plus en plus rouge et il s'arrêtera tout seul. A part soi, peut-être prendra-t-il encore Théo pour un espion et un petit voyou, mais il n'osera plus jamais le lui dire en face.

Alors Théo persiste. Il le regarde bien droit, sans un mot. Et ce qui se passe, c'est encore plus fort que ce qu'on croyait. Non seulement l'oncle ne trouve plus rien à dire, mais une expression de détresse passe sur sa figure. Finalement, il tourne carrément le dos au garçon et se précipite sur la porte pour la fermer à la volée.

C'est malicieux, les portes, quelquefois. Celle-ci fait un bruit terrible en claquant, mais le pêne n'a pas dû jouer et elle repart aussitôt en arrière, découvrant à nouveau le vilain secret de Maximilien Schultz.

L'oncle devient fou. Il gémit. On dirait qu'il va éclater en sanglots. Il s'élance à nouveau sur la porte, la plaque contre le chambranle et secoue fébrilement la poignée, s'acharnant à mater la putain de serrure sous le regard inexorable et impassible de Théo.

Il n'est plus cramoisi, l'oncle. Il est blanc-vert, frissonnant. On sent que là où les yeux de Théo sont accrochés à lui, ça le brûle comme de la braise. Il a vraiment les larmes aux paupières.

Il traverse la salle à manger au pas de charge. Ouvre la porte du palier au passage et fonce à l'autre bout du couloir, faisant semblant d'aller aux cabinets. C'est pour éviter que Théo passe devant lui en sortant.

Oh! le garçon pourrait attendre exprès. Que l'oncle soit obligé de revenir et d'affronter son regard à nouveau. Mais non, il s'en va, il a tout compris. Il n'est pas bouché. Il sait bien que l'oncle, quoiqu'il mange comme quatre, ne va pas bouffer ça à lui tout seul (d'autant qu'il y a là-dedans des choses qui ne se gardent pas). Par conséquent, tirez vous-même la conclusion. Le marché noir, ça ne se fait pas par l'opération du Saint-Esprit; il faut bien que ce soient des personnes. Eh bien, voilà, c'est son oncle, voilà tout. Il ne veut plus s'occuper de ce pourri-là. Il a mieux à faire. Il préférerait avoir surpris quelqu'un d'autre, bien sûr : vous seriez pareil. Dans la vie on ne choisit pas toujours, alors il s'en va. Maximilien Schultz avec son lustre en jambons et ses trois kilomètres de boudin, il ne veut même plus y penser. Il pense à Papy, il pense très fort à Papy. Mon Dieu ! est-il possible que cet homme-ci soit le père de cet autre ? Pauvre Papy ! Pourvu que...

Maximilien Schultz est allé là-bas dans sa traction. Sur son vélo, Théo est encore arrivé avant lui.

De toute façon, on l'aura dérangé pour rien, l'oncle. Papy n'allait pas mourir. Pas encore cette fois-ci. Quand Théo est entré, il taillait une bavette avec Corbon. Pas bien vaillant, sans doute, s'arrêtant tous les trois mots pour souffler ; mais il avait toute sa connaissance. Il était ravi, comme un qui nous aurait joué une farce. C'est la raison pourquoi Corbon le laissait aller — car il aurait peut-être mieux valu qu'il se repose, après un coup pareil, mais avoir l'envie de parler, et même de raconter des bêtises, c'était une bonne médecine et Corbon le sentait. Il le calmait un peu, c'était son rôle. Cependant, il ne lui disait pas de s'arrêter et de dormir, comme ils disent d'ordinaire, obligeant tout le monde à sortir sur la pointe des pieds.

— En tout cas, rigolait Papy, j'ai bien dormi, pour une fois !

Puis, apercevant Maximilien :

— Tiens donc ! Mais voyez-vous qui est là ? C'est qu'on te croyait au Groenland ou je ne sais où, mon pauvre Max! Tu vois, tu arrives trop tard : je suis déjà ressuscité.

Il s'en payait une tranche, Elysée.

— Je passais..., marmonna l'oncle (ça n'était pas son jour, décidément, tout le monde lui tombait dessus).

— Ben donc, c'est sur ton chemin! ironisait le vieux.

Maximilien Schultz se lança dans des explications filandreuses, essayant de justifier le fait qu'il n'avait pas mis les pieds chez nous depuis le début de l'année. Il s'était placé d'une telle façon que Théo était obligé de se tenir dans son dos.

Lorsque Corbon eut achevé son ordonnance, qui était courte (et l'un des deux médicaments, il le tira de sa trousse et nous le donna), l'oncle s'approcha de lui, le portefeuille à la main, souhaitant payer son dérangement.

Corbon secoua la tête :

— Nous avons déjà réglé ça avec votre sœur, monsieur Schultz, dit-il.

Maximilien se retrouva tout bête, chacun regardant de son côté et pouvant voir la liasse de billets dans son portefeuille. Et Corbon l'avait vue, lui aussi.

Agathe l'avait vue et ses yeux étaient devenus presque noirs.

On aurait pu rester figés comme ça des siècles si, du fond de son lit, Papy ne nous avait lancé :

— Maintenant que le docteur s'en va, déguerpissez, vous fatiguez le moribond!

On battit en retraite dans le couloir. Corbon nous salua et partit. Mais dans le couloir, l'oncle se tournait dans tous les sens, cherchant un endroit où il serait sûr que les yeux de Théo ne viendraient pas harponner les siens.

Il saisit le coude de Maman.

— Marthe, fit-il d'une voix à peine audible, si vous êtes gênés, dis-le-moi. Je vous aiderai...

— Gênés ? s'écria Agathe avec une telle vivacité que l'oncle sursauta. Gênés, as-tu dit ? Mais non, voyons, ils roulent sur l'or, tu n'avais pas remarqué ? On a toujours roulé sur l'or d'ailleurs, dans cette maison !

On voyait que Mémère cherchait quelque chose à dire pour la défense de son fils, seulement elle ne trouvait rien. Elle aussi, elle avait aperçu l'argent, dans le grand portefeuille de marchand de cochons.

— Merci, Maximilien, dit Maman, on se débrouillera.

— Qu'est-ce que je te disais ? fit Agathe.

Théo souriait gentiment à sa sœur dont la figure flamboyait de colère. « Si elle savait ce que je sais, songeait-il, elle serait capable de le ficher dans l'escalier ! »

— On ne va pas se chamailler dans une même famille..., glissa timidement Mémère.

Agathe ravala in extremis la réplique cinglante qu'elle avait au bord des lèvres. Elle poussa un profond soupir, tourna le dos à l'oncle, changea son visage dur pour un visage tendre, et alla poser un baiser sur la joue de Mémère.

Il y eut un très long silence dans le couloir. Sauf Théo qui regardait son oncle, tout le monde regardait par terre.

Venant de la chambre, on entendit la voix goguenarde de Papy :

— Si vous parlez de moi, vous pouvez causer plus fort : je me suis endormi.

Le lendemain, à la serrurerie, il ne fut question toute la matinée que de maladies et de médecins.

Mme Breschbuhl invita Robert et Théo, pour que celui-ci puisse raconter en détail ce qui était arrivé à Papy.

— Et Corbon, demanda le patron, qu'est-ce qu'il en dit ?

— Rien, dit Théo.

— Tu penses ! fit la patronne d'un air entendu. Théo en eut froid dans le dos.

On parla de la durée de la vie et des meilleures façons de mourir. Et comme c'était la guerre, on parla aussi des pires. On parla d'être grillé dans un tank, de recevoir sa maison sur la tête, d'être aligné contre un mur devant des fusils, ayant enfilé son habit des dimanches. On parla des morts qui durent longtemps et les supplices de la Gestapo vinrent sur le tapis. Ils se mirent à chuchoter. C'est-à-dire les Breschbuhl et Théo. Robert n'a pas ouvert la bouche. On ne s'en est pas trop étonné. Ce n'est pas la première fois que ça arrive. A vrai dire, depuis quelque temps, l'ouvrier se comporte plus souvent comme ça qu'autrement.

A mesure que les mois passaient, il était devenu de plus en plus sombre, de plus en plus soucieux. Il se renfermait sur lui-même, il ruminait dans son coin.

Le samedi, il raflait l'argent de la paye sans même y jeter un coup d'œil, comme s'il en avait honte. Il y avait quelque chose de brisé dans cet homme-là. On aurait dit que les petits et grands secrets de l'Histoire avaient cessé de l'intéresser. En tout cas, il ne nous en révélait presque plus rien. C'est tout juste s'il nous confia — et du bout des lèvres encore — que Laval était un descendant de Louvois. Il fallut le pousser dans ses derniers retranchements pour apprendre que le vrai de Gaulle avait été tué dans son char en mai 1940 (celui de Londres était un faux, un aventurier apatride, une créature de l'Intelligence Service).

Non, il n'avait plus le feu sacré, Robert. Même ses imprécations contre les Rosbifs, les bolcheviks, les francs-maçons, la juiverie internationale, ce n'était plus ce que ç'avait été. Autrefois, son registre était l'indignation vertueuse. A présent, il y avait de l'amertume dans sa voix. Il s'emportait encore, mais ce n'était plus que de la rage morose, triste à pleurer.

Bientôt, il ne fut plus capable de supporter que M. Breschbuhl reste dans son dos pendant qu'il travaillait. Ça allait bien deux minutes et puis, sans crier gare, le voilà qui flanquait les outils par terre :

— Je le sais, que j'ai perdu la main ! hurlait-il. Vous n'avez pas besoin de venir voir : je peux vous le dire ! Ça ne va plus comme avant. Foutez-moi à la porte, si vous voulez !

— Je t'ai dit ça, moi ? reprochait doucement le patron. Je t'ai dit ça, Robert ?

Pas la peine ! faisait l'ouvrier. Je sais bien ce que vous pensez !

Il enveloppait toute la pièce et Théo d'un regard rancuneux. Il était des jours sans desserrer les dents.

Un samedi, pourtant, ayant reçu sa paye et l'ayant enfouie dans sa poche en réprimant un frisson de dégoût, il invita Théo à prendre l'apéritif chez le Chpaniaque. C'est presque humblement qu'il lui dit :

— Allez, viens avec moi, va. Me laisse pas.

Théo ne voudrait pas laisser personne, si c'est quelqu'un qu'on aime bien quand même.

Il dit :

— Eh bien, pardi ! On ne va pas dire non, hein ?

Ils traversèrent le faubourg côte à côte.

La rue de Toulouse, on passe devant. Théo y a vécu tellement d'années, quand Papa était encore là : aujourd'hui, il n'a pas le cœur de regarder de ce côté.

Il essayait de dire des choses tout le temps, pour être agréable à Robert. Mais l'ouvrier faisait comme s'il ne l'entendait pas. Ou bien il n'avait réellement rien entendu, étant perdu dans des pensées profondes.

Debout au comptoir, fixant le zinc et le pied du verre, on se taisait les deux ensemble. On aurait aussi bien pu être de parfaits étrangers.

Un Byrrh, un autre Byrrh et remettez-vous ça. Silence.

Silence. Personne ne vient leur parler. Théo a l'impression qu'on ne veut pas les connaître.

Peut-être que la bagarre est pour maintenant ?

Un avion en papier atterrit juste devant eux. Il y a des cocardes rouge blanc bleu sur les ailes. On a tracé au crayon R.A.F.

Puis quelqu'un ouvre la porte et l'avion dégringole de l'autre côté du comptoir, dans le domaine du Décolleur d'affiches.

Apparemment, Robert n'a rien vu de tout ça. Robert calait le verre sur ses dents du bas et renversait la nuque d'un coup sec. Il étendait la main sur sa monnaie puis la repoussait vers le Chpaniaque ou le Décolleur, celui qui était le plus près, pour qu'il remplisse les verres de nouveau.

Théo n'est sans doute qu'un apprenti serrurier et un apprenti homme, sans grande expérience de la vie, mais il devine que cet argent brûle les doigts du collègue.

Depuis qu'ils étaient là, ils ne s'étaient pas encore adressé la parole.

— Comment tout ça va-t-il finir, hein ? demanda soudain l'ouvrier d'une voix blanche.

Théo ne savait même pas de quoi il parlait.

— Tu reprends quelque chose ? dit Robert.

— Non-non, merci, m'sieur Robert. Merci beaucoup ! bafouille Théo.

Il avait honte parce qu'il ne pouvait pas rendre les tournées, ne gagnant pas de sous. Et puis, ce vin-là ne lui mettait pas de chanson dans la tête. Plus il en buvait, plus il se sentait vulnérable.

— Allons au bar du Tram, décida l'ouvrier.

Ils se retrouvent sur le faubourg, un samedi soir, à la tombée de la nuit.

Le Byrrh n'avait pas mis de chanson dans la tête de Théo; il lui avait seulement alourdi les jambes. A côté de lui, Robert marchait de travers. Son front était couvert de sueur.

L'ouvrier se passe une main devant la figure, sans toucher la peau. Il ferme les yeux, puis il les rouvre tout grands, battant des paupières. Théo l'observe à la dérobée; une sorte de chagrin l'a submergé, depuis que la porte du Chpaniaque s'est refermée sur eux. Le bar du Tramway lui semble à l'autre bout du monde. Il frissonne. Il ne trouve pas le courage de dire à Robert qu'il ne veut plus boire.

La bise leur soufflait dans le cou, plaquait deux grandes mains glacées sur leurs omoplates. Théo aurait tant voulu être ailleurs. Le trottoir était presque blanc, tellement il faisait froid. Dans la cuisine, rue de l'Yser, tout le monde devait l'attendre. Il fallait absolument qu'il rentre à la maison. Il n'y avait pas une seconde à perdre. Il se mettait dans l'idée que s'il dépassait la rue de Colmar, il ne pourrait plus revenir en arrière. Il en était sûr. Il ne reverrait jamais ni Maman, ni Papy, ni Mémère, ni Gentil, ni Agathe, plus personne.

La rue de Colmar est celle qui n'a qu'un bout.

Ils traversent l'autre bout sans un mot, les semelles à Théo collent après le pavé.

Robert restait un long moment à tanguer entre chaque pas. L'apprenti n'osait plus du tout regarder son visage. Pourtant, son compagnon semblait avoir complètement oublié sa présence. S'il lui faussait compagnie, il ne s'en rendrait même pas compte. Mais Théo demeure auprès de lui. Pourquoi ? Qui sait pourquoi ? — Et qui le demande ?

La rue du Tramway se foutait bien d'eux et de leurs malheurs. A mesure qu'ils avancent, elle recule devant eux. Toute la nuit toute nue pesait sur les épaules du garçon, pleine d'éclats de verre.

La question de Robert lui venait aux lèvres : « Comment cela va-t-il finir ? », mais ce n'est pas de la prononcer lui-même qu'il la comprendra davantage.

Alors le bar du Tramway avait pris pitié d'eux, il s'était résolu à les attendre.

Sur le seuil, l'ouvrier s'était retourné et il avait découvert Théo, juste là derrière lui, frigorifié, agité de frissons et le regard fuyant.

Avait-il souri ? Oui, disons qu'il avait souri.

— Théo ?

Il n'avait plus rien dit pendant une bonne minute. Il avait vaguement froissé la bise avec sa main, devant sa figure si lasse.

— Tu es un copain, toi, Théo, tu sais ça ? On t'a déjà dit ça ? Puisque t'es là, je vais te payer un Byrrh, un Byrrh ou quelque chose, d'accord ?

Ses yeux cherchent ceux du garçon.

— Tu sais ce qu'ils disent tous ? Pour que Robert Lamiral soit saoul, il suffit de lui montrer l'étiquette. C'est même pas la peine que je boive, l'étiquette me suffit...

Théo, le nez baissé, risque une espèce de grimace. Ça pourrait signifier n'importe quoi.

— Eh bien, c'est vrai! poursuit l'ouvrier avec une bonne humeur soudaine. C'est tout ce qu'il y a de plus vrai! Je suis comme ça, parole! Je vois l'étiquette et hop! (Ses mains s'envolent au-dessus de sa tête). Si c'est pas malheureux, hein?... Tu es mon copain, toi, Théo. On n'a pas le même âge, ça fait rien : tu es un chic gars, mon petit. Tiens, je vais te dire quelque chose... (Il laisse lourdement tomber ses mains sur les épaules de Théo et approche son visage tout près de celui du garçon.) Tu ne t'amuses pas à l'atelier? Tu crois que tu travailles dur, que tu y mets du tien? Tu crois que tu es un bon apprenti? Eh bien, tu es un apprenti de merde, Théo! Tu entends ça? Tu ne vaux pas un clou! Tu vaux de la merde! Tu es de la merde, et je suis poli! Ecoute-moi bien. Le Breschbuhl, ce vieux saligaud, c'est un patron de merde! C'est rien qu'un gros tas de merde et sa Breschbuhlette, la vieille carne, c'est pareil. De la merde! Et moi, écoute ça, moi tel que tu me vois, je suis un ouvrier de merde! De merde, parfaitement, oui monsieur! Rien que de la merde partout! De la merde, je te dis! C'est fini, mon petit gars, c'est fini. Tu peux prendre tes cliques et tes claques, tu peux plier bagage. Tu es un vrai chic type de merde, c'est plus la peine de rien, Théo. Tout est merde et remerde. Merde et compagnie! Le monde est un trou du cul...

Il reprenait haleine, les traits crispés comme s'il luttait pour ne pas éclater en sanglots.

— Ah! toi tu n'es pas comme les autres, mon poulot! Mais tu es de la merde comme tout le monde, voilà tout. Je t'aime bien.

Il éloigna un peu sa figure.

— Tu sais ce que je dis, des fois ? Tu sais ce que je dis ? Non ! tu peux pas savoir...

Il laissa retomber les bras, secoua tristement la tête.

Il fouilla ses poches et sortit une poignée de billets crasseux. Quelques pièces de monnaie roulèrent sur le trottoir.

— Tu en veux ?... Non ? T'as raison ! C'est de la merde ! C'est rien que de la merde et je sais ce que je dis !

Il regarda un moment sa main pleine de billets, puis l'enfonça calmement dans la poche de son bleu.

Il se détourna de Théo.

— Allez, va-t'en ! Je ne veux pas que tu me voies comme ça. Qui t'a dit de me suivre comme un petit chien ? C'est fini, je te dis, n-i ni. Fous le camp, je t'ai pas sonné. Qu'est-ce que t'attends ? Je te connais, allez : pour un verre, tu serais capable de tout ! Je t'aime bien, Théo, fiche le camp, tu pues la merde ! Si tu crois que je vais passer ma soirée à te rincer, morveux ! Et c'est pas la peine de me regarder comme ça. J'ai pas à m'occuper de toi, moi ; je suis pas ton père, après tout ! Allez salut, Théo, il faut pas m'en vouloir, t'es un bon petit gars ! Salut, mon poulot, pense plus à tout ça !

Le ciel était alors de ce bleu qui paraît le fond tassé d'un bleu plus léger et plus loin, retenu par une gaze au-dessus de la ville — nous, nous allions dans un air sans couleur, entre ces murs du bas du ciel semblables à un bouton de nacre, à l'intérieur des coquillages.

C'était l'achèvement d'un autre été. Septembre 43, l'été finit tous les ans. Et là, il aurait pu finir pour de bon. Théo est entré dans sa seizième année; Papy est sorti de sa dernière. Celui qui franchissait la montagne, étant jeune homme, il n'est pas retourné dans son pays. Il est caché dans la terre de Brasse, très correctement vêtu, près de Papa. Il sait ce qu'est un cercueil, ayant été charron. Il aurait pu en construire un s'il avait fallu. Les outils seraient venus dans sa main, où leur place était creusée; il aurait suffi d'attendre le temps qu'il faut.

Maman soutenait Mémère. Théo et Gentil les soutenaient toutes les deux. Agathe s'accrochait à l'autre bras de Théo. Corbon était venu. Il vient toujours. Il montre qu'il n'a pas à rougir, qu'il a fait ce qu'il a pu. On sait bien. On est reconnaissant du dérangement qu'il se donne. Nous aussi, on suivra l'enterrement de Corbon. On l'accompagnera avec tout le faubourg en rangs, comme un défilé de 36 sans les drapeaux, parce que les idées à Corbon, ça le regarde, on n'a pas à lui imposer les nôtres (il y aura les drapeaux français, qui sont les idées de tout le monde).

En attendant, c'est le cortège à Papy. Schultz Elysée Frédéric Jules Baptiste. C'est celui qui est dans la boîte et qui nous aimait. Bref.

— Ils chercheront longtemps un homme comme celui-là! dit Gentil.

Moi, je vous dis une chose : c'est qu'ils ne cherchent même pas. Ils prennent ce qui vient; ce qui s'en va, ils le laissent aller.

Plus tard, bien plus tard, on saura que l'homme qui fait l'amour avec Agathe était venu aussi. Il était resté en arrière, ne s'était pas mis à la file pour nous serrer la main. Gentil, lui, s'était placé à côté de nous. L'idée ne l'avait même pas effleuré de ne pas le faire; s'il ne l'avait pas fait, les gens n'auraient pas compris.

Cet enterrement-ci n'était pas comme l'autre. Il y avait presque autant d'hommes que de femmes. Il y avait Gentil et Kramsky et Bresson et M. Clément, tous revenus de la guerre. Il n'y avait pas Jeannot Hoffstetter, dit Armand de Saint-Austerlitz, dit Hansi, qui n'était pas revenu. Le frère du Chpaniaque représentait son frère, on commence à s'habituer à lui.

L'oncle Maximilien était comme ayant reçu un coup de trique derrière les oreilles. Il faut lui laisser ça : la mort de Papy l'avait bouleversé autant que nous. Il fallait bien s'attendre à cette mort, cependant. Quatre-vingt-trois ans, ce n'est pas l'âge où l'on a toute la vie devant soi, surtout dans les faubourgs.

Un petit groupe nous attendait à la porte de Brasse. Il y avait Sidi Larbi, toutes ses médailles épinglées après sa veste, avec Léon. Il y avait le ménage Siboulet, et Paul Frêne, qui travaille au garage avec le grand.

Au moment de repartir à la maison, Théo vit que celui-ci faisait un petit signe à Gentil. L'ancien marsouin dit : « Attendez-moi, j'en ai pour une minute » et le rejoignit à l'écart. Alors Charbonnier, que le garçon n'avait pas encore aperçu, sortit de nulle part, glissa trois mots à Gentil et disparut comme il était venu. L'ancien marsouin revint vers nous : « Excusez-moi, dit-il, je ne pouvais pas faire autrement. »

Pendant cette année 43, on s'était beaucoup vus, Léon, le caporal, le grand, sa femme, Paul Frêne et nous. On avait rencontré Charbonnier une fois ou deux, toujours en coup de vent. A certaines allusions, Théo devinait que Gentil voyait celui-ci ou celui-là à d'autres moments, tandis que lui, Théo, se trouvait ailleurs. Il souffrait d'être tenu à l'écart de ces rendez-vous. Il se disait qu'on ne lui faisait pas confiance. Pourtant, il se gardait bien de risquer la moindre remarque. Il s'en tenait à son idée : Gentil savait ce qu'il faisait. Lorsque le moment serait venu de mettre Théo dans la confidence, Gentil lui parlerait.

Du reste, l'ancien marsouin se rendait très bien compte du dépit qu'éprouvait le garçon. On ne se plaint pas, mais il y a quand même un reproche dans vos yeux. Alors il cherchait à le consoler.

— Souviens-toi de ce que je t'ai dit, déclarait-il à brûle-pourpoint, étant passé du coq à l'âne. Ton numéro doit sortir un de ces jours. Tiens-toi prêt.

Pendant ce temps, les Boches s'en donnent à cœur joie, les Maximilien Schultz s'engraissent tant et plus, faisant craquer les coutures de leurs portefeuilles de marchands de cochons. Et les mouchards accomplissent impunément leur immonde besogne.

Théo rongeait son frein.

— Si eux ils savent qui c'est, les gens qui cachent les juifs, les communistes, les gaullistes, les francs-maçons, les saboteurs — pourquoi nous, on ne sait pas qui c'est qui moucharde ?

C'était son éternelle question.

— Attends seulement, disait Gentil.

Il venait sur les murs des affiches où sont marqués les gens qu'on va fusiller. Dans ces conditions, il fallait être un saint pour rester à jouer *Charmaine* sur la clarinette, *Charmaine* ou *Mon homme*. Théo n'était pas un saint. Mais il avait foi en Gentil. Gentil lui avait fait une promesse d'homme à homme. Déjà, ça n'était pas rien entre deux hommes ordinaires. Mais si l'un d'eux est Gentil, c'est parole d'évangile.

Théo concentrait son esprit sur cette promesse pendant son travail chez Breschbuhl. Robert gardait son air renfrogné. Pour ne pas mettre d'huile sur le feu, le patron s'intéressait à voir voler les mouches. L'atelier était devenu une vraie fabrique de silence.

Le soir, Théo allait jouer *Charmaine* comme Gentil le lui avait montré — en tordant le cou à certaines notes sur la fin, ce qui est une façon de faire qu'on n'attrape pas du premier coup, spéciale pour la musique artichaut. Si on rate, ça couine d'une mauvaise façon. Il faut trouver le beau couinement.

Il causait avec son ami. Ils causaient de la musique et de l'attente, de la mort et de Papy. Ils causaient des lectures à Théo.

Théo lisait toutes ces histoires, mais il voyait aussi quelque chose que tout le monde ne voit pas. C'est que toutes les histoires ne sont pas écrites pareil. Il y a façon et façon d'arranger les mots. L'ordre où on les met est important. Et aussi le fait qu'on met tel mot, alors qu'un autre veut dire exactement la même chose mais, celui-là, on ne l'a pas choisi. C'est comme si chaque mot avait une couleur, il faut trouver les couleurs qui vont ensemble. Des fois, Théo se disait qu'à la place de l'homme qui a écrit le livre, il aurait mis ce mot-ci, plutôt que ce mot-là. Il se répétait la phrase dans sa tête, avec son mot à lui, et souvent, il n'y avait pas à dire, mais c'était mieux ainsi. Quand il hésitait, il prenait l'habitude de dire les deux phrases à voix haute, la vraie et puis la sienne.

Alors il se rendit compte d'une chose étrange : vous avez des phrases qui se lisent bien avec les yeux, mais si vous prononcez ce qui est écrit, vous vous apercevez que c'est bancal et pas joli, et qu'il y a un mot de trop, ou bien un de pas assez, ou encore un trop long, ou un trop petit à la fin (quand vient le point, on a l'impression de buter dans un caillou). Il essayait de refaire la phrase dans sa tête, parfois il y arrivait. Un jour, il prit un papier pour écrire la nouvelle phrase qu'il avait trouvée. En la regardant le lendemain, il vit brusquement que si on changeait la place d'un mot et que si on ôtait une virgule, c'était encore mieux. Seulement, ça n'était plus exactement le même sens qu'avant. Oui, mais le nouveau était meilleur. Il n'y avait pas d'erreur que ce nouveau sens apportait un petit quelque chose en plus, et si l'auteur avait fait attention à ça, on aurait eu plus de plaisir à lire son livre.

Le garçon constatait que certains auteurs gagnent à être lus à haute voix, et d'autres, c'est le contraire. Il constatait en même temps qu'il préférait les premiers aux seconds. Ceux-ci, il était toujours tenté de recommencer leurs phrases, de taillader par-ci et d'étoffer par-là.

Il n'était pas au bout de ses découvertes. Il remarqua aussi que les mots n'avaient pas seulement une couleur (ou plusieurs, selon comment ils sont placés), mais aussi une forme. Il en est des ronds, et d'autres qui sont pointus. Il y a des mots enroulés comme un serpent. Des mots en étoile. Des mots mous qui débordent tout le temps de leur carapace. Des mots avec un trou au centre. Des mots en plusieurs morceaux. Des mots qui coulent, étant une eau pure, on doit les mettre dans quelque chose pour les garder. Il y a des petits mots carrés, durs comme du bois. Il y a des mots hauts, hauts et étroits, et puis des mots larges, larges et ventrus (ou bien alors pas plus épais qu'une crêpe). Certains mots penchent à droite, d'autres vont sur la gauche. Ainsi de suite.

Avec les lettres d'imprimerie, on vous fait croire que les mots ont quelque chose de commun. Mais c'est une illusion. Chaque mot est unique, c'est un peu comme les gens. En plus, chaque mot est plusieurs mots à lui tout seul, tout dépend des mots qui sont autour, et c'est pareil pour chacun de ces mots qui sont autour.

Théo s'étonnait : pourquoi le père Mouret, à l'école, n'avait-il rien dit de tout ça ? Il y avait des choses sensationnelles à dire à propos des mots et lui, le père Mouret, tout ce qu'il voyait, c'étaient les *s* du pluriel, ou bien deux *l*, deux *n*, un seul *t*, un *h* au début — et surtout un *h* au milieu d'*orthographe* : si vous aviez fait une faute à *orthographe*, il aurait pu vous faire sauter la tête à coups de règle ! Mais tout le beau de cette histoire des mots, tout le curieux et l'excitant, il paraissait s'en ficher comme de l'an quarante. Pourtant, ce n'est pas un *l* de plus ou de moins qui change quoi que ce soit à la couleur, au parfum, à la vitesse, à la forme ou au caractère d'un mot (par caractère, je veux dire s'il est tendre ou abrupt, franc ou sournois, sévère ou gai). Tandis que ce caractère, cette forme, cette vitesse, cette teinte et cette saveur, cela peut tout changer. Et d'abord, quand je vous cause, est-ce que je fais des fautes d'orthographe ?

On ne peut pas se tromper lorsqu'on parle, songeait Théo. C'est la raison pourquoi il faut lire les livres à haute voix, pour savoir s'ils vous disent la vérité. Non pas si les histoires qu'ils racontent ont existé ou non, puisque la plupart du temps elles n'ont pas existé et chacun le sait. Mais si l'homme qui écrit n'essaie pas de vous faire une entourloupette. Parce qu'on n'a pas été le chercher, après tout, on ne lui a pas demandé de nous écrire un livre. Alors s'il s'amène et essaie de vous refiler des choses gâtées, vous n'allez pas lui dire merci ! Mais il faut faire très attention de ne pas se laisser attraper. Gentil était d'accord là-dessus,

ayant été lecteur de *La République de l'Est* :
« Certains savent s'y prendre. Ils ont le coup !
Méfie-toi. »

Théo connaissait la parade. Quand une phrase
était douteuse, il la disait à haute voix. Une
phrase semble parfois un homme qui ne regarde
pas en face : on sait à quoi s'en tenir.

Théo, cependant, ne voulait pas être quelqu'un
qui lit des livres et tourne les mots dans tous les
sens, pendant que les Boches nous mènent la vie
dure, fourrent les copains en prison ou les flan-
quent le dos au mur. D'un autre côté, il voyait
qu'on apprend des choses utiles dans les livres.
On apprend pourquoi il faut haïr les Boches, et
tous ceux qui nous occupent et veulent nous fusiller ; que ça n'est pas simplement une méchanceté
contre une autre. On apprend que si on ne cherche pas à les empêcher, le monde sera encore
pire, et ça sera de notre faute. Parce qu'il n'y a
pas trente-six façons d'être un homme, et ce
qu'un homme doit être, les bons livres le disent.
Et ils n'ont pas besoin de parler du tout des
Boches, et pas même de la guerre. Il suffit qu'ils
disent des choses vraies. Par exemple, Jack London n'avait peut-être jamais rencontré de Boches
(ces Boches-là, en tout cas), mais quand il racontait la mort d'un homme tout seul dans le pôle
Nord, vous compreniez ce que c'est qu'être un
homme. L'« amour de la vie », ça ne veut pas dire
que vous allez faire ce qui vous plaît et chercher
coûte que coûte à vous accaparer les boustifailles
de l'oncle Maximilien pour vous lécher les doigts
jusqu'à la fin des temps. Si vous aimez la vie,
vous ne voulez pas vivre comme des loups, ni
comme les chiens au bout d'une laisse. C'est ainsi
que Théo voyait les choses, regardant à travers
les bons livres. Et peu à peu, il comprenait aussi

que le plus difficile n'est pas d'avoir un fusil et de tirer sur l'ennemi, ni même de se faire tirer dessus. Ni même de mourir, ainsi que Gentil le lui avait exposé.

C'était encore une compréhension bien trouble, bien confuse. Une compréhension où l'on comprend seulement qu'on finira un jour par tout comprendre. Mais cela, on le sait désormais d'une façon claire et nette. Il n'y a plus à revenir dessus.

Voici l'hiver. Voici l'année 44 sur le faubourg des Coups-de-Trique. Voici la neige sur nos morts et sur nos arbres dépouillés. Aucune sorte de bleu ne s'arrête plus dans notre ciel, lorsque les bleus voyagent d'un ciel à l'autre, cherchant le bon.

Un mystérieux « lieutenant Alsace » commence à mener la vie dure aux Boches. Il leur en fait voir de toutes les couleurs. Il est partout à la fois. Si un cheval fait un pet de travers devant la Kommandantur, ils se précipitent à cinquante avec un canon, les yeux hors la tête.

On trouve des tracts au fond des boîtes aux lettres, il y en a collés sur les murs, sur les chéneaux. On raconte qu'un Boche s'est promené place Corbis, trimbalant un de ces tracts dans son dos comme un poisson d'avril. Les autres, ça les rend fous furieux. Depuis des mois, ils courent dans tous les sens pour mettre la main sur l'imprimerie où on les fabrique, mais ils n'arrivent à rien.

Théo se sent vibrer lorsqu'il les lit. Ces mots contiennent une promesse, eux aussi, une promesse qui s'ajoute à la promesse de Gentil. Les bombardements sont la troisième promesse — même si pour l'instant, on risque surtout d'être écrabouillé.

Ces tracts de la Résistance foutent une fameuse pétoche aux collabos. Ils pourraient se dire que ce ne sont que des chiffons de papier — , les chiens aboient, la caravane passe — mais le lieutenant Alsace a vite fait de leur rappeler que ça n'est pas une plaisanterie. Chaque fois qu'on ne trouve pas l'imprimerie clandestine, ils tremblent dans leur lit.

Théo aime les mots de ces tracts, qui sont tous des mots vrais. Dans sa tête, cependant, il imagine des mots un peu différents, tout aussi justes mais choisis de façon à faire encore un peu plus peur aux uns, à donner encore un peu plus d'espoir aux autres. C'est que ces mots-là sont une affaire beaucoup plus sérieuse que les livres, parce que tout le monde peut les lire ou se les faire lire. Il faut donc que tout le monde comprenne exactement non pas seulement ce qu'ils ont l'air de dire, mais ce qu'on a voulu dire en se servant d'eux — et ça n'est pas la même chose, si chaque mot et la place de chaque mot n'ont pas été choisis avec soin. On a vite fait de les prendre de travers, s'ils ne sont pas là où il faut, de la taille qu'il faut, ayant la bonne couleur, la bonne musique, la bonne forme. Un chef de partisans n'est pas forcément Jack London, ça n'est pas ce qu'on lui demande, mais il devrait faire attention à ces choses.

Le garçon récrivait les tracts dans sa tête. Il les récrivait d'une manière qu'on était obligé ou bien de faire dans sa culotte, ou bien de partir dans les bois avec le maquis. On disait que le Double-Mètre en connaissait un rayon, question mots, mais Théo ne voulait pas mettre la voix de Londres, parce que Maman et Mémère avaient peur. Il est vrai qu'on risquait gros; ils pouvaient venir vous chercher rien que pour ça.

Voici donc la terre qui se ferme à nouveau, qui se couture et se rintrit.

On ne sait pas si c'est à force de mesurer les mots, mais les yeux de Théo fatiguent. Il lui faudra chausser des lunettes, a dit l'oculiste.

Ils sont avec Gentil dans le grenier de sa sœur, rue de Wesserling, mettant un peu d'ordre parmi toutes les vieilleries.

— Eh bien, tu vois, dit Gentil, est-ce que c'est la peine de conserver les choses, puisqu'on ne se souvient même plus qu'on les avait ?

Il fait tourner sur son doigt une casquette tout élimée que Théo a trouvée dans une malle.

Il la rejette et se touche le front :

— Le vrai grenier, c'est là. C'est parce qu'on a peur de je ne sais quoi qu'on met des choses dans le grenier des maisons. Ou bien c'est pour vérifier, quand on n'est pas sûr ? Mais pourquoi est-ce qu'on ne serait pas sûr, si c'est quelque chose dont on s'est embarrassé la tête pendant vingt ans ? Tu vois cette casquette-là ? C'était à moi quand j'ai connu tes parents. Regarde bien à l'intérieur, peut-être que tu m'y trouveras comme j'étais à l'époque...

Un autre sourire de Gentil, un sourire d'ombre.

Théo a pris la casquette entre ses mains. Il la regarde sans la bouger. On dirait vraiment qu'il cherche à voir les images du passé défiler sur le drap comme un film sur l'écran de l'Eldorado.

Il demande sans relever la tête :

— Je pourrais pas l'avoir ?

Comme Gentil ne dit rien, le garçon pense qu'il réfléchit à la question.

En réalité, Gentil ne réfléchit pas. Il sourit. Le sourire de lumière, à présent, le sourire qu'on connaît si bien.

— Mets-la, dit Gentil. Mets-la voir, si tu n'as pas peur que la tête passe au travers !

Les yeux de Théo sont tout brillants. Il enfile la casquette. Elle lui va.

Il éclate de rire pour cacher son émotion.

— Tu ne diras pas que je ne t'ai jamais rien donné! plaisante l'ancien marsouin.

Théo enlève la casquette pour la regarder encore, puis il la remet.

— En tout cas, dit-il, elle ressemble à celles de maintenant.

— Nos têtes aussi! dit Gentil.

— Je t'ai jamais dit? Quelqu'un m'a donné un chapeau de mousquetaire, un jour.

— De mousquetaire?

— Oui. Jean-Marie Désormais.

— Le Passe-Lacet?

— Je l'ai pas gardé, je lui ai laissé. Il y avait toute une panoplie. C'est drôle, j'avais oublié.

— Non, tu vois bien!

Ils se regardent, accroupis l'un en face de l'autre devant les vieilleries.

— Ce pauvre Passe-Lacet! reprend Gentil. Il paraît que les Boches lui ont réquisitionné son vieux treubeu, figure-toi, et qu'il a une trouille bleue des bombardements et des francs-tireurs et de tout et de rien, et qu'il vit caché au fond de sa cave!

— Ah? fait Théo.

Et puisqu'il ne voit rien d'autre à dire, il dit :

— Merci pour la casquette, hein. C'est chic, tu sais, c'est un souvenir.

— Un souvenir? Mais tu n'étais même pas né, mon Théo!

— Ben... c'est justement.

L'ancien marsouin déplie sa carcasse. Il secoue ses jambes pour faire partir les fourmis.

Il attend encore un peu. Il fait deux trois pas

dans le grenier. Puis il revient se planter à côté du garçon.

— Théo, dit-il d'une voix embêtée, ne pense pas aux souvenirs maintenant. Ça n'est pas encore pour toi. Attends seulement qu'ils viennent te trouver eux-mêmes, ce sera toujours bien assez tôt. Tu veux?

Il y a des gens qui sont bien plus âgés que Théo et pourtant, les souvenirs, c'est terminé pour eux. Ce sont les Boches du train de troupes que la Résistance a fait sauter hier soir. Ceux qui y sont restés, du moins. On n'a pas réussi à les tuer tous. Mais il y en a quand même un bon tas qui ne nous embêtera plus. Il paraît que la loco s'est cabrée à la verticale. Les Boches n'ont pas retrouvé les corps du mécanicien et de son chauffeur. Pas besoin d'être grand clerc pour deviner ce qui s'est passé : les deux gars étaient de mèche avec le maquis; ils ont emballé leur machine et ils ont sauté. Ça demande du cran, mais ça valait la peine. Il y a vingt-trois Frisés sur le carreau; cinquante autres ont été plus ou moins amochés.

Naturellement, depuis ce coup-là, la Gestapo est déchaînée. Les cafards sont de service vingt-quatre heures sur vingt-quatre. Vous avez intérêt à passer devant les tracts affichés un peu partout la tête bien droite, comme si ça ne vous intéressait pas. Pour plus de prudence, certains ne ramassent même pas ceux qu'on fourre dans leur boîte aux lettres ou sous leur paillasson, se disant qu'ainsi, personne ne pourra rien leur reprocher. Kramsky va les trouver. Il les regarde par en dessous, l'air préoccupé, en se grattant la tête, et il leur fait : « Dites donc : avec une collection de tracts comme ça cachée sous le paillasson, s'ils vous chopent, c'est le poteau. » Il faut voir leur tête ! Ils graissent la patte au Bourreau pour qu'il fasse disparaître toute cette dangereuse paperasse. Kramsky fait mine d'hésiter : « Et s'ils m'arrêtent, moi ? » Les gens proposent une somme un peu plus grosse. En bougonnant, ce vieux Kram met l'argent dans sa poche et glisse les tracts sous sa chemise. « Je vais les brûler dans ma cave », annonce-t-il. Nous, on sait bien qu'il ira les déposer sous d'autres paillassons, dans d'autres boîtes aux lettres.

Kramsky est ravi du bon tour. Nous aussi. Dans des périodes semblables, on ne choisit pas toujours ses amusements. On a parfois des plaisanteries un peu cruelles pour les autres, parce qu'on risque d'y passer soi-même. Ils préfèrent arrêter n'importe qui que de n'arrêter personne. Gentil a demandé au Bourreau de faire attention : il irait aussi bien distribuer ses tracts aux gestapistes, cet animal-là. En même temps, il l'a chapitré à propos du parler hanneton car dès qu'il avise un Boche, il court lui hannetonner à tout va dans les oreilles et cette affaire-là pourrait mal finir. Les têtes carrées se seraient très bien contentées d'un parleur hanneton en guise de dérailleur de trains.

Les mouchards, eux non plus, ne sont pas regardants. On ne sait pas ce qu'ils ont bien pu inventer, mais il y a eu une perquisition chez le Passe-Lacet. Ils sont venus avec un side-car, une chenillette, un camion et une traction de la Gestapo. Ils ont fracassé la porte et ils ont sorti l'Eunuque de sa cave. On les entendait gueuler jusqu'à la Roseraie. Ceux qui ont osé risquer un œil à travers leurs volets ont vu que le gros bonhomme avait beaucoup fondu. Il sanglotait, il n'était pas rasé de huit jours, son manteau était couvert de toiles d'araignées. Le lendemain, la villa Désormais servait de repaire à une section de SS. Probablement qu'ils avaient trouvé ce moyen pour nous avoir à l'œil.

C'est février, on patauge dans la gnaffe. Le train a déraillé vers la mi-janvier et ils ne nous ont pas laissé une minute de répit depuis ce moment-là.

Puis ils se sont un peu calmés. Mais Théo voyait bien que Gentil n'était pas rassuré pour autant. En fait, le garçon ne l'avait jamais connu si sombre. On avait arrêté les leçons de clarinette (l'instrument était resté dans la cuisine à Zabeth) et souvent, Gentil demeurait de longs moments à côté de Théo comme si Théo n'était pas là. Il fixait un point droit devant lui, les mâchoires serrées.

— Ça va se tasser, murmuraient les gens. Avec la R.A.F., les Russes et les Ricains, ils n'ont pas que nous à s'occuper, pensez !

Mais c'est Gentil qui avait raison, comme toujours. D'autres affiches ont fait leur apparition sur les murs. Leurs affiches à eux, leurs damnées affiches. On n'avait pas besoin de comprendre leur baragouin pour savoir ce qu'il voulait dire. Et les noms, c'étaient des noms à nous. C'étaient des noms qu'on connaissait.

Il y avait en haut : CHARBONNIER Lucien. Et un peu plus bas sur la liste : MOREL Jean-Claude.

Saboteurs. Bandits. Fusillés.

Morel est un nom qui court les rues, mais Théo comprit tout de suite que ce Morel-là était un petit rondouillard à lunettes, le crâne dégarni, qui était caissier à la Banque de Mulhouse et dont la femme avait accouché d'une petite fille en décembre 42.

Le dernier nom de la liste était ZYRING Léon.

Alors Théo, qui était déjà tout blanc, faillit tourner de l'œil. Comment s'appelait Léon, il ne l'avait jamais su, mais si vous voyiez marqué Léon à côté des noms de Charbonnier et de Morel, qu'est-ce que vous penseriez à sa place ?

Un grand silence était tombé sur le faubourg et sur le cœur de Théo.

Le garçon se retrouva rue de Wesserling sans savoir comment.

— Je sais, lui dit Gentil. Tais-toi, entre.

Il referma rapidement la porte derrière lui.

Théo n'eut pas le temps de poser sa question.

— Léon Zyring est un fraiseur de l'Alsthom, dit Gentil.

Le garçon se laisse tomber sur une chaise. Il ne le sait pas, mais il est là où se tenait sa mère autrefois, et Gentil est là où il était lui.

— On les a dénoncés, dit l'ancien marsouin.

C'est là que Théo éclate :

— Tu vois, je l'avais dit ! hurle-t-il. Tu voulais toujours attendre ! Ces salauds de mouchards, il fallait tous les descendre ! On s'y serait mis nous tous, comme je disais, ça ne serait pas arrivé !

— Doucement, dit simplement Gentil. On peut t'entendre du dehors.

Mais il ne regarde pas Théo.

— Oui, toujours doucement et toujours demain ! Je la connais, ta chanson ! Et voilà le résultat !

Il sent bien qu'il est injuste, mais il ne peut pas s'en empêcher. Il en a trop gros sur le cœur et il a eu trop peur pour Léon.

— Il fallait se battre ! dit-il encore. Voilà ce qu'il fallait faire au lieu de jouer de la clarinette !

On dirait que Gentil n'ose pas répondre.

— Je t'ai dit...

— Que mon numéro allait sortir un de ces quatre matins ? Et celui à Charbonnier et à Morel, alors, il vient de sortir aujourd'hui ?

Gentil a la tête basse.

— Ne parle pas comme ça, mon Théo, murmure-t-il.

Le ton a quelque chose de suppliant, alors Théo devient encore plus furieux parce qu'il a honte de lui-même.

— Il faudrait parler comme toi, peut-être ? Attendre ? Attendre que les Boches nous aient tous zigouillés ! Eh bien, t'as qu'à continuer d'attendre, toi, et de continuer à jouer *Ramona* sur ta saleté de clarinette ! Tu peux attendre comme ça jusqu'au déluge, si tu veux ! Moi, je sais ce que je vais faire.

Il bondit de sa chaise, passe devant Gentil en le bousculant presque et s'enfuit sans se retourner, faisant claquer la porte de la maison.

Il n'a rien pu avaler ce soir-là. Maman et Mémère étaient aux cent coups de le voir comme ça. Depuis qu'il était le seul homme à la maison, elles montaient en épingle tout ce qui le concernait. Le moindre nuage sur son front leur causait une sorte d'épouvante.

Il aurait voulu les rassurer mais il n'en avait pas la force. C'était la première fois qu'il se fâchait avec Gentil. C'était la première fois qu'il lui disait des choses méchantes et, en plus, ça n'était même pas des choses justes, ça n'était même pas des choses qu'il pensait. Il les avait dites pour faire mal alors que Gentil était la dernière personne à qui il voulait du mal. Il l'avait quasiment traité de lâche, et Gentil était l'homme qui lui avait enseigné le courage.

La nuit de Théo fut épouvantable. Il n'oserait

jamais plus paraître devant Gentil. Il avait perdu le meilleur ami qu'un homme ait jamais eu. Il ne lui avait même pas permis de s'expliquer. Tous les bons livres que Théo avait lus condamnaient cette injustice sans appel. Cette injustice ? Non ! Cette trahison. Il n'était pas de pardon pour cela. C'était une faute irrémédiable. Théo vivrait caché des justes tout le restant de sa vie, ne pouvant supporter de mettre sa noirceur auprès de leur clarté.

Quand il se leva, il n'avait pas fermé l'œil de la nuit. Plus une seule fois, il ne pourrait dormir tranquille. Le remords viendrait le chercher au fond des nuits les plus épaisses. Théo avait découvert qu'il était mauvais. Il aurait voulu qu'on abatte les traîtres, et lui-même avait trahi son ami le plus cher.

A l'atelier, M. Breschbuhl était dans tous ses états. Il connaissait un peu Lucien Charbonnier. Ils avaient passé leur certificat ensemble, ou quelque chose comme ça.

Et toi aussi, tu vois qui c'est, non ? disait-il à Robert.

— C'est un cousin à ma femme, marmonnait l'ouvrier à contrecœur, l'air décomposé.

— Fumiers, va ! sifflait le patron entre ses dents. Fumiers !

Théo ne pouvait rien dire. Il avait perdu le droit de vomir sur ceux qui vous poignardent dans le dos.

Toute la journée, M. Breschbuhl lança des imprécations sourdes contre les têtes carrées et les judas qui leur faisaient tout le sale travail.

— Et toi, Robert, ne viens pas m'emmerder avec tes histoires de bolcheviks ! menaçait-il.

Mais Robert ne disait rien. Il accomplissait son travail dans une sorte d'hébétude, l'œil vide.

Et Théo ne disait rien non plus. Il pensait à Gentil. Les mauvaises paroles qu'il avait crachées sur Gentil n'arrêtaient pas de lui tourner dans la tête. De lui tourner dans le cœur et c'était une machine qui broyait ce cœur en tout petits morceaux, toujours plus petits jusqu'à ce qu'il n'en demeure qu'un peu de poussière.

Son ami ne pouvait pas lui pardonner et Théo ne souhaitait pas qu'il lui pardonne, car ce qu'il avait fait l'avait retranché des justes pour toujours. Mais il irait cependant le trouver. Il irait le voir pour que Gentil puisse l'injurier en face, et lui dire le salaud qu'il était, et le frapper en pleine figure. Il lui rapporterait la casquette, qu'il n'était pas digne de porter, et il attendrait que Gentil le frappe et lui dise qu'il ne voulait plus jamais le trouver sur son chemin. Alors il irait dans un maquis. Il serait volontaire pour un coup de main désespéré, par exemple délivrer Charbonnier, Morel et les autres. Il se ferait tuer et bon débarras.

Il sortit de l'atelier avec Robert. Ils étaient aussi abattus l'un que l'autre. Au coin de la rue de l'Est, ils se serrèrent mollement la main, sans un mot, sans se regarder. L'ouvrier continuait vers la ville. Théo traversait le faubourg pour prendre la rue du 14-Juillet.

Il vit toute la scène et pourtant, ce fut comme s'il n'avait rien vu, comme s'il avait seulement cru voir quelque chose.

Il venait tout juste de poser le pied sur le trottoir d'en face. A l'angle de la rue de la Savoureuse, Robert Lamiral s'était arrêté pour laisser passer une voiture qui allait tourner dans le faubourg.

Alors il fit brusquement un pas en arrière et leva un bras.

Des langues de feu étaient sorties des fenêtres de la voiture. On avait entendu comme un gros bruit de crécelle et tout de suite, dans un crissement de pneus, la voiture s'engageait dans le faubourg puis, chassant de l'arrière, faisait un quart de tour et filait par la rue d'Alger. Elle avait disparu.

Robert Lamiral était étendu à la renverse sur le trottoir. Sa figure et sa poitrine étaient pleines de sang. Sous lui, une flaque pourpre avançait vers la rigole. Lui, il ne bougeait plus.

Pétrifié, Théo ne pouvait détacher les yeux du cadavre. Le tac-tac-tac de la mitraillette lui sonnait encore aux oreilles. Et le faubourg semblait être aussi pétrifié que Théo.

Tout à coup, à deux mètres de lui, la porte du Chpaniaque s'ouvrit avec violence et des hommes se mirent à détaler de tous les côtés, sauf de celui où Robert Lamiral était tombé. L'un d'eux agrippa le garçon en passant, ses yeux étaient démesurément agrandis :

— Tire-toi, nom de Dieu ! cria-t-il d'une voix angoissée. Va te planquer. Vite !

Théo entendit aussi le Chpaniaque qui hurlait au Décolleur d'affiches de descendre le rideau de fer. Mais il n'entendit pas le bruit du rideau. Il faisait comme les autres, il courait comme un perdu.

Il retraversa le faubourg et se jeta dans la rue de l'Est, sentant bien que si les Boches s'amenaient, ceux qui se trouvaient sur l'avenue se feraient prendre les premiers. Il courut dans la rue de la Croix-du-Tilleul, dix fois plus vite qu'il avait jamais été lorsqu'ils faisaient la course avec Léon le long de la caserne Vauban, ou même que ce fameux jour où un vieux salopard en canadienne les avait poursuivis tous les deux dans le derrière du faubourg de Montbéliard. Ses lunettes toutes neuves faillirent lui gicler de la figure.

Il rentra rue de l'Yser par le fond, ayant pris la rue Albert-Ier, afin de ne pas remettre le pied sur le faubourg.

On ne l'attendait jamais si tôt à la maison. Il tomba telle une bombe au milieu des deux femmes.

— Ils l'ont descendu! haleta-t-il. Ils ont descendu Robert!

— Ne sors plus, Théo! gémit Mémère. Ne sors plus, à présent, mon petit. Reste avec nous! Il comprendra bien, M. Breschbuhl, ça n'est pas un méchant homme!

Le garçon reprenait difficilement son souffle. Des nuages rouges lui passaient devant les yeux. Cependant, il faisait non de la tête, accroché des deux mains au rebord de la table.

— Tu sais, maman, disait Maman à sa mère d'une voix hésitante, je ne sais pas s'il n'a pas raison. S'il n'y va pas, on va croire qu'il se cache. Si l'on croit qu'il se cache...

Elle laissa la phrase en suspens.

Mémère se mit à pleurer et à se lamenter d'une toute petite voix :

— Seigneur Dieu!... Doux Jésus!... Dieu du Christ!... Oh! Seigneur!... Seigneur!...

On passa le reste de la soirée à trembler. Théo ne voulait pas être lâche, mais à chaque bruit qui leur parvenait de la rue ou de la maison, il ne pouvait pas s'empêcher de tressaillir. Il pensait aux supplices qu'ils vous font, à leurs affiches maudites...

Et Gentil? Bon Dieu, Gentil! Avec tout ça, Théo

n'avait même pas pu aller s'humilier devant lui et recevoir le châtiment mille fois mérité.

Je vous dirai que cette nuit-là fut encore pire que l'autre.

Le lendemain matin, il n'y avait pas de tract dans la boîte aux lettres. Mais Théo trouva un petit billet plié; il disait : « Je passe ce soir. G. »

Le garçon le mit dans sa poche et se rendit à l'atelier.

Le patron le guettait au coin de la rue de la Marseillaise, pâle comme la mort.

— Qu'est-ce qu'on fait, Théo ? Hein, qu'est-ce qu'on fait ?

Ils n'ont pas eu à se le demander longtemps.

On est venu pour leur poser des questions. Pas la Gestapo : nos policiers à nous. Enfin, des policiers qui sont nés en France et qui parlent français. Ils avaient un fumier de la milice avec eux. C'étaient trois fumiers ensemble.

On n'avait rien contre Breschbuhl et son apprenti. On les a quand même regardés de travers, histoire de montrer qu'on pouvait les fourrer dans de sales draps, si on voulait. Nous savons ce qu'ils pensent. Ouvriers : racaille, engeance. On est allé fouiller les armoires à la mère Breschbuhl. Ils ont tout fichu par terre. Ils ne savaient même pas ce qu'ils cherchaient.

Ils parlaient entre eux en nous regardant nous. Des fois, ils parlent de nous comme si on était des bêtes qui ne peuvent pas comprendre.

Ils sourient en disant leurs insanités. On essaie d'ouvrir la bouche ? Ils nous tombent dessus et nous traînent aux Boches. Ça n'est pas le moment de broncher, surtout quand on a dans sa poche un billet qui veut tout dire et rien dire — bref, ce qu'on appelle des papiers compromettants.

Finalement, on ne les a même pas fouillés. On les prenait pour des rien du tout.

La patronne serrait un reste de goutte dans un placard. Nos jolis messieurs se la partagèrent. Et nous on était là comme trois laquais au garde-à-vous, attendant qu'ils aient fini, ou qu'ils nous appellent pour qu'on leur cire les bottes ou qu'on s'accroupisse pour un coup de pied au cul.

En les écoutant sans avoir l'air d'entendre — parce qu'ils auraient pu se foutre en rogne et qu'un chien, c'est censé n'entendre rien d'autre que les commandements — on a compris que Robert avait été un de leurs principaux mouchards. C'était même lui qui avait vendu Charbonnier. Robert ! Et Théo travaillait à côté de lui pendant tout ce temps-là...

Ils ont terminé la bouteille et lancé les verres dans l'évier.

— Alors, qu'est-ce qu'on en fait ? a demandé un policier à l'autre en désignant du menton les Breschbuhl et Théo.

— Qu'est-ce que tu veux faire de *ça* ? a dit la milice en haussant les épaules.

Le type a fait semblant de tourner les talons mais, au moment de passer la porte, il a agrafé le patron par la cravate. Il y est allé de si bon cœur que tout le devant de la chemise est passé par-dessus le pantalon. Il lui a remonté le col jusque sous les trous de nez, le plaquant contre le mur.

— Maintenant, écoute-moi bien, toi, lopette, a-t-il dit les dents serrées. Tu n'existes pas, t'es de la merde. Alors, on ne veut plus entendre parler de toi. Tu bouges seulement le petit doigt de pied, t'es bon comme la romaine, et la vieille pute, et le bâtard crasseux ! Que j'entende encore parler de vous, ne serait-ce que pour avoir secoué les tapis après l'heure : on vous fait votre affaire. Compris ?

« Tu crèveras rien que pour ça », disait Théo dans sa tête. « Tu crèveras pour nous avoir parlé comme ça », disait-il.

C'était une promesse.

Ils sont partis. La milice a jeté un coup d'œil haineux au garçon, mais ne l'a pas touché.

Le patron respirait à grands coups. Il était vert. Mme Breschbuhl poussait toutes sortes de gémissements, lui ne disait rien. Il a remis sa chemise en place, il a arrangé son nœud de cravate et est allé tout droit à l'atelier. Jusqu'au soir, il n'a pas desserré les dents. Théo a brûlé le billet de Gentil discrètement. A midi, il n'a pas touché à sa gamelle, le patron n'est pas retourné chez lui pour manger.

Se dire au revoir à la fermeture ne fut pas facile, M. Breschbuhl ne parvint pas à le regarder dans les yeux. Pour chasser de son esprit cette impression désagréable, le garçon concentra sa pensée sur ce qui venait maintenant, et qui était un autre genre d'épreuve, non moins pénible : le rendez-vous avec Gentil, qu'il avait insulté et trahi.

Quand il poussa la porte de la cuisine, le cœur cognant dans sa poitrine de façon désordonnée (vous auriez cru qu'il prenait des élans pour essayer de s'échapper de Théo), l'ancien marsouin n'était pas encore arrivé.

Il y eut du bruit dans l'entrée seulement un peu plus tard. Théo se leva comme un ressort, livide. Mais ça n'était pas Gentil. C'était Zabeth et elle était en larmes. Elle était entrée en courant et elle se tordait les bras, elle se griffait le dessus des mains avec ses ongles :

— Marthe ! Marthe ! C'est fini, ils les ont pris ! Ils les ont emmenés ! Ah ! je ne veux pas ! Dis-moi que ce n'est pas vrai, ma petite Marthe, dis-le-moi ! (Elle s'était jetée aux genoux de Maman qui tentait maladroitement de la relever.) Si tu avais vu, oh ! si tu avais vu ! Ils les ont battus. Ils les ont battus dans la figure. Ils m'ont tenue pendant qu'ils les battaient dans la figure. Ils vont les tuer, Marthe, ils vont me les tuer !

Les derniers mots n'étaient plus qu'une longue plainte au milieu d'un sanglot terrible, un bruit qui n'avait rien d'humain.

Et qu'est-ce qu'on pouvait faire ? Qu'est-ce qu'on pouvait faire sinon hurler avec elle notre horreur, notre épouvante, la protestation de toute notre âme et de toute notre chair ?

— Ils les ont emmenés, reprenait Zabeth d'une voix minuscule mais perçante, une voix de souris qui n'était plus du tout sa voix à elle. C'est à cause de Robert Lamiral. Ils disent que c'est Gentil qui l'a tué (elle disait Gentil elle aussi, pour parler comme tout le monde), mais mon André, Marthe, mon André, il était avec moi, ce soir-là. Je te le jure, Marthe ! C'est la vérité, il faut aller leur dire ! Il n'a rien fait, il n'a rien fait !

Elle s'était saisi les cheveux à pleines mains et tirait dessus de toutes ses forces, avec encore un râle qui était à vous glacer les sangs.

Et puis, à nouveau :

— Il est tout le temps resté avec moi, Marthe, il ne voulait pas se mêler de ça...

Et cette fois elle hoquetait, montrait le blanc des yeux. Puis commençait un cri sur une seule note, qui allait en s'amplifiant.

Mais Théo avait déjà dévalé l'escalier.

298

Ce soir-là encore, il courait. Il courait si fort qu'une armée de Boches et toute la milice de Belfort n'auraient pas pu l'arrêter.

Il courait, il courait. Son nom, c'est Théo, c'est Théo qu'on lui dit. Il reste rue de l'Yser, ça ne fait rien : il court à l'autre bout de la ville.

Il court, il court, le furet — mais ça n'est pas un jeu. Ça n'est pas un jeu du tout. Le temps des jeux est terminé, pour Théo. A présent, c'est autre chose. C'est les larmes et le sang, c'est la guerre. C'est un monde qui finit et c'est un autre qui ne commence peut-être pas, parce que voyant ce que je vois, il n'a pas envie de venir, on le comprend. Alors, peut-être, tout va s'arrêter là. Et c'est pourquoi Théo court; il court devant la fin du monde. Il court pour tendre ses bras au bout du monde et dire : « Non ! non ! attendez ! » Pour dire : « S'il vous plaît ! » Pour dire ce qu'on peut dire quand on est un garçon qui a le monde roulant sous lui et s'apprêtant à basculer dans les ténèbres.

Et lui, Théo, quand il pouvait encore le retenir, il l'a poussé. Il a poussé Gentil à tuer un mouchard, en le traitant de lâche et de joueur de flûte. Gentil a été poussé dans la gueule du loup. Le loup a déjà commencé à refermer les mâchoires sur Gentil et le monde commence à tanguer. Si Gentil n'est plus là, on va tous perdre l'équilibre.

Ils frappent Gentil dans la figure, c'est la faute à Théo. Ils le tirent dans leurs caves pour lui ôter les ongles avec des tenailles chauffées sur la braise, et c'est Théo qui l'a poussé vers eux. Il court, le ciel ne va plus mettre longtemps avant de se décrocher, à présent.

Le voici près du square du Souvenir. Il arrive dans la rue des Tanneurs. La porte est ouverte. Il court devant le panneau des boîtes aux lettres, qui vous pend sur la tête. Il court sur le plancher branlant. Il court le long de l'escalier qui ricane en agitant sa carcasse. Il manque arracher de ses gonds la petite porte vitrée...

... Et, trop tard ! le monde a chaviré, le ciel lui dégringole sur la tête. Il roule sur le sol de la petite cour. Ou bien il n'y a même plus de cour ni de sol et ce sur quoi il roule, on ne sait pas ce que c'est.

Il est écrasé entre les blocs du chaos universel. La fin du monde lui écrase la figure pour l'empêcher de crier. Puis il est projeté en avant, la bouche toujours enfermée dans quelque chose de dur. Il va donner du front contre la porte qu'il connaît bien. — Mais alors, *la porte existe !* Qu'est-ce qu'il se passe ?

La porte s'ouvre. Il se retrouve dans la lumière rougeoyante, la même lumière que quand le monde existait, la lumière tamisée par les dépouilles du *Fils du Désert.*

— Lâchez-le, dit une voix familière. Je l'attendais.

Les deux hommes qui lui ont sauté dessus desserrent leur étreinte ; ils enlèvent la main qui bâillonnait Théo ; ils s'écartent.

Théo est au milieu de la pièce, dans un cercle de personnages. Devant lui, il y a l'homme qui a parlé, c'est le grand Siboulet. Léon est à sa droite. Sidi Larbi se tient un peu plus loin, le canon d'une mitraillette reposant sur l'avant-bras.

Durant un siècle, personne ne dit rien. Personne ne bouge. Même les yeux ne bougent pas.

Alors Léon sourit tristement.

— Salut, Théo, dit-il d'une voix très calme.

Il montre le grand Siboulet :

— Je te présente le lieutenant Alsace.

Paul Frêne était là. Müller Tête-de-Mule. Terzian et Doucelance. Quand on a dit à Théo que le déraillement du train de troupes, c'était eux, il s'aperçut qu'il l'avait toujours su, quelque part au fond de lui-même. Et de même, eux tous savaient déjà pour Gentil et le beau-frère. Lui qui croyait prévenir les amis !

Théo baissa la tête. Maintenant, il n'avait plus qu'à leur avouer que c'était à cause de lui, si Gentil s'était jeté dans la gueule du loup.

Mais le grand Siboulet s'avançait vers lui, tenant à la main un objet que Théo connaissait bien.

— Il me l'a remis hier au soir, dit-il, pour que tu le gardes si jamais ça devait tourner mal. Voici. Je crois qu'il y a un mot pour toi dedans.

Les mains de Théo tremblaient en prenant l'étui à clarinette. Elles tremblaient encore plus en l'ouvrant.

Le mot était là.

On avait écrit :

« Mon Théo,

« Tu as raison, il ne faut pas trop jouer de clarinette. Mais il ne faut pas trop arrêter d'en jouer non plus. Un jour, tu comprendras. Et c'est vrai qu'attendre n'est pas toujours bon. Pour toi c'est fini, en tout cas. Tu vois que ton numéro est quand même sorti ! Ça va être dur, je te l'ai dit. Mais je sais que tu es capable de le faire. Je te souhaite bonne chance de tout mon cœur.

Adieu ?

P.-S. : Au sujet de R. L., j'aurais aimé faire autrement, mais il ne nous a pas laissé le choix. »

Le garçon n'a pas eu à retenir ses larmes, parce que le grand Siboulet l'a secoué. Et ce n'était plus du tout le grand Siboulet, c'était le lieutenant Alsace. Les hommes lui disaient « mon lieutenant ».

Il a pris Théo par le bras. Il lui a expliqué ce qu'on faisait ici et Théo a compris pourquoi les rencontres avec Léon et le caporal n'avaient plus jamais lieu dans le grand sous-sol. A propos, le caporal était monté en grade. Il était passé sergent de la Résistance.

— C'est notre sergent-instructeur, dit le lieutenant Alsace. On m'en donne douze comme lui, je nettoie Belfort à moi tout seul, Wehrmacht, SS, Gestapo, milice, suppôts de Vichy et tout le bordel ! C'est le dieu de la guerre, le citoyen Larbi. Il te montrera comment on se sert de tous ces machins-là.

Le sous-sol était aussi un dépôt d'armes. Théo aurait bien aimé commencer tout de suite son nouvel apprentissage : il n'avait jamais eu un fusil entre les mains, même pas une carabine de la fête.

— Tu as le temps, dit le lieutenant. Gentil a prévu un travail exprès pour toi. Suis-moi.

Il alla déplacer quelques panneaux de tissu rouge qui avaient été le décor du théâtre à Tarzan, en d'autres années.

Le matériel qui était caché derrière, il ne fallait pas être sorcier pour deviner ce que c'était. On le connaît d'après les photographies et les images, c'est une vieille presse d'imprimeur. Les piles de tracts sont posées par terre à côté. Voilà : c'est pour ça que les Boches mettent la ville sens dessus dessous depuis des mois. C'était tout simplement chez le vieux Sidi et les Boches sont installés caserne Vauban, à deux pas de là !

Le lieutenant Alsace pique un tract et le tend au garçon :

— Il paraît que tu as des idées pour ça ?

— J'en ai jamais fait, dit Théo.

— C'est pas ce que je demande, réplique sèchement l'officier. On peut compter sur toi ?

Théo fait oui de la tête.

— Tu as confiance dans ce qu'a dit Gentil ?

Théo fait oui de la tête.

— Alors il a dit que tu pouvais nous aider pour les tracts, que tu pouvais même nous donner un sacré coup de main. Entendu ?

Théo fait oui de la tête.

Un large sourire, l'espace d'un instant, redonne au lieutenant Alsace la tête du grand Siboulet.

— Très bien, dit-il. Parfait ! Tiens, installe-toi là, bien comme il faut. (Il déplace péniblement une caisse de munitions et fait asseoir Théo dessus. Il lui fourre un crayon et du papier dans les mains.) Tu y es ?

Le cœur de Théo bat la chamade.

— Ils ont eu Gentil, dit le lieutenant à mi-voix, mais attendez, mes beaux oiseaux, attendez un peu ! C'est seulement maintenant que la danse va commencer !

Une petite bourrade à Théo.

— Prêt, Victor Hugo ? Je vais te donner l'idée générale...

THÉO

Histoire d'une aube de juin

ENCORE.

Encore, ce monde est beau.

L'hiver s'en va, la terre se détend. Vous la voyez de nouveau qui respire. Elle se lève et s'abaisse, ainsi qu'une gorge de femme en dormant. Toute la terre, même celle des villes qui est cachée sous les maisons redevient labour, labour et fiançailles.

Au printemps 44, dans la ville que j'ai dite, il y a un garçon. Il a pris place parmi les résistants. Ce n'était pas encore l'époque où l'on distribuera les brassards par poignées, en face de la rue de Strasbourg, l'époque des colonels à huit galons. Pour être résistant, en ce temps-là, vous deviez résister, ça n'était pas facile.

Il y a un garçon à lunettes, fort et taciturne, ami d'un vieil homme du djebel connaissant les combats comme sa poche (le temps passait en bas de ses montagnes, très loin de maintenant et d'ici). Ami d'un autre garçon — vous connaissez Léon ? il s'introduit chez les Boches et s'empare du tampon, celui où est l'oiseau, pour fabriquer des papiers faux qui ont l'air plus vrais que les vrais. Ami des hommes craignant la mort, qui vont mourir quand même.

304

C'est un garçon qui soupèse chaque mot et l'examine sur toutes ses faces, ayant à faire des tracts qui causent autant de mal aux Boches qu'une bonne embuscade et apportent l'espérance aux nôtres, l'espérance et le goût de se dresser. Tel est son travail important et délicat, mais il a un don spécial pour ce travail, quoique n'ayant pas dépassé le niveau du certificat d'études.

Il va sur ses seize ans. Ce pourrait être aussi bien vingt-six ou trente-six. Il n'y a plus du tout d'enfance en lui, sinon cette part intacte qui ne s'en va jamais étant la vie elle-même. Sinon cette inépuisable et parfois terrible enfance du cœur qui donne l'amour des mots, la peur des mots, le soin de lier ensemble ce recul et cet élan, de les coudre par des bouts de ficelle, dessus dessous, tel un habit et sa doublure.

Il a sa plume à encre et puis sa plume à poudre. Il ne veut pas être celui qui demeure en arrière.

Regardez-le dans les bois d'Héricourt, dans les halliers de Chavanne, voyez-le courir entre de jeunes bouleaux, courir, encore courir, ce fusil dans les mains, quand les nuits sont propices et tordues par le vent, quand la lune met un loup sur sa vieille figure éternelle. Et dans l'aube cendreuse, accroupi le dos à un muret, sentant contre soi la bonne chaleur du sergent Larbi, né dans les pays rouges, le voyez-vous ?

Ils foulent la rosée du matin, ils s'acheminent au crépuscule sur des sentiers secrets, poussant leur ombres devant eux. Encore ce monde est beau. Vers Andelnans, à minuit, ils traversent la cour d'une ferme dont on connaît le chien. Le garçon est avec eux. On le voit à Sermamagny, à Châtenois, à Roppe : vous, vous ne l'auriez pas vu, ils prennent leurs pécautions.

Puis il rentre. Il raye un mot ou un autre sur le brouillon du tract (ce travail-là n'est jamais achevé). Il en a trouvé un mieux, tandis qu'il marchait dans l'ombre. C'est comme de déplacer à peine, quelquefois, le canon du fusil.

Regardez-le, regardez-le en douce, il n'a pas conscience d'être vu. L'aveuglant été est encore loin, cependant, l'aveuglant été de la vie où le cœur flambe haut et clair, haut et court car nul été ne dure. Attendez-le et puis dites-lui adieu.

Tous les feux du matin, les matins roses de ce printemps, accompagnant nos retours, faisant un reflet sur les armes. Encore, encore ce monde. Il nous donne son bonjour éclatant. Le garçon lui tire en pensée sa casquette, l'ancienne casquette de son meilleur ami. La colonne s'enfonce dans les fougères jusqu'aux genoux. Elle glisse doucement dans un val.

Ils n'ont pas disparu, ils ont leurs routes à eux. Tiens, ce point brillant, au milieu des guérets : c'est eux, je vous dis que c'est eux ! La colonne louvoie, utilisant pour se cacher les replis du terrain. Il faut faire bien attention, si l'on veut tuer comme il faut.

Cela pourtant n'empêche pas les mots de venir. Aucun mot ne tue, mais certains sont redoutables. Une lueur d'abattoirs. C'est une énorme responsabilité pour le garçon. Heureusement, le monde lui souffle. Il souffle des couleurs, des parfums et des formes qui ressemblent à des mots.

Les plus meurtriers des mots ne suffisent pas quand même, alors...

... un jour ce même garçon passe rue de Toulouse, devant la villa Désormais : il jette négligemment une grenade par la fenêtre, et court toujours, et court encore.

Un autre jour, il était à la tête du commando

qui réquisitionna des vivres chez Maximilien Schultz. (C'est-à-dire qu'ils ont emporté jusqu'au dernier pois chiche, mais Théo lui a signé un reçu en bonne et due forme, au nom de l'armée obscure; il garda pour ce faire sa casquette sur la tête.)

Vous dormiez, un troisième jour, et ils étaient étendus côte à côte au sommet d'une petite éminence, Larbi et lui, devant les bois d'Auxelles. Ils carambolaient une patrouille au fusil-mitrailleur.

Samedi dernier, on a revolvérisé un milicien place Corbis en plein midi. Trois balles dans la figure, elle est tout éclatée. Un bout de cervelle a sauté sur la vitrine à d'Orelli, le marchand de musique. Ce n'était pas n'importe quel milicien, c'était sa promesse que Théo avait tenue.

Les diables du lieutenant Alsace n'ont ni cesse ni repos. Vous les croyez à Rougegoutté, ils sont à Rougemont. On les cherche à Rougemont, ils peignent des croix de Lorraine à Fesche-l'Eglise. La milice leur tend un piège à Faverois, au moment même où ils anéantissent un convoi boche dans les fonds de Felon, surgissant du brouillard. Ils écument Croix, Moval, Meroux, Lebetain, Recouvrance, Frais, Boron, Foussemagne et Vauthiermont, Vellescot, Réchésy, Trétudans, Menoncourt, Phaffans et Banvillars, mais personne ne les a vus. A Vétrigne, on ne sait pas qu'ils existent. A Buc, on les attend toujours.

Certains d'entre eux sont tués, certains sont pris. D'autres les remplacent. Un prénommé Louis nous est venu de Bavilliers, il n'a pas son pareil pour briser le cou d'une sentinelle. Après quoi vous le voyez tirer une photographie de sa poche, se détournant de nous, et poser ses lèvres sur l'image.

Le garçon change un autre mot sur son tract.

On ne doit rien laisser au hasard. Sur l'envers d'un brouillon, voici qu'il écrit quelque chose qui n'est pas un tract. C'est des mots comme ça, on ne sait pas ce que c'est.

> *J'écoute les pas de la nuit*
> *Mon ami revient de quelque part*
> *Pour m'enseigner la musique*
> *D'avant le cuivre et le papier*

(C'est le commencement.)

Ce soir... Non, c'est à l'aurore, la nuit s'achève, une sorte de bleu qui ressemble à du blanc va venir, mais il ne le sait pas, il est trop absorbé par son ouvrage. Il a terminé son tract, nous sommes en juin. Il pense à cet ami, il lui parle dans sa tête. Les autres sont avec le lieutenant Alsace, on va donner aux Boches un feu d'artifice comme ils n'en ont encore jamais vu. Dans le sous-sol, il est seul avec ce Louis, qui est paysan mais chez nous, depuis qu'on a perdu Linel, c'est l'imprimeur patenté. Il a appris à composer un texte, à faire marcher la presse.

Il est justement en train de la manœuvrer, le tract doit être prêt pour le retour du lieutenant, qui ne va plus tarder.

La presse fait un certain bruit, qui se mêle au bruit des pensées qu'on élève à Gentil, et des discours qu'on lui tient, des promesses qu'on lui fait (chacun son tour). Qui se mêle aux bruits des discours qu'on tient à la photographie, à qui est représenté dessus et que Louis ne veut montrer à personne : « Si j'y passe, vous verrez bien ! », il a réponse à tout.

Théo promène son crayon au-dessus du papier, attendant qu'un mot vienne au bout, pour le poser. Les mots vont et viennent. Certains ressemblent à des étoiles filantes. Certains sont importuns, mais ne veulent pas se laisser chasser. Cela fait bien du remue-ménage dans la tête du garçon.

Un mot différent, un nom, bourdonne dans la tête à Louis.

La presse épelle tous en même temps les beaux mots des tracts.

Dehors, la beauté du monde sort de l'ombre à sa manière timide, encore une fois, s'apprêtant à enfiler sa parure qui est une des sortes de bleu, un jour je vous les dirai toutes.

Louis écoute le nom dans la récitation emmêlée de la presse, il l'entendrait dans le silence de la neige qui tombe. Théo écoute les pas de la nuit qui se renva chez elle; il a plein les oreilles la musique de Gentil, la musique artichaut d'avant le cuivre et le papier, ses paroles d'autrefois et le chahut des mots de maintenant qui se présentent pour aller sur la feuille, se bousculant pour avoir cet honneur.

Alors ils n'entendent pas, dans la petite cour aux dalles rouillées, cernée de murs couverts de mousse et de bave d'escargot, avec la vieille cuvette fendue, les Boches qui avancent sur la pointe des pieds, centimètre par centimètre. Ils sont vingt puis trente, le visage crispé. Ils attendent le signal pour enfoncer la porte.

C'est l'aube délicieuse et candide. Dans la petite cour, le soleil blanc luit sur les casques de fer.

Ils ont poussé en silence la porte de la rue. En silence ils sont passés devant le panneau des boîtes aux lettres, à demi décroché du mur. L'un d'eux s'est méfié : il est allé saisir la rampe afin que l'escalier n'agite pas sa branlante carcasse, ricanant sur leur passage selon sa vieille habitude. Ils ont fait attention en faisant jouer sur ses gonds la petite porte de la cour, à l'autre bout du couloir. On les a très bien renseignés.

Dans la cour, ils lèvent haut les genoux et posent très doucement la pointe du pied par terre. Leurs visages sont tendus, leurs yeux ressemblent à des meurtrières. Ils emplissent lentement l'aveugle petite cour, fixant la porte tout en se déployant.

Au signal, ils vont enfoncer cette porte et trouver enfin ce qu'ils cherchent depuis si longtemps. Ce bruit qu'on entend, bien qu'il soit très étouffé, ils savent que c'est la presse clandestine. Une vilaine joie leur gonfle la poitrine, sous l'uniforme vert-de-gris. Les saboteurs qui se terrent dans cette cave, on va tâcher de les prendre vivants. Ce sont des gens qui ont des choses intéressantes à dire.

L'officier porte le sifflet à ses lèvres. Le dernier homme a pénétré dans la cour. Ils sont serrés les uns contre les autres, les yeux braqués sur la porte. Ceux de devant vont se coller contre le mur, de chaque côté du panneau, pour que ceux du fond puissent s'avancer à leur tour. Leurs jambes sont encore dans la nuit, mais le haut des casques scintille. Juin, cette claire et vive lumière de juin, dès l'aurore.

L'officier a porté le sifflet à ses lèvres. Un des hommes, un de ces Bavarois épais, bons compagnons quand la guerre est finie, toujours fixant la porte, se glisse contre un des murs latéraux, voulant être plus près. L'officier va souffler, mais la botte du Bavarois rencontre la cuvette du cabinet abandonnée depuis des années. La vieille cuvette de faïence d'un blanc écœurant, fendue en deux : qui l'avait posée là? On ne le saura jamais. Pourquoi était-elle restée en cet endroit? C'était en prévision de cette aurore, de cette grande affluence d'hommes armés au cœur battant, au regard étréci. Voici qu'elle bascule, sa plaie s'ouvre grande, les deux morceaux sonnent contre les dalles rouillées. Surpris par ce vacarme, les autres Boches, en tressaillant, font bringuebaler leur attirail. Désespérément, l'officier vide ses poumons dans son sifflet.

Mais, de l'autre côté de la porte, l'effondrement de la cuvette a déjà fait bondir les résistants.

— Les Boches! souffle Louis avec horreur.

Un des leurs n'aurait pas fait tomber la cuvette. Et puis ce sont des combattants : ils possèdent une faculté spéciale pour deviner l'ennemi.

Alors Théo, tandis que le coup de sifflet retentit :

— Le passage, vite! Laisse tout!

Ils raflent cependant un pistolet et des grenades. Les Boches s'escriment sur la porte avec les crosses de leurs fusils. Apparemment, c'est une vieille porte. Ils ne peuvent pas savoir que le lieutenant Alsace l'a fait blinder avec des plaques de tôle rapportées en cachette du Grand Auto-Garage Eloy, rue de la République, où travaille son double nommé le grand Siboulet. Ils ignorent pareillement qu'il a fait creuser derrière la presse un passage rejoignant un souterrain qui servait pendant le siège de 70. Une fois que vous avez remis les choses en place, il faut être malin pour découvrir l'entrée.

Louis a disparu dans le boyau. Théo s'y engouffre à son tour, accomplissant méthodiquement les gestes que chacun d'eux a retenus par cœur. Dehors, les Boches envoient des giclées de mitraillette dans la serrure.

Le boyau n'est pas très long : pas plus de quatre ou cinq mètres. Le lieutenant a prévu un système pour faire retomber la terre une fois que le dernier homme est passé. Ainsi, le tunnel se trouve presque instantanément bouché.

Sur les genoux et sur les coudes, Théo pénètre à reculons dans le souterrain. Il tire de toutes ses forces sur la poignée en fil de fer qui commande le mécanisme : la voûte du boyau s'effondre. Il n'y a plus de boyau. Le garçon se redresse et s'active pour rejoindre Louis.

Dans leur précipitation, ils ont oublié la lampe, ce qui fait qu'on doit tout le temps garder la main contre la paroi. Vous n'y voyez pas à dix centimètres et il n'est rien d'éprouvant comme d'être obligé de courir dans le noir. Heureusement, le lieutenant Alsace pense à tout. Une nuit, il les a tous fait descendre dans le souterrain avec des torches et ils ont passé des heures à égaliser le sol autant qu'il était possible. Théo se rappelle avoir déplacé des parpaings sur des kilomètres. Certains lui avaient paru presque aussi lourds que lui et il n'avait pas cessé un seul instant de râler. Maintenant, il comprend l'utilité de ce travail : si on ne traîne pas trop les pieds, en principe on ne doit pas rencontrer d'obstacle dans ce souterrain. Cela dit, quel est l'homme qui peut se vanter d'avoir fait entièrement confiance aux ténèbres ?

Rue des Tanneurs, dans l'arrière-cour, les Boches sont enfin venus à bout de la porte. Fous de rage, ils envahissent le sous-sol, jetant la presse à terre et piétinant les décors à demi-moisis du *Fils du Désert*, brisant sous leurs bottes les cadres de bois construits par Tarzan un beau matin de printemps, à Zellenberg ou à Bergheim. Et cela faisait un méchant bruit, un bruit de haine et de désastre mais, par chance, ni Léon ni

Larbi ne pouvaient l'entendre, là où ils étaient. Et Théo ne l'entendait pas davantage. Mais lui, ayant perçu le coup de sifflet et l'aigre cliquetis de fourniment, était capable de l'imaginer. Son cœur pleurait pour celui de ses amis.

Les Boches sont morts de peur. A tout instant, ils s'attendent à ce qu'un de ces salopards surgisse d'un coin de la pièce, ou d'un trou dans le sol, ou de nulle part, une grenade dégoupillée dans chaque main et plonge au milieu d'eux. Ils auraient préféré vider d'abord leurs armes dans la pièce, mais les ordres sont de prendre vivants quelques-uns de ces bandits. Chacun vous dira qu'un bon Boche ne désobéit pas aux ordres.

Dans le souterrain, Théo appelle doucement Louis. La voix qui lui répond semble venir de partout à la fois. Le garçon sent ses cheveux se dresser sur sa tête.

— Dépêchons-nous! dit-il, parce que le son de sa propre voix le rassure.

Il cale l'étui à clarinette entre sa chemise et son pantalon. C'est Louis qui a le revolver. Dans l'obscurité, ni l'un ni l'autre n'ont la moindre idée du chemin qu'il reste à parcourir. Le souterrain débouche à la vieille ville, dans la cave d'un bon copain de Paul Frêne. Il y a un casier à bouteilles pour masquer l'ouverture.

Rue des Tanneurs, les Boches en sont réduits à se regarder les semelles, pour voir si les saboteurs ne seraient pas cachés dessous.

— Tu crois qu'ils en ont, eux, des lampes?

Bonté! cette voix de Louis... On dirait que c'est le rocher qui parle.

— T'occupe pas, dit Théo. Avance!

Cette fois encore, il s'adresse à lui-même. On aime mieux ne pas penser à des choses comme ça, ça vous couperait les jambes. Jamais ils n'auraient cru que ce foutu souterrain était aussi long. Ils ont l'impression de trotter là-dedans depuis des éternités. A une centaine de mètres de l'endroit où le boyau a été creusé, le souterrain fait un coude et s'en va sur la droite : aucun des deux garçons n'a voulu en faire la remarque, mais ils n'ont pas retrouvé cette déviation.

Dans le sous-sol, un Boche désigne en hurlant, sous la presse renversée, le carré de bois qui recouvre l'entrée du boyau.

— On n'en sortira jamais ! laisse échapper Louis.

Il n'a pas pu s'en empêcher.

— Merde ! Va toujours ! gronde Théo.

L'autre a six ans de plus que lui, mais c'est Théo qui commande. Il a son ancienneté de résistant, son amitié avec les chefs (Alsace et le sergent Larbi), sa qualité d'écrivain des tracts, sa participation à déjà beaucoup d'affaires difficiles dont il s'est tiré avec honneur.

Théo n'est pas comme Léon pour qui faire de la résistance est la même chose que de jouer de bonnes blagues aux gens, quitte à prendre des coups. Lui, a un compte personnel à régler avec les Boches et la milice. Un compte qui s'appelle Gentil-N'a-Qu'un-Œil.

Encore un siècle s'écoule et ils ne voient toujours pas le bout de ce maudit manchon de nuit.

Là-bas, les soldats s'affairent. Ils tirent la presse sur le côté, envoient promener le carré de bois. S'apercevant que le passage est plein de terre, ils jacassent tous ensemble comme une bande d'anthropophages.

Et puis tout à coup, devant Louis, un morceau de pâleur glauque. A peine une gommure sur le profond des ténèbres. Il s'arrête et Théo vient lui rentrer dedans, découvrant à son tour l'espèce de lueur verdâtre.

— C'est ça, souffle-t-il. C'est le casier à bouteilles.

Ils échangent un coup de coude. Ils reprennent leur marche. On reconnaît très bien, maintenant, la forme du trou de souris par lequel ils vont se glisser et retourner à l'air libre. Derrière eux, cependant, un Boche a réussi à introduire sa tête et ses épaules dans le boyau. Louis et Théo peuvent distinguer les culs de bouteilles alignés; ils marchent à présent dans une terre meuble étouffant le bruit de leurs pas. Le Boche retire sa figure du trou et explique aux autres que le système n'a pas si bien fonctionné que ça : en cinq, six minutes, on doit pouvoir déblayer le passage. Soudain, Théo s'arrête, retenant Louis par le bras; il vient de comprendre qu'il y avait de la lumière dans la cave. Sans doute le copain à Paul Frêne est-il descendu. A cette heure-ci ? Pour quoi faire ? Juin, ça n'est pas l'époque où il faut rallumer le feu quand on se lève... Dans le sous-sol, les soldats ne perdent pas leur temps. Ils ont avec eux un homme qui est terrassier dans le civil et un autre qui a fait le mineur pendant vingt ans.

Théo s'avance courbé vers les culs de bouteille. Il faut se mettre accroupi pour passer le trou. (D'abord, défaire l'un des crochets qui retiennent le casier au mur de la cave, puis pousser d'une certaine façon afin de ne pas tout flanquer par terre — là encore, le lieutenant a obligé chaque homme à répéter le geste autant de fois qu'il le fallait.) Il risque un œil entre deux bouteilles tandis que, chez Larbi, le terrassier et l'ancien mineur s'engueulent sur la façon de procéder et se font incendier tous les deux par l'officier. Théo rejette la tête en arrière comme si on lui avait planté un fer rouge dans la prunelle. Il a vu un morceau de drap d'uniforme, un ceinturon de cuir avec une boucle ronde. Il a même pu lire l'inscription : *Gott mit uns.*

Le garçon tourne vers Louis un visage livide, pressant un doigt contre ses lèvres. Il voudrait prévenir son camarade : « C'est foutu ! On nous a trahis. Ils nous attendent dans la cave. » Il ne peut même pas. Et si Louis pose une seule question, même à voix basse, c'est la fin. Tous deux seront morts quelques secondes après. A ce moment, des bruits remplissent la cave. On crie en boche, on tape sur quelqu'un. Louis et Théo sont brutalement éclairés, leurs ombres monstrueuses projetées sur les parois du souterrain, mais ça ne dure qu'une fraction de seconde. Les revoici plongés dans l'ombre. Puis la lumière revient sur eux et repart aussitôt. Ils comprennent que c'est l'ampoule de la cave qui danse au bout de son fil.

On crie toujours, de l'autre côté des bouteilles, on frappe un homme qui parle boche, lui aussi, mais d'une voix faible, entrecoupée, qui n'a pas le son métallique des deux autres voix. L'ampoule danse un peu moins fort.

Louis assure sa main sur la crosse du pistolet. Théo sort une grenade de sa poche. Puisqu'ils en sont là, autant savoir exactement de quoi il retourne.

Théo braque à nouveau son œil entre les culs de bouteilles.

Il y a deux Boches dans la cave. L'un qui fouine partout et braille de temps en temps quelque chose. Ça doit être celui au ceinturon; probablement qu'il cherche l'ouverture du souterrain. Ce qui est bizarre, c'est qu'il inspecte partout, sauf du côté du casier à bouteilles. L'autre est tout à fait furieux. Il n'arrête pas de hurler les mêmes mots à la figure d'un homme aux jambes flageolantes qu'il fait tenir debout en le soulevant par sa chemise. Ça ressemble à une question. Toujours la même question qu'il pose à cet homme qui, lui, marmonne d'autres mots en allemand et, à chaque fois, reçoit un bon coup de cravache à travers la figure. De la racine des cheveux jusqu'au menton, son visage ruisselle de sang. C'est pour ça que Théo ne reconnaît pas tout de suite le copain à Paul Frêne.

Au moment où il le reconnaît enfin, il devine ce que ce type répond au Boche. Ce sont des va-te-faire-foutre, alors ce salaud-là cogne de plus en plus fort. Théo serre sa grenade dans son poing à s'en faire éclater les jointures. Mais il se souvient des paroles du lieutenant Alsace : « On n'est pas tant que ça : on doit s'économiser. Des martyrs, on en a déjà plus qu'il ne nous en faut. A Londres, ce n'est pas ce qu'ils nous demandent. Alors s'il faut se faire péter la gueule, que ça soit à la toute dernière seconde, quand il n'y a vraiment plus rien d'autre à faire. »

Lancer cette grenade — en admettant qu'il soit possible de repousser le casier sans attirer l'attention des vert-de-gris — cela équivaudrait à se faire péter la gueule. La gueule au copain, d'abord — et très probablement celle à Louis et à Théo. Or, pour l'instant, ils sont trois qui vivent encore, qui peuvent espérer un miracle, même si c'est tout ce qu'ils peuvent espérer. Si Théo jetait maintenant sa grenade, le lieutenant ne serait pas fier de lui. Et Gentil ! Gentil aurait espéré mieux que ça de Théo.

Le pistolet, ce n'est pas la peine d'y compter. On ne fait pas les cartons qu'on veut dans les interstices d'un casier à bouteilles. Et puis les

Boches sont deux, nettement éloignés l'un de l'autre. Et puis celui qui fouine pointe une mitraillette devant lui.

Dans ces conditions, on ne peut rien pour le copain. D'ailleurs, il savait ce qu'il risquait. C'est un homme. C'est lui qui s'est proposé. Il est fier d'avoir fait ce qu'il a fait, c'est pourquoi il injurie ce Boche tant qu'il lui reste un filet de voix, à travers ses lèvres éclatées, ses dents fracassées par le gros bout de la cravache.

Pour nous, on ne peut pas grand-chose non plus. Même si le copain continue d'envoyer les Boches aux pelotes, ils vont bien finir par trouver tout seuls ce qu'ils cherchent.

Théo tourne vers son compagnon un visage tendu. Il n'a pas la possibilité de lui expliquer ce qui se passe, mais ce n'est pas nécessaire. Le plus idiot, dans tout ça, c'est qu'il ne ressent plus la peur.

De la tête, Louis fait un signe éloquent : tout ce qu'il leur reste à faire, c'est de tenter leur chance dans la direction opposée. Théo est bien d'accord là-dessus.

Pour arriver ici, ils ont pris à gauche du boyau. A droite, le souterrain n'a pas été déblayé (au contraire, c'est là qu'ils sont allés déposer les parpaings qui encombraient l'autre partie), mais ils ont entendu dire qu'il aboutissait à trois kilomètres en pleine nature, de l'autre côté du fort de la Justice. Ça veut dire au moins quatre kilomètres en tout, depuis là où ils sont. Sans lampe. Sachant qu'après le boyau, ils vont se cogner les pieds dans des tas de pierres. Et l'on ne veut même pas penser aux autres obstacles. Les imprévisibles. Les peut-être insurmontables (le lieutenant a dû renoncer à faire explorer le souterrain jusqu'au bout : ça aurait pris beaucoup trop de temps). Bref, c'est une entreprise désespérée — mais ont-ils seulement le choix? Non, pas le moins du monde. « Se défendre, a dit le lieutenant. Leur en faire baver tant qu'on a une goutte de vie dans le corps. » Devant eux, le chemin est barré par ces deux assommeurs avec leur mitraillette, sans parler des petits camarades qui doivent les attendre au rez-de-chaussée. On leur a tellement foutu la pétoche, ces derniers mois, qu'ils ne se déplacent plus que par camions. Se défendre, c'est tenter le coup, c'est se précipiter vers l'autre sortie du souterrain, même si on n'est pas sûr qu'elle existe encore.

Louis et Théo se retournent. Ils s'éloignent à quatre pattes, tout doucement. Il ne s'agit pas d'attirer l'attention de l'autre abruti, qui n'a toujours pas découvert le trou.

Ils ne vont pas très loin.

Très étouffés, mais perceptibles, des sonorités gutturales leur parviennent du fond des ténèbres où ils s'apprêtaient à replonger. Pas de doute : là-bas, les autres Boches ont réussi à dégager le boyau et s'amènent de ce côté. Cette fois, ils sont coincés, nos deux garçons. Faits comme des rats. Pétrifiés, ils se regardent dans les yeux, au fond de cette pénombre verte pareille au sein des océans. Et je vous le demande, que pourraient-ils faire d'autre que de se regarder ainsi?

Cela se passe en juin, quand tout le monde devrait être accaparé par la beauté du monde. Mais sous la terre, que voyez-vous du beau et du pas beau? Même le jour et la nuit ne vont pas jusque-là. Aube, aurore sont des mots qui ne veulent plus rien dire. La lumière est celle des ampoules, autrement ça n'est que le noir de la terre. Un noir qui n'est même pas du noir mais le

trépas des couleurs. L'enterrement, oui l'enterrement de la lumière.

Et nous sommes là, assistant à l'office. C'est
notre dernière chance qu'on enterre en même
temps. Des Boches devant. Des Boches derrière.
Si le rocher ne s'ouvre pas pour nous livrer passage, nous sommes arrivés au bout de notre
route, adieu tous les matins. Que disait-il, Alsace ?
« La toute dernière seconde. » Eh bien, la voici.

Et soudain, tout près, un hurlement de triomphe. Ils sont découverts, ça y est, c'est la fin ! Les
mitraillettes vont s'en donner à cœur joie.
Hacher, tailler, déchiqueter. Et non, pourtant. Le
hurlement est venu de l'autre côté, du côté de la
cave. Qu'est-ce que cela veut dire ? Qu'est-ce qui se
passe ? Un dernier sursis ? Une lueur d'espoir ? En
tremblant, Théo regagne son poste de guet derrière les culs de bouteilles.

C'est le ceinturon, c'est le Gott mit uns qui a
braillé comme ça; il braille encore. Tout excité,
gros groin hilare, il a l'air de penser qu'en effet, le
ciel est avec lui. De sa main libre, il brandit un
grand pot de mort-aux-rats. L'autre tête carrée
envoie le copain de Paul Frêne rouler sur la terre
battue. Les deux Frisés se tirebouchonnent en se
désignant mutuellement la tête de mort sur l'étiquette.

Il n'y a pas de poudre dans le pot : c'est des
feuilles de papier cachées là.

Théo les reconnaît aussitôt. Les mots imprimés
sur ces feuilles, c'est lui qui les a tous mesurés
l'un après l'autre dans sa tête. Voilà donc ce qu'ils
voulaient ! Ça n'était pas l'entrée du souterrain,
c'étaient ces tracts.

D'ailleurs, maintenant qu'ils les ont, ils ne
s'éternisent pas. Ils ramassent le copain, le remet-
tent sur pied, le giflent avec une poignée de tracts

320

et le poussent hors de la cave. Ils sont déjà en train de monter l'escalier.

Une pierre glacée est tombée dans le ventre de Théo. C'est à cause des tracts. Bien sûr, il savait que ces mots qu'il avait écrits pouvaient faire torturer un homme, voire le faire fusiller. Il le savait, mais tant qu'on n'a pas vu la chose, le savoir est comme de réciter par cœur un poème sans comprendre ce qu'il veut dire. Maintenant il a vu. Il a vu à quel point son travail dans la Résistance était grave et difficile. Gentil l'avait bien prévenu : « Tu as le numéro des actions difficiles. »

Le garçon était paralysé par la pensée de toutes les choses dont on peut être responsable, rien qu'avec des mots. Il voyait la figure défoncée et ruisselante du copain à Paul Frêne, un type flegmatique qui avait honnêtement prévenu le lieutenant : « Je n'irai pas me battre avec vous. Courir la nuit dans les bois, revenir en cachette voir ma femme et les gamines, ça non, je n'y arriverais pas. Je me connais, hélas ! C'est peut-être parce que je n'ai jamais été soldat ! J'aimerais en être capable, mais je ne me vois pas le faire. Je serais un poids mort pour vous. Pour tout le reste, en revanche, vous pouvez compter sur moi. Si vous voulez que je traduise les tracts en allemand, par exemple ? » Je me souviens, il s'appelait Wechsler, professeur au lycée. Puis plus professeur, parce qu'il était juif. Alsace avait souri et lui avait pris la main : « Et ça, alors, tu crois pas que c'est se battre avec nous, camarade ? » Wechsler hochait la tête d'un air sceptique, regardant le bout de ses chaussures. « S'ils étaient tous comme toi ! » avait dit le lieutenant.

Théo ne pouvait détacher son esprit de cette scène et de l'autre image : la figure en bouillie du petit bonhomme. Il a fallu que Louis lui envoie une bourrade dans les côtes.

Car le chemin est libre, à présent — à moins qu'ils n'aient placé un homme en faction en haut de l'escalier. On verra bien. Cette fois encore, ils n'ont pas le choix. Dans le souterrain, les autres avancent. Ils prennent leurs précautions, ignorant si les saboteurs ne leur ont pas tendu un piège. Une partie est allée sur la droite avec l'officier, l'autre s'est engagée dans la section qui conduit à la cave, à Théo, à Louis. Ils braquent les torches devant eux, arrosent chaque portion du souterrain de lumière avant de s'y risquer. Ils ont fini de crier : quand l'un d'eux a quelque chose à dire, il chuchote.

Théo soulève le crochet. Fait adroitement pivoter le casier à bouteilles. Le remet en place, ainsi que le crochet, après que Louis est passé.

Un bref coup d'œil dans le couloir. Personne. Personne non plus au-dessus des marches. Seulement un morceau de toit pentu, entre la plus haute marche et l'arc de la voûte, et puis un coin de blanc-bleu ardent, c'est du ciel. Un ciel qu'on ne savait pas si beau, si joyeux quand on était désespéré sous la terre. Ils croyaient encore que c'était la nuit, oubliant comment juin a le sommeil court.

— Attends ! murmure Théo.

Il retourne fermer la lumière de la cave. Comme ça, leurs poursuivants perdront encore quelques précieuses secondes.

Marche par marche, les deux garçons s'élèvent vers ce blanc-bleu magnifique. Après l'escalier, un petit vestibule donne sur une cour intérieure.

C'est là qu'ils ont mis leur camion. Une cour pavée. Une cour qui devait déjà exister lorsque

Vauban a construit ses fortifications, des pavés ronds comme le genou des belles.

Théo tient la grenade. Louis, le pistolet. Hop! ils se coulent dans une encoignure.

De là, on voit mieux ce qu'ils fabriquent.

Ils s'apprêtent à embarquer Wechsler. C'est curieux, dans le soleil, ce sang qu'il a sur lui. On dirait que ça n'est pas vrai. On dirait de la peinture ou un masque. Il marche entre les deux Boches de la cave. Tous les trois, c'est leur profil qu'ils montrent aux garçons.

Et puis, on ne sait pas ce qu'il y a eu. Sans raison, Wechsler et l'un des Boches ont tourné la tête vers la gauche. Vers la gauche, c'est-à-dire vers l'endroit où se dissimulaient Louis et Théo.

C'est Wechsler qui les a aperçus le premier. Une fraction de seconde plus tard, c'était la tête carrée qui les découvrait à son tour. Mais le petit bonhomme ne lui en a pas laissé le temps. Il lui a flanqué son poing en pleine figure puis il s'est mis à courir vers le coin opposé de la cour, tandis que dans les étages une femme commençait à hurler. Il s'est mis à courir comme s'il cherchait à s'enfuir alors qu'il n'y avait que des murs lisses dans ce coin-là.

Les Boches ne se sont pas posé tant de questions. Celui qui avait reçu le coup de poing — c'était Gott mit uns — a arrosé Wechsler avec sa mitraillette. Les autres, pendant ce temps-là, s'accroupissaient derrière le camion, glapissant et visant portes et fenêtres avec leurs armes.

Le hurlement continuait de plus belle. Wechsler s'était arrêté, le corps bandé en arc de cercle. Il avait posé les paumes sur ses reins. L'espace d'un instant, il était demeuré ainsi, immobile dans une position qui n'existe pas. Puis il s'était effondré tout d'une pièce, son front heurtant le pavé avec un beau son clair.

Le hurlement avait cessé, comme coupé au moyen d'un ciseau. Dans un lourd silence, les vert-de-gris s'étaient lentement relevés, jetant encore des regards méfiants aux fenêtres. Quelque chose d'invisible descend du ciel et s'étale sur la cour.

Le chef des Boches s'approche de Wechsler, un pistolet pendant au bout de son bras tel un oiseau mort. Il tire une balle dans le crâne du petit bonhomme. Ça fait un bruit de pétard, encore plus irréel que, tout à l'heure, les plaies sur le visage.

Théo et Louis n'ont rien vu de tous ça. Dès que leur regard a croisé celui de Wechsler, ils se sont jetés en arrière et collés au mur. Mais ils ont tout deviné, même le soubresaut du corps au moment où la balle fait éclater le cerveau.

Deux Boches continuent de surveiller les fenêtres, les autres grimpent dans le camion.

Le chef s'installe à côté du chauffeur et crie quelque chose. Le camion démarre. Les deux sentinelles courent de chaque côté à reculons, puis sautent chacune sur un marchepied. Le camion quitte la cour et disparaît.

Les garçons sentent leurs muscles se détendre brutalement. Tout leur corps se met à vibrer. Ils crispent leurs jambes liquéfiées. Haletants, les yeux écarquillés, ils regardent droit devant eux.

A cet instant, un grand fracas les fait sauter en l'air. Le casier à bouteilles vient d'être renversé.

Ils se sont retrouvés dans la rue de l'Etuve, ne connaissant la vieille ville ni l'un ni l'autre. A ce moment-là, ils couraient. Ils savaient seulement que les autres étaient sur leurs talons et que la Kommandantur se trouvait à deux pas.

Ils ont commencé à faire des détours. S'ils apercevaient un mouvement suspect, ils se faufilaient dans un couloir. Parfois, ils se séparaient, chacun empruntant un des trottoirs. A présent, ils ne couraient plus.

Il y a eu des rues et des rues. Des impasses et alors il fallait rebrousser chemin. Le plus drôle, c'est qu'ils n'ont pas vu tellement de Boches. Ils se demandaient ce qui était le mieux : conserver les grenades et le pistolet, au risque de connaître le sort des francs-tireurs si on les arrêtait avec ça (même sans se douter de qui ils étaient) — ou bien les abandonner quelque part, ce qui équivalait pour eux à ne plus être en mesure de défendre leur peau. Ce qui trancha fut le fait que, contrairement à ce que vous imaginez peut-être, il est terriblement difficile de trouver en plein Belfort un endroit où poser des armes sans se faire remarquer...

Il y aura eu d'autres rues vers le sud et vers l'ouest, dans ce resplendissant matin.

Ils ont traversé la Savoureuse sur le pont Carnot, rejoint le pont Michelet par la rue de l'As-de-Carreau et la rue Plumeré, dont le nom faisait tellement rire Théo lorsqu'il était enfant. Ils ont descendu la rue Berthelot et la rue du Général-Foltz, se dirigeant vers la Pépinière (entre nous, on dit la Pépi). C'est à la Pépinière qu'habite Grandvoinet, un des nôtres. « Çui-là qu'a les Chleuhs aux fesses, il barre chez moi, c'est tranquille. » : s'il ne l'a pas répété vingt fois, il ne l'a jamais dit.

Ça fait bizarre d'aller dans la Pépi, depuis les bombardements de mai. Les forteresses volantes ont essayé de bousiller la gare, mais comme les aviateurs visent de haut, à cause des canons boches, c'est surtout tombé autour. Vous avez des endroits complètement ratiboisés, jardins, maisons, chaussées, trottoirs. Chez Grandvoinet, ils n'ont rien reçu, encore une chance.

C'est tranquille, oui, comme en bordure d'un cimetière. C'est debout parmi les ruines, à peine un peu penché sur la grande dégringolade. C'est un reste du massacre.

« Si je suis pas là, vous trouverez la clé dans la boîte aux lettres. »

Louis et Théo ont bien failli tomber dans le piège. Ces fumiers de la Gestapo avaient organisé leur souricière bien comme il faut. Ils se sont découverts juste un peu trop tôt. Louis a vu l'ombre bouger avant d'avoir posé le doigt sur la sonnette. Il n'a fait ni une ni deux : il a baissé la main à toute vitesse et il a dégagé l'automatique de sa ceinture en bousculant Théo et en se laissant rouler sur le trottoir.

Aussitôt, une demi-douzaine de coups de feu en rafale sont partis de l'intérieur de la maison. Théo a vu un éclat de trottoir lui gicler juste sous le nez. Puis il a reconnu l'aboiement du pistolet de Louis. Un type en chapeau mou est passé à travers la fenêtre dans une gerbe étincelante de verre à vitre et de gouttes de sang. Il s'est écrasé la tête la première sur un parterre de je ne sais quoi (de rien, sans doute, parce que Grandvoinet ne devait guère avoir de loisirs pour jardiner) et il n'a plus bougé.

Ça tirait encore. Théo a envoyé une de ses grenades par la fenêtre d'où le gestapiste avait effectué sa pirouette. Puis les voici tous les deux, Théo et Louis, en train de courir, ou plutôt de voler, dans une rue inconnue, une de celles que les bombes ont épargnées.

Un ronflement de moteur. Un violent coup de frein derrière eux. Théo s'apprête à balancer sa deuxième grenade. Non! Il a reconnu la tête à Grandvoinet à la portière de la camionnette.

— Montez! Montez, nom de Dieu!

Théo s'élance le premier.

Derrière lui, Louis trébuche et manque de s'étaler. Théo le retient par le bras. Alors il a poussé un cri à vous faire remonter l'estomac dans la gorge. C'est là qu'on a vu qu'il avait été touché. Lui-même ne s'en était pas rendu compte.

Tant bien que mal, Théo est parvenu à le hisser dans la cabine. Grandvoinet fixait la route et le rétroviseur avec des yeux fous, presque debout sur sa pédale d'accélérateur.

Il essayait d'expliquer. C'était dur à suivre, il était trop bouleversé — et puis la blessure de Louis, qui nous impressionnait. Il faisait partie du groupe qui était allé donner la sérénade aux Boches, laissant Louis et Théo s'occuper des tracts, et tout avait très bien marché. Les têtes carrées s'attendaient si peu à les voir qu'elles les avaient regardé faire, trop médusées pour réagir. Pour un beau feu d'artifice, ç'avait été un beau feu d'artifice. En plus de ça, personne n'avait été blessé. Ils en auraient dansé de joie. C'est au retour que les choses s'étaient gâtées. Ils virent le command-car et le camion garés devant chez Larbi, rue des Tanneurs. Demi-tour en quatrième vitesse. Mais devant chez le lieutenant, rue Emile-Zola, c'était la même chanson. Il était dans les 6 heures du matin. Chacun comprit qu'en revenant chez lui, il trouverait des Boches jusque dans ses chaussettes. Alors le lieutenant avait réfléchi deux minutes et il avait donné ses consignes. C'est ainsi que Grandvoinet s'était rendu là où il travaillait et avait « emprunté » une camionnette à son patron, à la guerre comme à la guerre. Il était chargé de rôder dans la Pépi, puisqu'il avait donné sa maison comme point de ralliement. Dans son rétroviseur, il avait vu la traction s'arrêter, deux types descendre pendant que le troisième allait dissimuler la voiture. Il n'y avait pas eu besoin de lui faire un dessin, à Grandvoinet. Il avait décidé de se planquer lui aussi, et de voir venir. Sa camionnette n'attirait pas tellement l'attention, justement parce qu'elle était trop voyante, c'était une ambulance.

Il poireaute un quart d'heure, une demi-heure, et qui voilà-t-il pas qui s'amène ? Théo et Louis ! Franchement, il ne s'attendait pas à ça. Il croyait qu'ils s'étaient fait ramasser rue des Tanneurs. Ramasser ou pire. Dzim ! boum ! c'est tout de suite la fusillade. Il a juste eu le temps de démarrer. Le deuxième gestapiste n'a même pas fait ouf, quand l'ambulance est montée sur le trottoir pour lui dire bonjour. Il est tout incrusté dans un grillage, quelque part là-derrière. Et maintenant, le troisième larron a dû les prendre en chasse avec la traction.

Théo se retourne et regarde par la petite lucarne aménagée au-dessus de la banquette. Non, c'est la même chose que dans le rétroviseur : personne ne les suit. Pas de traction, rien. Il n'y a pas un rat dans la Pépi.

Louis ressemble à un petit vieux. Il articule d'une voix faible :

— Ils ont dû aller chez moi aussi. Qu'est-ce qu'ils vont faire à la mère et au père ?

On dirait qu'il va pleurer. La figure à Grandvoinet a la couleur d'un ventre de poisson mort.

— Qui c'est qui nous a vendus ? murmure Théo hébété.

Ils n'ont pas le temps de réfléchir à la question.

La traction vient de déboucher sans crier gare d'une rue transversale. On voit bien que lui non plus, le gestapiste, il ne s'attendait pas à nous trouver là. Il fonçait les dents serrées, les yeux hors la tête.

Pour s'éviter, Grandvoinet et lui donnent chacun de son côté un grand coup de volant.

De notre côté, ça va. Le camion tient le coup. On zigzague dangereusement mais, en fin de compte, on reste sur nos roues. Pour le salopard, c'est une autre chanson. Sa traction fait un tête-à-queue et part en tonneau. A travers la lucarne, Théo la voit s'enrouler le toit autour d'un réverbère, le pare-brise en miettes au milieu de la route — et puis ffffffssssssschou! la voilà qui prend feu comme une torche.

Grandvoinet a vu ça aussi dans son rétroviseur.

— Nom de Dieu! fait-il d'une voix blanche. Nom de Dieu! Cette fois, ils ne nous lâcheront plus.

— Ça change rien, dit Théo, maintenant qu'ils nous ont repérés. Autant qu'on en descende le plus possible. Celui-là, il s'est chargé du travail lui-même.

Il sourit amèrement. On a beau faire les malins : ce soir, probablement, on aura tous été rejoindre Gentil.

Louis a calé sa tête contre l'encadrement de la vitre. En quelques instants, ses traits se sont creusés. Il transpire à grosses gouttes; une sueur épaisse, trouble, malsaine. Son regard est fixé sur un point situé un peu au-dessus du rétroviseur. Le sang coule entre les doigts de la main qu'il a plaquée sur sa blessure.

Théo lui presse le genou :

— Tiens bon, Louis, tiens bon!

Et à Grandvoinet :

— File sur Bavilliers.

Louis se met à gémir :

— Pas chez moi ! Faut pas aller chez moi.

— T'en fais pas. On va s'évanouir dans la nature. Les bois de Froideval, ils n'iront pas nous chercher là-bas. Dès qu'on arrive, on s'occupe de ton bras. Après ça, Grandvoinet s'en retourne à l'hôpital comme si de rien n'était. Il raconte n'importe quel bobard et ce soir, il nous ramène un toubib : il y en a qui sont pour nous, quand même.

Froideval, c'est pour nos dimanches, lorsqu'il n'y a pas la guerre.

Dix minutes plus tard, ils avaient trouvé un bon coin pas trop loin du canal. Il était temps : Louis commençait à tourner de l'œil. On avait beau être dans une ambulance, il n'y avait rien pour nettoyer la plaie. Ils ont dû se contenter de faire un pansement. Et quand ç'a été fini :

— Alors, bonne chance, a dit Grandvoinet. Je trouverai au moins un infirmier.

Il pouvait être quelque chose comme 7 heures du matin et la verdure de Froideval s'apprêtait à passer ce genre de journée qu'elle aime le mieux, ardente et calme. Cette fois le bleu du ciel était du vrai bleu. Les rayons du soleil versaient des pierres précieuses dans le canal. Il y avait un bouquet d'arbres auquel vos yeux revenaient toujours, avec des troncs très fins et très droits. De temps en temps, les plus hautes branches étaient agitées d'un petit frisson vite apaisé. Il commençait déjà à faire chaud, une de ces chaleurs blondes du matin qui se posent contre la joue et brûlent un de vos bras, pendant que l'autre reste frais. Sur le chemin, en contrebas, Grandvoinet grimpa dans l'ambulance et fit encore un signe. Ils ne le revirent plus jamais.

Quand il fut parti, ils s'enfoncèrent un peu plus sous le couvert. Théo aida Louis à s'étendre au pied d'un arbre, la tête appuyée sur sa veste roulée en boule. Puis il s'assit à son côté, contemplant ce bleu intense par les trous du feuillage. Ils auraient pu être deux amis songeant à des jeunes filles, dans cette paix spéciale et lourde d'un beau début d'été. Ce furent des heures de silence, à écouter le murmure des trembles et les paroles qu'on a dans la tête. Les timides oiseaux de Froideval s'interpellent brièvement. Et si l'on est pas sûr de vivre jusqu'au lendemain, on pense à tout ce qu'on aurait encore voulu connaître.

Louis allait tantôt mieux, tantôt plus mal. Il ne pensait qu'à l'infirmier et aux médicaments. Il y pensait mais il ne disait rien. Il avait de la patience. Il faut dire que ceci est une place pour la patience.

Tandis qu'on ne voit plus le canal, étant trop éloigné, le canal continue son miroitement. De même, ceux qui nous quittent restent quelque part, miroitent là où l'on ne peut plus les voir. Leurs paroles et les objets demeurent, des bouts de leur visage. Nous avons encore le sourire à Gentil, le son de sa voix, sa clarinette dans son étui, sa vieille casquette de quand il était revenu du Tonkin.

Midi approche. Les rayons du soleil fouillent entre les branches, on dirait qu'ils nous cherchent. On fait comme si l'on n'avait pas faim. Louis, ce qui le tracasse le plus, c'est boire. Même l'eau sale du canal, ça lui fait envie lorsqu'il l'imagine. Il se passe tout le temps la langue sur les lèvres. Peut-être que s'ils avaient un bidon, Théo irait quand même lui chercher de cette eau sale, rien qu'un tout petit peu.

Et voilà midi. Tout droit. C'est une heure qui n'a pas besoin de montre. Midi s'arrête un peu dans le ciel, voyant si tout est à son goût. Puis il se laisse aller en arrière, très indolent, très langoureux, tout à fait amoureux de ce monde. Il prend son temps même pour fermer les paupières.

On arrive dans l'autre partie du jour, celle où la chaleur devient comme un métal — mais pas si vous êtes au fond des bois, contre la terre. A un moment, Louis s'était endormi. Théo en a profité pour aller jusqu'à la lisière des arbres, d'où l'on aperçoit le canal. Quand il est revenu, Louis dormait toujours. Le sang était passé à travers le pansement, mais il était noir et sec, ce qui veut dire qu'il ne coule plus. Théo essayait de se persuader que c'était bon signe.

Le soir ne fut pas du tout pressé de venir.

Louis s'éveilla bien avant et dit :

— Peut-être qu'ils l'attendaient à l'hôpital, Grandvoinet ?

Peut-être, oui, mais on ne doit pas penser à ça. On doit croire que ça s'est passé autrement.

— T'en fais pas, il va venir.

— Il ne devrait plus tarder, maintenant.

— Attends qu'il fasse un peu sombre !

— C'est qu'on est en juin : les jours sont longs...

— Le plus dur est fait. Il a dit : à la tombée de la nuit.

— Ce que j'ai soif, bon Dieu !

Et puis la nuit tomba, Grandvoinet ne venait pas et qu'est-ce qu'il fallait dire, à présent ?

D'abord un grand ciel jaune paille. Ensuite des couleurs encore plus étranges. Ils s'étaient rapprochés de l'endroit où l'ambulance devait venir les prendre. La blessure de Louis s'était remise à saigner. Théo fit celui qui n'avait rien vu : c'était déjà assez d'angoisse.

Il descendit sur le chemin. Le canal reflétait cette bizarre peinture du ciel, sauf là où l'ombre des arbres semblait de grosses pierres noires et visqueuses enfouies au fond de l'eau.

Le noir s'approchait sournoisement. C'était du roux qui se mettait dans le doré, du brun qui se mettait dans le roux, de l'indigo à la place du brun, et alors vous vous aperceviez brusquement que c'était la nuit, ou plutôt cette ombre que la nuit projette devant soi, qui ressemble à la fatigue du monde, à la vieillesse des gens.

Théo retourna vers le bosquet, où le blessé avait sorti sa fameuse photo. Il l'avait avancée tout près de sa figure pour combattre le sombre, et il la regardait comme s'il voulait s'hypnotiser avec. Ou plutôt comme s'il essayait d'entrer dedans par magie. Et c'était une chose que Théo pouvait comprendre, n'ignorant pas ce que peut faire une personne dont l'espoir fiche le camp.

— Tu veux pas me parler d'elle? demanda-t-il doucement.

Louis fit non de la tête et rangea la photo. Théo comprenait cela aussi. Pourtant son cœur devenait lourd, à cause de ce refus.

Une fois qu'il fait bien noir, les fantômes se lèvent et marchent dans les bois. Vous entendez distinctement leurs talons invisibles écraser les brindilles, tandis que leurs invisibles mains écartent les taillis. Parfois, ils s'arrêtent, ils écoutent, puis ils vont d'un autre côté. Ils se chuchotent des choses. L'un tousse, peut-être. A qui sont ces morts, on ne sait pas. On a surtout peur que ce soient les nôtres. Ils viennent tout près, toujours dans votre dos. Si vous vous retournez, vous entendez le bruit qu'ils font en devenant immobiles. Puis seulement le froissement de la nature. Et dès que vous avez quitté l'endroit des yeux, les voilà qui repartent.

On est fantôme soi-même, en sa propre vie : c'est l'impression que donne le fait d'avoir vieilli soudain, de s'être détaché d'un coup de toute son existence d'avant. Théo a beau réfléchir, il ne voit pas le rapport entre celui qu'il était il y a quelques mois, lorsqu'il faisait l'apprenti-serrurier chez Breschbuhl, et celui qu'il est aujourd'hui. C'est comme si tout un océan était venu se mettre entre ces deux personnes. C'était comme quelqu'un d'une époque et puis, tout de suite après, quelqu'un qui serait né mille ans plus tard. Quelqu'un d'immortel et quelqu'un qui pouvait mourir tout à l'heure. Et mourir, en cet instant, n'était pas ce qui effrayait Théo. La mort de Louis lui faisait peur, mais pas la sienne. La sienne s'inscrivait dans une succession de morts farouches et glorieuses. C'est d'abord son vieux père Roméo en train de sourire timidement, pendu à l'espagnolette rue de Toulouse. C'est ensuite Gentil, qui va tuer le mouchard Robert Lamiral en plein jour, pour montrer à Théo qu'il n'est pas un lâche, et qui se fait prendre par la Gestapo. Les deux plus grands remords dans la vie du garçon, et la raison pour laquelle mourir n'est pas un grand chagrin. Quand Gentil est mort à cause de vous, vous êtes en dette de votre propre vie.

Surtout ne pas parler de Grandvoinet. Ne même pas y penser.

— Tu le connaissais pas, toi, Gentil ?

Louis fait simplement rouler sa tête d'une épaule à l'autre.

— C'est le type qui m'a donné la clarinette. Enfin, c'était pas un type... c'était Gentil, je peux pas te dire.

Il dit pourtant. Il se met à raconter toute l'histoire.

Théo vida son cœur et comprit pourquoi ce cœur était si lourd, parfois. Il évoqua le Luxhof et l'Artichaut. La lumière rouge. L'estrade. Les regards des femmes. Cette façon qu'avait Gentil d'élever les morceaux de la clarinette, comme s'il allait s'envoler avec eux, puis de les assembler au milieu d'une clameur pas seulement heureuse mais pâmée, interloquée, pleine de vénération. Puis c'était la musique artichaut, que très peu de gens voulaient aimer, mais elle, c'était la musique la plus amoureuse de la terre et Théo aurait donné son bras droit pour la jouer comme Gentil, seulement il n'y était jamais parvenu. L'instrument restait le maître de Théo, qui raconta ensuite les promenades et les instants où l'on s'est assis côte à côte pour parler, les allées et venues, les idées de partir très loin, Djibouti, Djakarta, Chicoutimi, Honolulu, les rues qui changent de nom, ou bien qui ne changent pas et restent à nous. Il raconta la petite herbe sous la Miotte, répétant toutes les phrases que Gentil avait dites au sujet de la musique, s'apercevant du même coup qu'il les avait retenues et qu'elles lui paraissaient toujours, huit ans plus tard, aussi aveuglantes et obscures.

Louis est allongé sur la terre qui refroidit. Théo lui parle de son ancien temps.

Il parle de 36, de ce que 36 avait été dans le faubourg des Coups-de-Trique. Les jours d'avant 36. La grève sur le tas. Le défilé du 14 juin, qui était un dimanche où le faubourg avait avancé jusqu'à la place de la République, partant du square Engel. Théo faisait partie de ce cortège avec sa sœur; c'est Gentil qui les avait emmenés tous les deux; ils avaient été ensemble un morceau de cette joie et de cette fierté. Car ce jour fut un fameux jour dans la vie de beaucoup de personnes, et si seulement elles pouvaient en revoir un pareil avant de mourir, c'était tout ce qu'elles souhaitaient. Ensuite, des choses et d'autres puis la guerre. Gentil nous quitte. Théo l'accompagne au train. Gentil lui remet la clarinette. Bref. A présent, dans l'histoire qu'il raconte, Théo tutoie Gentil. C'est l'histoire du retour de Gentil et du recommencement des leçons de clarinette. Et puis alors Robert Lamiral mitraillé au coin de la rue de la Savoureuse. L'argent qu'il touchait de la milice lui brûlait les doigts.

Théo avait oublié qu'il était à Froideval, attendant Grandvoinet qui ne viendra plus, et qu'il s'adressait à un homme blessé. Autrement, il aurait remarqué que depuis quelque temps déjà, un faible râle s'échappait des lèvres de celui-ci. Mais Théo est comme emprisonné dans son souvenir, et c'est son remords qui garde la clé de la porte. Quand Louis se met à causer, alors là seulement il tressaille et jette les yeux sur lui.

Cependant, Louis ne cause pas avec Théo. Ce sont des mots sans suite, un long marmonnement hagard et fastidieux, avec des plaintes soudaines et des silences oppressés. Lui-même ne sait pas ce qu'il dit. Il ne sait pas qu'il parle. Il délire, qu'on appelle.

Pendant que Théo racontait, la fièvre a dû monter encore. On dit que pour ceux qui souffrent, la nuit est toujours le plus mauvais moment. Et que faire ? Comment empêcher cette fièvre de grimper davantage ? Le lieutenant Alsace, qui a tout prévu, n'a rien dit à ce sujet. Peut-être qu'on n'est pas censé être blessé, selon lui : seulement mort ou indemne.

Soudain, Théo songe à l'eau. L'eau que Louis a

réclamée toute la journée. L'eau seule a-t-elle le pouvoir d'éteindre une fièvre comme celle-là? Qu'est-ce qu'il en coûte d'essayer? Ce n'est pas l'eau qui manque dans le canal. Bien sûr, on n'a pas de récipient, rien pour la faire tenir. « Seulement, réfléchit Théo, nous avons changé de place. Le canal n'est jamais qu'à trente ou quarante mètres, à présent. Si je ramenais de l'eau dans le creux de mes mains, en faisant attention, il en resterait bien un petit peu lorsque j'arriverais ici; et je pourrais effectuer plusieurs voyages. »

C'est ce qu'il a fait, une bonne demi-douzaine d'aller et retour, mais il n'est jamais resté au fond de ses mains. Rien que l'humidité sur ses paumes. Alors il les appliquait bien larges contre les joues brûlantes de Louis qui remuait encore la bouche, mais on n'entendait plus les mots. Après le dernier voyage, découragé, rompu d'avoir si longtemps et si vainement raidi ses muscles pour empêcher l'eau de s'enfuir, il a laissé une de ses mains sur le front du blessé. Et ça a quand même dû lui faire du bien, à Louis, car son corps s'est relâché. La tête s'est inclinée vers l'épaule. Les lèvres se sont immobilisées, entrouvertes. Il s'est bientôt mis à ronfler à petit bruit, d'une sorte de ronflement qui rassure, parce qu'il est une chose qu'on connaît bien. Et Théo s'est rappelé comment son père avait ronflé, un jour qu'il n'était pas mort.

Plus tard, il retira sa main. Il eut un moment la sensation désagréable d'avoir ramassé la fièvre dans cette main, et il courut la tremper dans le canal.

L'étui à clarinette faillit tomber dans l'eau lorsqu'il se pencha. Il le rattrapa in extremis. De retour auprès de Louis, il fit jouer les fermoirs.

Il assembla l'instrument sans trop penser à ce

qu'il faisait, revoyant à nouveau dans sa tête celui à qui la clarinette avait appartenu et qui disait jadis : « Le vrai joueur, il n'a même pas besoin d'un instrument. Si tu le mettais tout seul tout nu dans le désert, il ferait quand même de la musique. » Froideval n'était pas réellement un désert, mais Théo, ne faisant même plus semblant de ne pas attendre Grandvoinet, n'ayant plus personne ni à attendre ni à ne pas attendre, se sentait seul et nu à côté de Louis qui peut-être allait mourir.

Ils revenaient parmi les arbres : les fantômes. Et pas un n'aurait seulement été capable de vous dire ce que c'était, être mort. Ils gardent ça pour eux. Ils sont jaloux de leur état. Ça prouve en tout cas qu'ils sont un peu restés des hommes.

Il a placé le bec de la clarinette entre ses lèvres, il a pincé le bec avec ses lèvres (on suce un peu, d'abord), il a fermé les yeux.

Autrefois, il avait entendu cette musique. L'Artichaut ! Elle avait un cœur d'artichaut, en effet, puisqu'elle aimait tout le monde. Certains seulement l'aimaient, dans le faubourg : ils n'avaient pas assez l'habitude, les nôtres, pour comprendre cette sorte d'amour. Mais Théo l'aimait pour tous ceux qui n'y arrivaient pas. Ainsi cette musique demeurait parmi nous.

Il a posé les doigts sur les clés. La clarinette se réchauffait lentement. Et tout à coup, quelque chose s'est défait dans sa poitrine, comme un nœud, comme un verrou, et la musique a jailli. Elle s'est mise à bouillonner dans sa gorge. Elle est montée à sa tête et l'a emplie en un clin d'œil. Ses doigts se sont mis à bouger tout seuls.

Il n'a pas soufflé, Théo, puisque Louis était là,

qui balançait au-dessus de sa tombe. Cependant, il a joué cette musique. Pour la première fois de sa vie, après des centaines, des milliers de tentatives infructueuses, il a réussi à faire l'Artichaut. Ses doigts allaient se mettre juste là où il fallait et il sentait, il savait que s'il avait soufflé, ce qu'on aurait entendu aurait été exactement ce qui était en train de chanter dans sa tête.

Cette nuit-là, Théo fut musicien. Non pas simplement joueur de clarinette, qui joue un air sans se tromper, mais vrai faiseur de musique, ayant à jouer comme il faut quelque chose que personne n'a jamais joué et que personne ne jouera plus. Et lui, Théo, avait entendu ce que c'était, et c'était une musique artichaut, digne de Gentil-N'a-Qu'un-Œil quand il rentrait de promenade et jouait sur l'escalier de derrière qui donne dans le jardin, avant qu'une poignée de cendres ne soit lancée sur le ciel rouge. Des airs mauves, mélancoliques et troués, avec des notes qui penchent et d'autres qui n'ont plus la force de rien et c'est seulement le souffle qu'on entend, où flotte un souvenir. C'était un genre d'Artichaut et il y en avait un autre, jubilation et colère, pour les samedis soirs du Luxhof. Les deux faisaient la paire et ne faisaient qu'un seul ensemble, selon qu'on regardait sa vie par en bas ou par en haut. Le lent et le vif. Le triste et le furieux. Entre les deux, il y avait la place où nous étions, et nous voulions aller ailleurs. Je ne veux pas dire ailleurs qu'ici, je veux dire ailleurs qu'à l'endroit, quel qu'il soit, où l'on nous a placés de force.

Théo entendit dans sa tête la dernière note, qu'il ne jouait pas vraiment mais qui était pourtant une note bien à lui, longue et creuse, le souffle passant tout au travers même si en réalité Théo ne soufflait pas. Elle se tortilla sur la fin et s'éteignit dans ce souffle imaginaire qui continuait tout seul, très longtemps. C'était beaucoup de souffrance mais la paix revenait quand même avec elle.

Le garçon repose l'instrument sur l'étui ouvert. Les yeux à demi clos, il pêche au fond de sa poche le crayon et le tract au dos duquel il était en train d'écrire lorsque les Boches ont envahi la cour à Larbi. Il relit les mots, ses propres mots de l'autre nuit, mais c'est déjà comme l'écriture d'un autre. Il apprendra un jour qu'il doit en être ainsi, sinon on ne serait plus capable de les supporter. Les mots sont comme la musique : ils sont faits pour être donnés. Celui qui les garde, il les étouffe en même temps.

Pour ceux qui viennent maintenant, l'élan de la musique entraîne la main de Théo. Plus que des mots, ce sont des notes d'une manière un peu différente, venant de la partie vibrante du silence, celle qui n'est plus la musique et qui n'est pas encore le retour des chuchotements du monde.

Il s'arrête d'écrire quand il voit que ces mots sont moins beaux que le beau silence de la musique artichaut jouée à bouche fermée pour ne pas éveiller Louis, pour que la mort le croie endormi et reparte, déçue, vers d'autres étreintes.

Sur la feuille de papier, les mots disent que Gentil revient. Gentil est en effet revenu. Son âme s'est glissée entre toutes les ombres. Elle a profité de ce que Théo embouchait la clarinette pour pénétrer en lui. Puis elle a fait entendre cette musique, étant également l'âme de l'Artichaut. Désormais, quelqu'un respire par la bouche de Théo. Ils sont plusieurs là-dedans : Papy, le pauvre vieux Roméo, Gentil-N'a-Qu'un-Œil. Théo est lourd de ces hommes-là, grave de tous leurs malheurs, mais si le courage lui manque, ils se dresseront en son corps et le mèneront en avant.

Ils soulèvent la nuit avec leurs épaules, afin que Théo demeure bien éveillé.

A Froideval, une livide lueur sculpte dans le brouillard un groupe étrange. Le canal vaporise une fumée laiteuse sur ses berges. Une à une, les choses se décollent de leur écorce nocturne. Les bruits deviennent moins furtifs, s'aventurant de plus en plus loin des deux garçons dont l'un est étendu sur le sol, immobile. La terre relâche l'un après l'autre ses muscles tétanisés par le froid et l'effroi de la nuit, elle ne dort qu'à midi et dans les heures du soir.

C'était comme s'il n'y avait personne d'autre, et Froideval une lune ignorée. Eux seuls flottant au-dessus du sol invisible, l'eau clapotant d'une manière petite et douce, sous son écharpe de brume. Dans cette lumière, la campagne n'est pas verte, mais grise et blanche, avec des choses en argent cachées derrière les arbres. Fallait-il que ce monde soit devenu fou, pour ne plus savoir cesser d'être beau.

A présent, Théo va faire l'homme dans ce monde. C'est une tâche immense et Théo est petit, comme chacun de nous. Mais c'est nous qui portons le monde. Nul n'a voulu s'en charger à notre place. Il a bien fallu que quelqu'un se dévoue.

Dans l'amertume et dans le fol amour, la lumière du dedans et l'eau lustrale de l'ardeur, qui font étinceler, parfois, la terne enveloppe de nos corps, nous nous souviendrons de cela. Nous nous souviendrons de tous les défunts et de tous les vaincus. Nous nous souviendrons des amants séparés et de ceux qu'on a mis dans des caves pour les percer d'une douleur qui n'a ni fin ni mesure. Nous nous souviendrons de Louis, succombant à sa blessure, pas très loin finalement de la maison où rêvait Agathe, qu'il aimait. Nous nous souviendrons de Grandvoinet et du long cortège des fusillés : on retrouva leurs corps dans les charniers d'Offemont, du Salbert, de Chaux, de Banvillars, du fort Hatry. Nous nous souviendrons aussi d'André, le beau-frère, qui dut parler et n'avait rien à dire, alors il ne fit que hurler, tant que cela dura. Nous nous souviendrons du Passe-Lacet, ce gros homme du faubourg, qui avait aimé le sauternes, le caviar, les bonnes choses mais ne supporta pas un long voyage dans un wagon à bestiaux, parmi beaucoup d'autres qui n'avaient pas eu tant de sous, ni tant de solitude. Nous nous souviendrons de Léon et Larbi, lorsqu'ils reparurent comme par enchantement, terminèrent la guerre avec Théo dans les bois, armés jusqu'aux dents, puis montèrent cette cabane écarlate dans les fêtes, où Hitler était suivi par la Justice et la Vengeance dans sa tombe, puis s'en furent un matin vers la mer, voir le vieux regret des hommes. Nous nous souviendrons de M. Clément, de Buisson, des Breschbuhl, du Chpaniaque et du Décolleur d'Affiches, de Maman, de Mémère : tous sont partis un jour, ne sachant pas pourquoi ils étaient venus, mais sachant que cela avait été cruel et magnifique. Agathe n'a jamais voulu se marier; elle est devenue directrice d'école à Rougemont et ne vient à Belfort qu'une ou deux fois l'an. L'oncle Maximilien est entré dans un hospice. Lorsqu'il parlait de ses anciennes richesses, et de l'honneur perdu de la France les petits vieux ricanaient. Un jour, on lui vola ses bretelles dans un tiroir fermé à clé. Nous nous souviendrons encore de Kramsky. Kramsky parle hanneton aux étoiles, les nuits d'été; il est amoureux fou d'une personne qui vit dans la lune et qu'on ne voit jamais. Et puis nous nous souviendrons de Gentil. D'une plaine noire où on l'avait mené, très loin de chez nous, dans un novembre éternel où même la neige est grise, où même les oiseaux geignent, où même le froid, la faim, la souffrance passent encore pour des biens, de ce désert maudit où les seuls airs de flûte sont le vent qui siffle entre les barbelés, il est revenu un soir, ayant eu des autorités une place de train gratuite et des habits décents. A Belfort, il est descendu sur le quai. C'est-à-dire qu'on lui a dit de descendre, que c'était là. De très douces infirmières l'ont aidé. Nous ne l'attendions pas. D'ailleurs, nous ne l'aurions pas reconnu. Quant à lui, s'il nous reconnaît, nous ne le savons pas, parce qu'il n'a plus parlé à quiconque. Lorsqu'il passait devant le Luxhof, il ne tournait même pas la tête. Théo lui a tendu la clarinette, mais elle lui a roulé des mains. Il a vécu chez sa sœur quelque temps, ses yeux continuaient de regarder la plaine lointaine. Nous nous souviendrons de ces choses certains matins de cendres, puis au cœur de nos nuits insomniaques. Et plus tard, bien plus tard, nous dirons adieu à ces souvenirs, au revoir et merci, et je t'aime, un dernier bon coup!

A Froideval, lorsqu'il se mit debout dans cette buée rose qui était un matin d'été, Théo sentit ses épaules s'alourdir, en même temps que son cœur se serrait sans qu'il en comprît exactement la raison.

Dans le début de la vie d'homme, qui est le vrai début de la défaite et de l'acharnement, il vous vient parfois une impression de lassitude et de mélancolie. En réalité, c'est beaucoup plus vague que ça. On dirait plutôt une ombre à l'intérieur de vous, une couleur — je ne sais pas, moi, une sorte de bleu. Ou quelque chose comme ça.

TABLE

DU MÊME AUTEUR

chez le même éditeur :

LA COULEUR ORANGE (1975).
LE BUFFET DE LA GARE (1976).
LE PLAISIR DES SENS (1977).
LE FAUBOURG DES COUPS-DE-TRIQUE (1979).
LE JADE ET L'OBSIDIENNE (1981).
LE LAPIN DE LUNE (1982).

IMPRIMÉ EN FRANCE PAR BRODARD ET TAUPIN
7, bd Romain-Rolland - Montrouge - Usine de La Flèche.
LIBRAIRIE GÉNÉRALE FRANÇAISE - 14, rue de l'Ancienne-Comédie - Paris.
ISBN : 2 - 253 - 03081 - 3